Tom Clancy's Net Force

2889

Van dezelfde auteur

De jacht op de Red October
Ongelijke strijd
Kardinaal van het Kremlin
De Colombia Connectie
Golf van ontzetting
Operatie Rode Storm
De meedogenlozen
Ereschuld
Uitstel van executie
Uur van de waarheid
SSN
SSN-pakket (boek & 2 cd-roms)

Tom Clancy's Power Plays-serie
Tom Clancy's Net Force-serie
Tom Clancy's Op-Center-serie
Tom Clancy's Netforce Explorers-serie

Bezoek onze Internet-site www.awbruna.nl
voor informatie over al onze boeken en softwareproducten.

Tom Clancy en Steve Pieczenik

Tom Clancy's Net Force

Zwarte Beertjes

Oorspronkelijke titel
Tom Clancy's Net Force
© 1998 Netco Partners
All rights reserved
Vertaling
Joost van der Meer en William Oostendorp
© 1999 A.W. Bruna Uitgevers B.V., Utrecht

ISBN 90 449 2889 9
NUGI 331

*Oorlog is het tijdverdrijf van de staatsman, het behagen van de
geestelijke,
De schimpscheut van de raadsman, het vak van de huurmoordenaar.*
                                           – Percy Bysshe Shelley

De mens is nog altijd de uitzonderlijkste computer van allemaal.
                                                – John F. Kennedy

1

Dinsdag 7 september 2010, 23:24 uur
Washington D.C.

'Oké, commandant,' zei Boyle. 'We kunnen.'
Vanuit het koele, airconditioned restaurant en met de heerlijke geuren van de exquise Italiaanse keuken nog steeds in zijn neus stapte Steve Day de broeierige herfstavond in. Inmiddels op de stoep sprak Boyle, Days hoofdlijfwacht, in zijn *link*. De limousine stond gereed, maar Boyle was een uiterst voorzichtige jonge man, een van de beste FBI-agenten. Pas na zijn toestemming klikte het elektrische slot van het achterportier open. De hele tijd keek Boyle overal om zich heen behalve naar Day.
Day gaf een knikje naar de chauffeur, die nieuwe. Larry? Lou? Zoiets. Hij liep op de limo af, gleed vervolgens naar binnen en nam plaats op de zitting van gekloond leer. Hij voelde zich prima. Er ging toch niets boven een zevengangendiner met drie soorten voortreffelijke wijn om een man in een goede stemming te krijgen. Umberto's was een nieuw eethuisje, maar het had recht op minstens vier sterren – en die zou het krijgen ook zodra iemand de moeite nam het te klasseren – en Day hoopte maar dat dat niet al te snel zou gebeuren. Want zodra hij een nieuwe afgelegen eettent vond, duurde het niet lang voordat die werd 'ontdekt' en kon hij een etentje daar verder wel vergeten.
Toegegeven, hij was de commandant van het pas opgerichte Net Force, nog altijd het goudhaantje binnen machtskringen in Foggy Bottom, maar dat legde niet al te veel gewicht in de schaal wanneer van huis uit rijke senatoren of zelfs nóg rijkere buitenlandse diplomaten voor je in de rij stonden. Zelfs de restaurateurs in dit stadje wisten welke hielen ze eerst moesten likken en boven aan de lijst stond zeker niet iemand die zo laag in rang was als Day. Voorlopig althans.
Maar hij had geweldig gegeten: beetgare pasta met een bloedvatvernauwende saus, een garnalensalade en diverse soorten ijs die het verhemelte streelden. Hij was aangenaam voldaan en ietwat aangeschoten tegelijk. Maar goed dat hij niet hoefde te rijden.
Zijn *virgil* tjirpte naar hem.

Boyle gleed naast hem, sloot het portier en tikte met een knokkel op het kogelvrije tussenschot.

Terwijl Day de virgil van zijn riem losmaakte en er een blik op wierp, startte de chauffeur de wagen.

Zijn Virtual Global Interface Link – kortweg virgil – beschikte over een oplichtend telefoonpictogram in de rechterbovenhoek van het kleine lcd-scherm. Hij raakte het pictogram aan en op het schermpje begon een nummer te knipperen. Het was Marilyn. Ze belde van thuis. Hij keek naar de tijdsaanduiding. Even na elven. Ze moest vroeg van haar DAR-meeting terug zijn gekomen. Meestal duurden die kakelsessies tot na middernacht. Hij grijnsde, tikte tweemaal op het telefoonnummer en wachtte op de verbinding. De virgil, niet veel groter dan een pakje sigaretten – roken had hij twintig jaar geleden al opgegeven, maar hij was niet vergeten hoe groot zo'n pakje was – was een prachtig speeltje. Het was een computer, een GPS-unit (*global positioning system*), telefoon, klok, radio, tv, modem, creditcard, camera, scanner en zelfs een kleine weefdraadfax in één. De GPS vertelde je waar je je bevond, waar ook op aarde. En omdat hij een hoge FBI-officier was, had het apparaatje niet de afwijkingsfactor waar commerciële burgerunits mee kampten, en dus was het tot binnen vijf meter nauwkeurig. Via een vervormd hyperdigitaal kanaal, dat zo geclusterd was dat ze het een pijplijn noemden, kon je met iemand die een telefoon of computer bezat een verbinding maken die een deskundige codekraker een eeuwigheid zou vergen om te ontcijferen. Met de juiste code was Day in staat zich toegang te verschaffen tot de mainframe DNA's van zowel de FBI als Net Force, met hun gigantische databases. Mocht hij dat hebben gewild, dan had Day een snufje poedersuiker kunnen nemen van de kwarktaart die hij als dessert had gehad voor een op een bord achtergelaten vingerafdruk van zijn ober en deze kunnen laten natrekken en identificeren om vóór het einde van de maaltijd over een volledige achtergrond van de man te kunnen beschikken.

Het was geweldig om zo, nog maar tien jaar na de eeuwwisseling, in de toekomst te leven. Als je in 2010 al over zulke wonderen der techniek kon beschikken, hoe zou het er dan over twintig, dertig jaar uitzien? Hij zag er reikhalzend naar uit dit persoonlijk mee te maken en gegeven de voortschrijdende geneeskunde kon hij daar redelijkerwijs wel van uitgaan.

'Hallo, Steve,' klonk het uit het speakertje van de virgil.

'Hallo, Marilyn. Nog nieuws?'

'Weinig. We waren vroeg klaar, ik vroeg me af of je misschien nog wat wilde eten.'

Hij grinnikte naar het apparaatje. Zijn camera had hij niet aan staan, dus ze kon zijn glimlach niet zien. 'Ik kom net van Umberto's,' zei hij. 'De komende paar weken laat ik mijn eten maar staan, denk ik.'

Ze lachte. 'Ik snap het. Kom je naar huis?'

'Ben onderweg.'

Hij bezat een appartement in de stad, maar de meeste avonden probeerde hij thuis te zijn, aan de overkant van de rivier. De kinderen waren inmiddels volwassen en de deur uit, maar Marilyn en de hond vonden het nog steeds leuk als hij zo nu en dan kwam aanwaaien.

Hij gaf een tikje op de virgil en haakte deze weer vast aan zijn riem. Daar moest hij zich nu even mee gaan bemoeien. Hij deed de gesp een paar gaatjes losser en schoof de Galco-holster met zijn SIG .40 iets naar voren zodat deze niet steeds tegen zijn rechterheup drukte. Hij had ook voor een van die nieuwe draadloze KT's – *kicktasers* – kunnen kiezen; beter dan een vuurwapen, maar echt vertrouwen deed hij die dingen niet. Zeker, voor zijn huidige functie was hij door de heren politici aangesteld, maar hij had lang genoeg in het veld geopereerd om deze baan te verdienen. Hij vertrouwde op zijn ouderwetse blaffer.

Het verschuiven van zijn wapen bood verlichting. Hij maakte het klittenband op de zijstukken van zijn kogelvrije vest los en deed ook deze weer iets losser vast.

Naast hem deed Boyle zijn uiterste best zijn gezicht in de plooi te houden.

Day schudde het hoofd. 'Ja, lach jij maar. Hoe oud ben je, dertig? Nog steeds drie of vier keer per week gewichten pompen in de sportzaal, zeker? Dikke krasse bureauknarren zoals ik hebben daar geen tijd voor.'

Hoewel, zó'n slechte conditie had hij nu ook weer niet. Een meter drieënzeventig, 86 kilo misschien? Daar kon wel wat van af, maar ach, afgelopen juni was hij 52 geworden. Hij had toch zeker wel recht op een beetje extra bagage? Hij had het verdiend.

Ze bevonden zich in de nauwe straat achter het nieuwe woningbouwproject, de kortere weg naar de snelweg. Een donker en luguber deel van de stad; kapotte straatlantaarns; leeggeplunderde auto's langs de weg. De zoveelste stadswijk die rijp was voor verval en al achteruitging nog voordat de verf opgedroogd was. Naar zijn mening kon het huidige welzijnsbeleid wel een grondige opknapbeurt gebruiken; dat was natuurlijk altijd al zo geweest. Hoewel alles beter werd, moesten ze nog een heel eind gaan om iedereen langs de zijlijn op te pikken. Er waren straten in Washington waar hij niet graag alleen kwam, ondanks zijn virgil en kogelvrije vest. Een gepantserde limo gaf hem een iets veiliger gevoel...

Plotseling klonk er een enorme knal, voorafgegaan door een flits die het interieur van de limo opeens in een feloranje gloed zette. Aan de bestuurderskant kwam de wagen van de grond; hij leek een eeuwigheid zo op twee wielen te hangen en viel vervolgens met een klap weer op straat terug.

'Wel godver...?!'

Terwijl de limo slingerde, om zijn as draaide en tegen een lantaarn-paal klapte, had Boyle zijn pistool al getrokken. De paal was van fiberglas, brak op bumperhoogte af en viel boven op de limo waar-bij een tingelende regen van versplinterd glas op de kofferbak neer-daalde.

Vanuit het donker zag Day een lijvige, in zwart gestoken gestalte op de wagen af rennen. De man droeg een bivakmuts die laag over zijn hoofd was getrokken maar niet zijn gezicht bedekte. Hij had blond haar en door zijn rechterwenkbrauw liep een litteken. Hij glimlachte. Day dacht in zijn ooghoek een beweging te zien aan de achterkant van de limo, maar toen hij keek zag hij niets.

'Gas!' schreeuwde Boyle. 'Gas, gas...!'

De chauffeur deed zijn best, de motor loeide, de banden gierden, maar de wagen verroerde zich niet. De stank van brandend rubber vulde het interieur.

Met zijn duim drukte Day de toets voor een gecodeerd alarmsig-naal op zijn virgil in en hij greep al naar zijn eigen pistool toen de man in het zwart de limo bereikt had en iets tegen het portier sloeg. Wat het ook was, het klonk in elk geval metaalachtig. De man draaide zich om en sprintte weg, terug de duisternis in...

'Eruit!' schreeuwde Boyle. 'Hij heeft een kleefbom op het portier geplakt! Eruit!'

Day greep het portierhengsel aan de chauffeurskant, rukte het ding omhoog, dook naar buiten en kwakte met een soort schouderrol tegen de grond.

Nu klonk het repeterende geblaf van een handmitrailleur, gevolgd door het gehakketak van vlijmscherpe tanden die uithaalden naar de gewonde limo.

Day rolde nog eens om, zoekend naar dekking. Niets. Nergens een schuilplaats!

Hij keek achterom naar de wagen. Zag en voelde hoe de tijd ver-traagde en in zware modder leek weg te zakken. Al vurend sprong Boyle uit de wagen. Oranje tongen likten de duisternis, maar het was allemaal net een filmscène in slowmotion.

Ergens in zijn achterhoofd wist Day dat de meeste handmitrailleurs pistoolmunitie gebruikten en dat de vesten die hij en Boyle droegen elk salvo uit een handvuurwapen zouden tegenhouden. Zolang ze maar niet – bloed en hersenweefsel spatten door de lucht nu een kogel Boyles hoofd ter hoogte van zijn slaap binnendrong –, zolang ze maar niet op het hoofd mikten...

Verdomme, verdómme! Wat gebeurde hier allemaal? Wat waren dit voor mensen?

Ondertussen deed de chauffeur nog altijd verwoede pogingen de limousine in beweging te krijgen. Het gebrul van de motor hield aan. Day rook de uitlaatgassen, de verbrande banden, en ook zijn eigen angst, scherp, zurig, overweldigend.

De bom die tegen het achterportier van de limo zat, explodeerde met een doffe, zware knal.

Alle ruiten werden naar buiten geblazen. Als in een hagelbui kletterden de splinters alle kanten op, waarbij sommige Day raakten, maar die was zich er nauwelijks van bewust.

Achter in het dak van de wagen was een vuistgroot gat geslagen. Het metaal krulde als een bananenschil omhoog. Een bittere, prikkende walm sloeg als een warme golf over hem heen.

De chauffeur hing levenloos uit het portierraam.

Dood. De chauffeur en Boyle waren allebei dood. Er zou inmiddels hulp op komst zijn, maar daar kon hij niet op wachten; als hij dat deed, zou ook hij het niet overleven.

Day kwam overeind, deed twee of drie snelle stappen, dook nog eens twee stappen naar rechts, vervolgens naar links. Zoek slalommend het vrije speelveld, dat schoot hem van het school-football van vijfendertig jaar geleden plotseling te binnen.

Kogels probeerden hem te grijpen, maar kregen geen houvast. Eentje rukte aan zijn jasje en doorboorde de stof onder zijn linkerarm. Hij voelde een enorme woede opkomen. Verdomme, dat jasje was van Hongkong-zijde en had hem zeshonderd dollar gekost!

Een andere kogel sloeg nu tegen zijn borst, precies ter hoogte van zijn hart. Nooit eerder had hij het titaniumharnas gedragen en nu had hij voor zijn hart net een driedubbel dikke beschermlaag in zijn kogelvrije vest aangebracht, zoals veel agenten dat doen, en de inslag deed dus gemeen zeer! Alsof hij een klap met een hamer had opgelopen, precies op het borstbeen! Jezus!

Maar het deed er niet toe. Hij was overeind, hij bewoog...

Voor hem verscheen een zwarte gestalte, zwaaiend met een vuurspuwende uzi. Zelfs in de nacht en duisternis van zijn angst zag

Day dat de man onder zijn zwarte jas een dik pantsergevechtstenue droeg. Richt eerst op het middelpunt van een massa, zo had hij geleerd, maar dat zou hem nu weinig helpen. Nee, nee, de SIG .40 zou de aanvaller net zo weinig kwaad doen als diens 9 mm kaliber van de uzi bij hem deed!

Nog steeds rennend bracht Day de SIG omhoog en liet de gloeiende tritiumpunt van het vizier op de neus van de man rusten. Zijn gezichtsveld vernauwde zich tot een tunnel, het enige wat hij zag, was het gezicht. Het groene nachtvizier trilde iets op en neer, maar toch wist hij uit alle macht drie snelle schoten af te vuren.

De gepantserde belager zeeg ineen alsof zijn benen onder hem vandaan waren geschopt.

Yes! Yes! Hij had er een uitgeschakeld, hij had een doorgang geforceerd, het was net als in het football, al die tijd geleden toen hij quarterback was geweest.

Goed, en nu rénnen! Door dat gat heen, snél, op naar de doellijn!

In zijn ooghoek ving hij een beweging op, hij wierp een blik opzij en zag nog een man, ook in het zwart. Deze hield doodstil met beide handen een pistool op hem gericht. Het leek wel een stilleven. Het was net alsof hij op de schietbaan stond, gereed voor zijn oefening.

Day voelde hoe zijn ingewanden als water werden. Hij wilde wegrennen, schieten, zich ontlasten, alles op hetzelfde moment. Wie die gasten ook waren, het waren beroeps. Dit was niet zomaar een straatbende die uit was op iemands portemonnee. Dit was een aanslag, een moordaanslag, en ze waren goed...

Het was zijn laatste gedachte.

De kogel raakte hem tussen de ogen en ontnam hem alles wat hij ooit nog had kunnen denken.

Achter in de Volvo-stationcar wierp Mikhayl Ruzhyó een blik in de kofferruimte achter zich op het lichaam van Nicholas Papirósa. De man lag op zijn zij, onder een deken, en ondanks deze bedekking drong de geur van de dood de wagen binnen. Ruzhyó zuchtte en schudde het hoofd. Arme Nicholas. Ze hadden gehoopt dat er geen slachtoffers zouden vallen – daar hoopten ze altijd op – maar die dikke Amerikaan was niet zo oud en langzaam gebleken als verwacht. Ze hadden hem onderschat: een fout. Natuurlijk was Nicholas verantwoordelijk geweest voor de informatie over de FBI-commandant, dus misschien was het wel toepasselijk dat juist hij het enige slachtoffer was. Toch zou Ruzhyó hem missen. Ze kenden elkaar al heel lang, al uit hun tijd bij de buitenlandse inlichtingendienst, de SRV. Vijftien jaar. Een leven lang in dit vak.

Morgen zou Nicholas jarig zijn geweest, tweeënveertig zou hij zijn geworden.

Voorin zat Winters, de Amerikaan, achter het stuur en naast hem zat Grigory Zmeyá, die in het Russisch voor zich uit mompelde.

Hun achternamen – zelfs die van Winters – hadden ze niet van hun vader. Ze waren grapjes. Ruzhyó betekende 'geweer'. Nicholas had zichzelf 'sigaret' gedoopt. Grigory noemde zichzelf naar het Russische woord voor 'slang'.

Ruzhyó zuchtte nog eens. Gedane zaken namen geen keer. Nicholas was dood, maar dat gold ook voor het doelwit. En daarom was het verlies acceptabel.

'Alles kits achterin, *hoss*?' vroeg de Amerikaan.

'Prima.'

'Ik dacht, ik vraag het maar effe.'

De Amerikaan beweerde dat hij uit Texas kwam. Dat moest wel waar zijn óf hij had het accent behoorlijk goed onder de knie.

Ruzhyó keek naar het pistool naast hem op de bank, het wapen waarmee hij de man had gedood die Nicholas doodgeschoten had. Het was een Beretta 9 mm, van Italiaanse makelij. Het was een fraai staaltje van mechaniek, goed gemaakt, maar ook groot, zwaar, met te veel terugslag, te veel herrie, te veel kogel naar zijn smaak. Als *spetsnaz* en betrokken bij *mokrie dela* – natte zaken – had hij destijds een kleine PSM op zak, een 5,45 mm pistool. Het kaliber was misschien de helft zo groot geweest als dat van het Italiaanse wapen, en het wapen zelf was veel kleiner dan dit ding. Inderdaad, hij had het laten aanpassen door de wapensmid, maar toch, die PSM had zijn werk altijd naar behoren gedaan. Hij had hem nooit in de steek gelaten. Hij zou hem hebben verkozen boven dit pistool, maar dat zou natuurlijk hun doel voorbij hebben geschoten. Dit moest eruitzien alsof de moord door een Amerikaan was gepleegd, en een wapen van Russische makelij zou genoeg achterdocht opwekken om de dode man te laten verrijzen. In dergelijke zaken waren de Amerikanen zeker niet de domsten.

Met een norse blik tuurde hij naar de Beretta. De Amerikanen hadden een obsessie met formaat; hoe groter, hoe beter. Hun agenten schoten soms handvuurwapens met achttien of twintig krachtige en grootkaliber patronen leeg op hun criminelen, en zonder hen te raken. Ze leken niet te begrijpen dat één enkel schot uit een licht wapen in de handen van een geoefend schutter veel effectiever was dan een magazijn vol kogels waar je een olifant mee kon vellen in de handen van een ongetrainde idioot, wat het gros van de Amerikaanse politiemensen leek te zijn. De joden, die hadden het dus wél begrepen. De Israëlische Mossad-agenten droegen nog steeds .22'ers, wapens die de kleinst verkrijgbare patronen afvuurden. En iedereen wist dat met de Mossad niet viel te spotten.

Maar de FBI-man was in elk geval een goede dood gestorven. Hij had immers een van hen met zich mee de dood in gesleurd, wat niemand had verwacht. Driemaal had hij Nicholas in het hoofd getroffen. Eén keer zou toeval kunnen zijn geweest, maar drie keer absoluut niet. Hij had de gevechtspakken gezien, had zijn conclusies getrokken en op het hoofd gemikt. Was hij iets sneller geweest, dan zou hij misschien aan de eerste aanval zijn ontkomen.

Voorin mompelde de Slang iets voor zich uit, hard genoeg om door Ruzhyó te worden opgevangen. Hij knarsetandde. Hij mocht die Grigory de Slang niet. In 1995 had de man in het leger gediend, een van de eenheden die Ruzhyó's vaderland Tsjetsjenië waren binnengemarcheerd om er te doden en te verkrachten. Natuurlijk, hij was een soldaat geweest die gewoon zijn orders had opgevolgd, en ja, deze missie was op den duur belangrijker dan een eventuele wrok die Ruzhyó wel eens zou kunnen koesteren tegen de Slang, dus hij zou hem dulden. Maar stel dat de Slang op een dag één keer te veel zou reppen van zijn fraaie medaille van verdienste in Tsjetsjenië en stel dat die dag zich zo'n beetje tegen het einde van de missie aandiende zodat de Slang niet langer onmisbaar zou zijn, dan zou dát de dag worden waarop Grigory Zmeyá zich bij zijn voorouders mocht gaan vervoegen. En reken maar dat Ruzhyó zou glimlachen zodra hij die stomme pummel de keel dichtkneep.

Maar niet vandaag. Er lag nog flink wat werk voor de boeg, met flink wat hindernissen en flink wat doelen die gehaald moesten worden. Voorlopig was de Slang nog onmisbaar.

En daarmee had hij mazzel.

Alexander Michaels sliep nog maar half toen de kleine monitor op het nachtkastje naast zijn bed oplichtte. Hij voelde het aanhoudende licht tegen zijn gesloten oogleden drukken, rolde zich om naar de bron van deze ergernis en opende zijn ogen.

De blauwe Net Force-achtergrond van het scherm kwam tevoorschijn en de spraakchip van de pc zei: 'Alex? We hebben een bericht, prioriteit één.'

Michaels knipperde met de ogen, wierp een stuurse blik op de tijdsaanduiding in de rechterbovenhoek van de monitor. Even na middernacht. Hij was niet echt wakker. Wat...?

'Alex? We hebben een bericht, prioriteit één.'

De stem van de computer klonk hees, sexy, vrouwelijk. Het maakte niet uit wat er gezegd werd, altijd klonk het alsof het apparaat met je naar bed wilde. De persoonlijkheidsmodule, inclusief het spraak-programma, was geprogrammeerd door Jay Gridley en de stem die hij had uitgekozen was, zo wist Michaels, een grap. Jay was een geweldige techneut, maar zijn gevoel voor humor kon wel een update gebruiken, en hoewel Michaels de spraakchip irritant vond, vertikte hij het dat joch de voldoening te schenken van een verzoek de stem te veranderen.

De ondercommandant van Net Force wreef zich in het gezicht, streek zijn korte haar naar achteren en kwam overeind. De kleine, op beweging reagerende camera die boven op de monitor gemon-teerd was, volgde hem. De unit was geprogrammeerd om beelden te verzenden, tenzij anders opgedragen. 'Oké, ik ben op. Verbind maar door.'

Het *voxax*-systeem – *voice-activated* – gehoorzaamde hem. Het iet-wat gekwelde gezicht van Antonella Fiorella, zijn assistente, ver-scheen op het scherm. Ze oogde alerter dan hij zich voelde, maar zij had deze week nu eenmaal de hondenwacht, dus ze moest wel alert zijn.

'Sorry dat ik je wakker heb moeten maken, Alex.'

'Geen probleem, Toni. Wat is er aan de hand?' Als het niet van het allerhoogste belang was, zou ze nooit een P1-melding hebben gedaan.

'Iemand heeft zojuist commandant Day vermoord.'

'Wát?!'

'Zijn virgil zond een alarmsignaal uit. De politie van Washington rukte uit. Eenmaal ter plaatse bleken Day, zijn lijfwacht Boyle en de chauffeur Louis Harvey allemaal dood. Bommen en handmitrail-leurs, zo lijkt het. Pakweg twintig minuten geleden...'

Michaels gebruikte een woord dat hij zelden bezigde in gemengd gezelschap.

'Ja,' zei Toni. 'Zeg dat wel.'

'Ik kom eraan.'

'Virgil heeft het adres.' Een korte stilte. 'Alex? Denk aan de proce-dure inzake moord, ja?'

Daar hoefde ze hem niet aan te herinneren, maar hij knikte. In geval van een aanval op een hogere FBI-functionaris moesten alle leden van die eenheid ervan uitgaan dat het wel eens niet de enige geplande aanslag zou kunnen zijn. 'Begrepen. Sluiten.'

Het beeld van zijn assistente verdween, alleen het blauwe Net For-ce-scherm bleef over. Hij liet zich van het bed glijden, liep naar het dressoir en trok zijn kleren aan.

Steve Day was dood? Verdomme.
Verdómme.

2

De rode en blauwe zwaailichten van de surveillancewagens zwiepten als carnavalskleuren door de straat, een toepasselijk effect gezien het circus van bedrijvigheid dat hier nu was losgebarsten. Het liep tegen één uur 's nachts, maar toch stonden er al tientallen mensen langs de kant van de straat die door agenten en felgekleurde afzetlinten op afstand werden gehouden. Ook vanuit de nabijgelegen gebouwen keken nieuwsgierigen toe. Er viel dan ook aardig wat te zien: de opgeblazen limousine, de lege hulzen die overal verspreid lagen, de drie lichamen.

Een rotbuurt om in te sterven, dacht Toni Fiorella. Maar ja, dat gold eigenlijk voor elke buurt als de dood je plotseling en onverbiddelijk met een spervuur van machinegeweer opeiste.

'Agent Fiorella?'

Toni schudde de gedachte van zich af en keek nu naar de politiecommandant die, aan zijn kleine oogjes af te lezen, zojuist van zijn bed moest zijn gelicht. Hij oogde dik in de vijftig, hij was bijna kaal en had vooral op dit ogenblik niet bepaald een goede bui. Wakker worden met een stel dode FBI-agenten in de achtertuin waar je over diende te waken, dat was slecht nieuws. Zeer slecht nieuws.

'Ja?'

'Mijn mannen hebben zojuist de eerste getuigen ondervraagd.'

Toni knikte. 'En: niemand heeft zeker iets gezien?'

'U kunt zo bij de politie,' reageerde de commandant. Hij klonk verbitterd. 'U hebt een goed oog voor details.'

'Ergens tussen die pottenkijkers moet toch iemand zitten die gezocht wordt voor iets?' zei ze en ze maakte een weids beschuldigend gebaar.

De commandant knikte. Hij kende zijn pappenheimers. Bij een vermoorde smeris maakte het niet uit of hij van het plaatselijke, stadskorps of federale korps was. Je deed alles wat je kon om de dader te achterhalen. Ongedierte als drugdealers of zelfs een gewone burger met iets te veel parkeerbonnen op de huid zitten om zo informatie te verkrijgen was centenwerk. Hoe dan ook, een moordenaar van een smeris liet je gewoon niet lopen.

Toni keek op en zag hoe de nieuwe Chrysler vlak achter de politie-afzetting soepel tot stilstand kwam. Twee mannen, de bodyguard en de chauffeur, stapten uit en bestudeerden de menigte. De bodyguard gaf nu een knik naar de passagier op de achterbank.

Alex Michaels stapte uit, zag Toni, en liep naar haar toe. Hij toonde zijn insigne en werd door de agenten doorgelaten.

Ze voelde weer die golf van emoties door zich heen trekken zoals altijd wanneer ze Alex weer zag. Zelfs te midden van deze slachting voelde ze een zekere vreugde, bewondering, ja, zelfs een gevoel van liefde.

Zijn gezicht stond niet grimmig, eerder neutraal, zoals meestal. Hij liet niet toe zich zo te voelen, ook al wist ze dat het hem enorm pijn moest doen. Steve Day was zijn vriend en mentor geweest: zijn dood moest voor hem een steek door het hart zijn, ook al zou hij dat nooit toegeven, zelfs niet tegen haar.

Misschien juist vooral niet tegen haar...

'Toni.'

'Alex.'

Ze zwegen terwijl ze de plek van de moord nader bekeken. Hij ging op zijn hurken zitten en bestudeerde Steve Days lichaam. Ze zag dat zijn gezicht even verstrakte, een snelle reflex van zijn kaakspieren nu hij naar Day keek. Dat was alles.

Hij stond op, liep naar de limousine, keek naar de andere dode agenten en het autowrak. FBI-functionarissen en leden van de politie waren nog steeds druk in de weer met lichtstaven en videocamera's en bewerkten zo de hele straat. Medewerkers van de forensische dienst trokken rondjes rond de afgevuurde patronen op de straat en het trottoir en noteerden de plek van elke lege huls voordat ze deze in een zakje deden. Iemand van de dienst zou ze aan een cyanoacrylaattest onderwerpen waarmee je, mits goed uitgevoerd, zelfs op een stuk toiletpapier nog een vingerafdruk kon vinden. Ook zouden ze een bioscan verrichten waarmee je zelfs een bacil in een oceaan kon opsporen. Maar Toni ging ervan uit dat het niet waarschijnlijk was dat er bruikbare vingerafdrukken of DNA-resten zouden worden gevonden. Zo gemakkelijk ging het bijna nooit. Vooral niet als er sprake was van een grondig geplande aanslag zoals duidelijk voor deze gold.

Na de plek uitputtend te hebben onderzocht, richtte hij zich tot haar: 'Oké, vertel maar op.'

'Voorzover we het nu kunnen inschatten, moet het bijna zeker een aanslag zijn geweest met commandant Day als doelwit. Door een bom onder een putdeksel knalde de wagen tegen een lantaarnpaal. Het achterportier werd opengeblazen – waarschijnlijk met een of andere kleefbom – waarna de inzittenden door verscheidene aanvallers zijn neergemaaid. Uit de groepjes afgevuurde hulzen valt af te leiden dat er drie of meer schutters waren. Porter zal het ballistische onderzoek doen, maar hij weet nu al vrij zeker dat het 9 mm-kogels zijn geweest, in elk geval een paar lichte mitrailleurs en één pistool.' Ze deed haar best zo neutraal mogelijk te klinken, alsof ze de toto voorlas. Ze kwam uit een extraverte Italiaanse familie uit de Bronx die het hart op de tong hadden, hard huilden en daverend lachten, al naar gelang de situatie. Het viel niet mee om de emoties niet te laten doorklinken – ze was erg gesteld op Steve Day en zijn vrouw – maar het hoorde nu eenmaal bij haar werk.

'Boyle en Day hebben beiden het vuur beantwoord. Boyle wist nog twaalf kogels af te vuren. Day drie. Porter heeft op de straat een paar verwrongen pistoolkogels gevonden. De beschadigingen wijzen erop dat ze een harder materiaal dan kevlar moeten hebben geraakt en daarna zijn afgeketst. Hij zal de zaak nog moeten checken, maar...'

Alex onderbrak haar. 'De aanvallers waren gepantserd, waarschijnlijk met spinzijde of iets keramisch. Nog meer?'

'Daar.'

Ze ging hem voor naar een plek achter het lichaam van Day. De lijkschouwers waren bezig het lichaam te verpakken, maar Alex gunde hun, evenals zijn vriend, geen blik waardig. De feiten, daar ging het nu om. 'Days patroonhulzen zijn hier gevonden, daar en daarginds.' Ze wees naar kleine krijtrondjes die een paar meter van elkaar op straat waren aangebracht. Ze liepen een paar stappen verder en ze wees opnieuw naar de straat. 'Kijk, hier ligt een klein beetje geronnen bloed, daar wat bloedspatten met daar schuin weer achter wat hersenweefsel.' Ze zweeg even, wetende dat hij het een bij het ander zou optellen.

En dat klopte. 'Iemand heeft een van de aanvallers weten te raken, ondanks de bepantsering,' concludeerde hij. 'Day moet geweten hebben dat hij op het hoofd moest richten. Maar de moordenaars hebben het lichaam meegenomen.'

'De politie heeft wegversperringen opgezet...'

Hij maakte een wegwuifgebaar. 'Dit was een professionele aanslag. De schutters laten zich heus niet vangen met een wegversperring. Nog meer?'

Ze schudde haar hoofd. 'Dit is het, vrees ik, totdat het lab met de resultaten komt. Er zijn geen getuigen. Het spijt me, Alex.'

Hij knikte. 'Goed. Steve, commandant Day, heeft jarenlang de afdeling georganiseerde misdaad geleid. Toni, ga alles na, ik wil alles weten over wie in al die jaren met Day sprak en waarover – haat en nijd, afgunst – en ook met betrekking tot huidige zaken die we hebben lopen. Dit heeft veel weg van een aanslag door de nieuwe maffia, het is echt hun stijl, maar we mogen niets over het hoofd zien.'

'Ik heb er al een paar teams op gezet,' was haar antwoord. 'Jay Gridley trekt de computersystemen na.'

'Mooi.'

Hij staarde naar de straat maar zijn blik stond op oneindig.

Ze verlangde naar contact, een hand op zijn arm, om hem te helpen de pijn te verlichten die als een plotselinge last op zijn schouders was komen te rusten, maar ze beheerste zich. Ze wist dat dit daarvoor niet het juiste moment en de juiste plek was en ook wilde ze niet dat hij die deur zou sluiten, zich van haar zou afkeren op het moment dat ze hem troost wilde bieden. Hij was een goede vent, maar bleef een gesloten boek, liet niemand te dicht in de buurt. Wilde ze ooit langs die betonnen muur glippen, dan diende dat zo subtiel en voorzichtig mogelijk te gebeuren. En ergens besefte ze wel dat het niet eerlijk zou zijn daarvoor de dood van zijn vriend aan te grijpen.

'Ik ga wel met Porter mee naar het lab,' zei ze.

Hij knikte, en daar bleef het bij.

Michaels stond in het midden van een verlopen straat en een verlopen nacht, vergeven van de stank van kruit, zinderende cameralampen en de dood, de geluiden van politiemobilofoons en hardwerkende onderzoekers, het geroezemoes van pottenkijkers die door verveelde agenten op een afstand werden gehouden. Ergens in de verte klonk het gejammer van een passagierstrein die met grote snelheid voorbijraasde en zich met dopplereffect en al richting Baltimore spoedde.

Steve Day was dood.

Eigenlijk was het nog niet tot hem doorgedrongen. Hij had het lichaam gezien, had gezien dat het licht in Days ogen gedoofd was en dat er nog slechts een leeg omhulsel restte, een leeg huis waar niemand meer woonde. Verstandelijk besefte hij het, maar gevoelsmatig was hij verdoofd. Hij had verschillende mensen gekend die het tijdelijke voor het eeuwige hadden moeten verwisselen, onder wie een paar goede vrienden. De realiteit zou zich pas dagen, weken, maanden later aandienen, op de momenten waarop je je realiseerde dat ze je nooit meer zouden bellen, schrijven, dat je nooit meer met hen zou lachen, dat ze nooit meer opeens voor je deur zouden staan met een fles champagne.

Verdomme. Een goede vent was het licht in zijn ogen ontnomen, uitgeblazen als een lucifer, en het enige waar Alex Michaels het op dit moment mee moest stellen was het brandende gevoel van zijn eigen woede: de dader zou boeten en hij zou daarvoor zorgen, al was dat het laatste wat hij deed!

Hij zuchtte. Hier viel niets meer te doen. De daders waren allang met de noorderzon vertrokken en het hele buurtonderzoek zou toch niets concreets opleveren. De schutters hielden zich heus niet in een van de vervallen gebouwen verborgen en zelfs met een haarscherpe beschrijving van de daders zouden ze weinig kunnen beginnen want ze kwamen toch niet uit deze buurt. Het grote publiek wist het niet, maar beroepsmoordenaars werden zelden gevangen. Negen van de tien die wél werden gepakt, waren verlinkt door hun opdrachtgevers en gezien deze topoperatie leek hem dat uiterst onwaarschijnlijk. De verantwoordelijken zouden weten dat de autoriteiten het niet bij het oppakken van een paar schutters zouden laten. Bij een dergelijke operatie keek je wel twee keer uit voordat je iemand uitleverde. Stel dat dit het werk van de maffia was geweest en de bazen werden nerveus, dan was de kans groter dat deze huurmoordenaars ergens op een veldje in Nergenshuizen in een kuil zouden belanden, afgedekt met ongebluste kalk. En wie weet zouden hún beulen eenzelfde lot treffen.

Net Force had toegang tot 's werelds meest geavanceerde technologische hulpmiddelen, de snelste computers op het net, en een schat aan gegevens. De medewerkers on line en in het veld waren de besten en slimsten, afkomstig uit de crème de la crème van de FBI, de NSA, de beste universiteiten en de beste geledingen binnen de politie en het leger. Maar niets hielp als mocht blijken dat de moordenaars niet een of andere fout hadden gemaakt. Net Force had behoefte aan een mazzeltje. Hij zat lang genoeg in dit vak om het anders te doen voorkomen, ook al wilde hij dat nog zo graag.

Maar toch, ook beroepsmoordenaars waren mensen. Ook die gingen wel eens in de fout. En stel dat ze hier een steekje hadden laten vallen, en wel zo klein dat het alleen met een elektronenmicroscoop te zien was, dan zou Alex Michaels het vinden, ook al moest hij daarvoor de hele wereld op zijn kop zetten.

Zijn virgil tjirpte.

'Ja?'

'Alex? Met Walt Carver.'

Opnieuw kon hij een kleine zucht niet onderdrukken: Walter S. Carver, het hoofd van de FBI. Hij had het telefoontje wel verwacht.

'Meneer Carver?'

'Het spijt me van Steve. Valt er nog wat te melden?'

Michaels vertelde zijn baas wat ze hadden gevonden. 'Mooi,' antwoordde Carver. 'We hebben om nul zeven uur dertig een bespreking met de president en het nationale veiligheidsteam op het Witte Huis. Neem al je informatie mee. Jij doet de presentatie.'

'Ja, meneer.'

'O, en vanaf nu ben jij de plaatsvervangend commandant van Net Force.'

'Maar, meneer, ik...'

Carver kapte hem af. 'Weet ik, weet ik, maar ik moet iemand op die plek hebben, en dat ben jij dus. Niet dat ik Steves dood wil bagatelliseren, maar bij Net Force draait het om meer dan het lot van slechts één man, ongeacht wie. Iedereen schuift nu een plekje op. Toni neemt jouw oude functie over. De president zal zijn fiat moeten geven, maar het moet lukken om je benoeming binnen enkele dagen bekrachtigd te krijgen.'

'Meneer...'

'Ik heb je nodig, Alex. Je laat me toch niet in de steek, hoop ik?'

Michaels staarde naar zijn virgil. Hij had geen keus, dus schudde hij zijn hoofd. 'Nee, meneer, ik zal u niet teleurstellen.'

'Prima kerel. Ik zie je deze morgen. Probeer eerst nog wat te slapen, want je moet vooral niet als een zombie klinken als je de hele handel presenteert. Alle relevante procedures zijn inmiddels van kracht, begrepen?'

'Ja, meneer.'

'Tijd om naar huis te gaan, Alex.'

Michaels staarde naar zijn auto, de lijfwacht en de chauffeur die, al wachtend, toekeken. Hij had iets meer dan zes uur de tijd om voor de president van de Verenigde Staten en diens zakelijke veiligheidsadviseurs een presentatie voor te bereiden – om nog maar te zwijgen van zijn eigen baas van de FBI – en zogenaamd nog wat uit te rusten. Dat laatste kon hij dus wel vergeten.

Hij schudde zijn hoofd. Altijd als je dacht dat je de dingen in de hand had, zorgde het lot er wel voor dat je werd wakker geschud. Dus je hebt de boel aardig in de hand, broertje? Nou, dan heb ik iets leuks voor je: jouw eigen baas is zojuist om zeep geholpen, waarschijnlijk door de maffia; jij hebt net promotie gekregen; je presentatie ten overstaan van de machtigste man ter wereld zal waarschijnlijk je carrière maken of breken. Hoe vind je dat?

'Zwaar klote,' klonk het hardop.

'Pardon?' reageerde een verkeersagent die vlakbij stond.

'O, niets,' antwoordde hij.

Hij liep naar zijn wagen.

'Naar huis, commandant?' vroeg zijn chauffeur.

Commandant.

De chauffeur was dus al op de hoogte van zijn promotie. Tja. Eén ding stond vast: hij zou deze promotie benutten om de zaken recht te zetten. Steve Day was zijn vriend.

Fout. Steve Day was zijn vriend gewéést. En ook al was hij hondsmoe, hij ging niet naar huis.

'Nee, naar mijn kantoor.'

3

Woensdag 8 september, 11:19 uur
Grozny (Tsjetsjenië)

Vladimir Plekhanov veegde wat van het eeuwige stof aan de binnenzijde van zijn raam weg en keek neer op de stad. Ondanks de geïnstalleerde airconditioners en de wekelijkse bezoekjes van de schoonmaakhulp leek er altijd wel overal een laag stof te liggen, zo fijn als talkpoeder maar dan veel donkerder. Nu was het gewoon vuil, maar hij herinnerde zich een tijd dat het vooral roet was, uit de crematoria. De resten van soldaten, burgers en Russische bezetters. Dat was nu lang geleden, twintig jaar bijna, maar naarmate hij ouder werd bracht hij misschien meer tijd door in zijn bovenkamer vol oude herinneringen dan hij zou moeten. Tja. Ook al had hij nog veel om voor te leven, en een zeer geslaagde toekomst in de planning, hij wás zestig en mocht toch zeker wel eens wat terugblikken? Vanuit zijn strategisch gelegen hoekkamer op de vijfde verdieping van de computervleugel van het wetenschappelijk instituut, voorheen – en korte tijd – het militaire hoofdkwartier, had hij een goed uitzicht. Hier lag de nieuwe brug over de Sunzha, waarover je naar de binnenstad kon; verderop de gigantische oliepijplijn die het steeds kostbaardere zwarte goud afvoerde naar de gereedliggende tankers in Machatsjkala aan de Kaspische Zee. Hier, vlakbij, de restanten van de barakken waar Tolstoj ooit had gediend als jonge soldaat. En daar, in de verte, de Sunzha-bergketen van de machtige Kaukasus.

Voor een stad was Grozny nog niet zo slecht. Een dorp kon je het niet meer noemen want bijna de helft van de totale Tsjetsjeense bevolking woonde hier, maar toch, met driekwart miljoen mensen was het niet een al te grote stad. En het lag in een prachtig land.

Nog altijd was olie het smeermiddel dat de economie van Grozny draaiende hield, hoewel het vat nu toch bijna leeg was en sneller leegliep dan je met tienduizend instant rottende dinosauriërs per dag kon compenseren, iets waar zelfs Steven Spielberg met al zijn filmmagie niet voor kon zorgen. De vuurspuwende schoorstenen van de raffinaderij bliezen dag en nacht vlammen en rook uit, maar in de niet al te verre toekomst zouden die brandende torens uitdoven. Voor zijn economie had Tsjetsjenië een nieuwe basis nodig. Een basis waar hij, Vladimir Plekhanov, voor zou zorgen. Want hoewel hij Rus van geboorte was, was hij net zoveel Tsjetsjeen als wie dan ook...

Het geluid van het telefonische verbindingsprogramma van zijn computer verstoorde Plekhanovs mijmeringen over zijn grote plan. Hij draaide weg van het raam, liep naar de deur van zijn kamer en glimlachte naar zijn secretaresse Sasha. Zachtjes maar vastberaden sloot hij de deur om vervolgens voor zijn ultramoderne werkstation plaats te nemen. 'Computer, geluiddempers aan.'

Het apparaat zoemde en gehoorzaamde het gesproken commando. 'Dempers aan.'

Plekhanov knikte naar het apparaat alsof het zijn hoofdgebaar zag en begreep. Dat kon het niet, maar als hij gewild had, had hij het daartoe wel kunnen programmeren.

'*Yes?*' sprak hij in het Engels. Op deze lijn werden geen beelden doorgegeven en dat zou hij ook niet hebben gewild. Uiteraard was de verbinding gecodeerd en wel net zo goed als het beste Russische militaire encryptieprogramma haar kon maken. Dat wist Plekhanov omdat hij het programma zelf in opdracht van het leger had geschreven, en het was zeer onwaarschijnlijk dat iemand die dit bericht hoorde ook maar in de verste verte in staat was het te kraken. Misschien dat een aantal Net Force-agenten het kon, maar die hadden op dit moment... wel iets anders aan hun hoofd. Hij glimlachte. Toch hield hij het bij Engels, want Sasha beheerste daar nog geen twee woorden van; wat tevens voor iedere toevallige passant gold.

'De klus is geklaard,' zei de stem van duizenden kilometers ver. Het was Mikhayl – die het leuk vond de naam Ruzhyó te gebruiken –, Mikhayl het Geweer dus. Een gewelddadig man, maar loyaal en zeer ervaren. De juiste man voor deze missie.

'Mooi. Ik had niet minder verwacht. Nog problemen?'

'Nicholas besloot onverwacht met pensioen te gaan.'

'Wat vervelend,' reageerde Plekhanov. 'Hij was een goede werknemer.'

'Inderdaad.'

'Maar goed. Jullie zijn naar het nieuwe kwartier verhuisd?'

'Ja.'

Hoewel de verbinding versleuteld werd, bleken oude gewoonten toch hardnekkig. Hun spetsnaz-dagen lagen ver achter hen, maar waren nog altijd diepgeworteld. Plekhanov wist dat San Francisco de schuilplaats was, dus het was niet nodig dit hardop te zeggen.

Mocht een of ander geboren computergenie er op wonderbaarlijke wijze in slagen de hand te leggen op een opname van dit gesprek, en, nog wonderbaarlijker, het te ontcijferen, wat zou hij dan helemaal hebben? Een onschuldige dialoog tussen twee onbekende mannen, over en weer gezonden tussen ontelbare satellieten en via zo veel relais dat hij absoluut niet te traceren was, en bovendien verwoord in algemeenheden die zo oppervlakkig waren dat je er niets mee kon. Een klus? Een zekere Nicholas die met pensioen ging? Een verhuizing? Daar kon je niets mee.

'Goed. Ga door zoals gepland. Zodra het nodig is, zal ik contact opnemen.' Hij aarzelde even en realiseerde zich dat er nog één ding gezegd moest worden. Het communisme behoorde voorgoed tot het verleden, en terecht, maar de arbeiders hadden nog steeds behoefte aan een blijk van waardering om het gevoel te krijgen iets gepresteerd te hebben. Een goede manager was zich daarvan bewust. 'Goed gedaan,' zei Plekhanov. 'Ik ben tevreden.'

'Dank u.'

En daarmee was het gesprek ten einde.

Plekhanov leunde achterover in zijn stoel. Zijn grote plan vorderde precies zoals hij het bedoeld had; als een sneeuwbal die van een heuvel afrolde: nu nog klein, maar binnenkort kolossaal en onstuitbaar.

Hij drukte op de intercomzoemer op zijn bureau. Een paar tellen gingen voorbij zonder dat er iets gebeurde. Hij drukte nog eens. Nog steeds geen reactie. Hij zuchtte. De intercom was weer eens kapot. Als hij een kop thee wilde, zou hij naar Sasha moeten lopen. Hij was op weg de machtigste man ter wereld te worden, maar moest werken in een kantoor waarin de eenvoudigste apparatuur hard aan reparatie toe was. Hij schudde zijn hoofd. Daar zou verandering in komen.

En dat zou nog maar het begin zijn...

Woensdag 8 september, 07:17 uur
Washington D.C.

Alexander Michaels had zich wel eens beter gevoeld. Terwijl zijn chauffeur de wagen naar Pennsylvania Avenue 1600 manoeuvreerde, bladerde hij nog eens door de computeruitdraai en zette zijn

gedachten zo goed als hij kon op een rijtje. De stadsauto werd ingesloten door regeringsgrijze escortewagens waarvan de bestuurders
en passagiers genoeg zware wapens bij zich droegen voor een kleine
oorlog. Het protocol liet weinig twijfel over wat er gedaan moest
worden in geval van een moord op een hoge FBI-functionaris. Voor
de oorsprong van deze beschermende maatregelen moest je helemaal terug naar Lincoln. De meeste mensen beseften niet dat de
vermoorde president destijds niet het enige doelwit was geweest
van Booth en diens samenzweerders.

Michaels was al een paar keer in het Witte Huis geweest, zij het
steeds als rechterhand van Steve Day en dus nooit met alle verantwoordelijkheid. Hij bezat elk stukje informatie dat de FBI over de
moord ter beschikking had, alles gekopieerd op een kleine disk die
gigabytes aan materiaal kon bevatten, veilig opgeborgen in een
gecodeerde plastic houder, gereed om te worden geladen in het
beveiligde systeem van het Witte Huis. Mocht hem iets overkomen,
dan zou degene die de houder met de disk probeerde open te breken voor een onaangename verrassing komen te staan wanneer de
tien gram aan thermoflex genoeg hitte genereerde om de houder en
de disk te doen smelten, alsmede de vingers van de onverlaat die
stom genoeg was het zaakje vast te houden.

Het beveiligde systeem van het Witte Huis was een aantal speciale
computers zonder enige verbinding met de buitenwereld, samen
met geïnstalleerde ultramoderne antivirals en 'mijnenvegers', dus
eenmaal geïnstalleerd zou zijn informatie veilig zijn.

Maar hij was moe, had te veel koffie gedronken en wilde niets liever
dan in bed kruipen, ver weg van dit alles, en een week lang slapen.

Nou, dat is dan jammer. Daar heb je dus niet voor getekend.

Zijn virgil tjirpte.

'Ja?'

'Alex? Ben je gereed?'

De directeur. 'Ja, meneer. Ik ben er over een minuut of vijf.'

'Nog iets nieuws waar ik van op de hoogte moet zijn?'

'Niets belangrijks.'

'Oké. Sluiten.'

De stoet arriveerde bij de westvleugel. Alex stapte uit en werd
gecontroleerd door de metaaldetectors, de speurhonden en een
HOS – een *hard objects scanner*. Dat laatste was een nieuw apparaat
om keramische of plastic wapens en messen buiten de deur te houden. Hij controleerde zijn kicktaser, ontving een reçu en bezoekers-
badge, en doorliep vervolgens het hele scala van marinewachtpos-
ten bij de deur die zijn identiteit controleerden. De Situation

Room, waar zijn meeting gepland stond, was een van de oudere ruimten en bevond zich een verdieping naar beneden, onder het Oval Office.

Nog eens een paar mariniers inspecteerden zijn badge toen hij uit de kleine lift stapte en drie agenten van de geheime dienst in burger knikten of spraken hem aan toen hij op de Situation Room afstevende. Twee van hen kende hij, eentje had bij de FBI gezeten toen hij zelf in Idaho gestationeerd was geweest.

'Goedemorgen, commandant Michaels,' groette zijn oude vriend uit Idaho.

'Hé, Bruce.' Dat 'commandant' bezorgde hem nog steeds een ongemakkelijk gevoel. Hij had deze baan niet eens gewild, en zeker niet ten koste van Steve Days leven. Het positieve was alleen dat nu hij de leiding had, hij de beste kans had Days moordenaars te pakken. En reken maar dat dat hem zou lukken.

Nog een laatste controle, een scan van zijn duimafdruk, en de deur ging open om hem toe te laten.

Binnen zat FBI-directeur Carver al aan een lange tafel die de vorm had van de kantoorruimte boven hen en nipte van zijn koffie uit een porseleinen kopje. Links van hem stond NSO assistent-directeur Sheldon Reed, druk mompelend in zijn virgil. Een secretaresse van middelbare leeftijd, gekleed in een tweed rok en witte zijden blouse, zat een beetje achteraf bij een tafeltje, met voor zich een stenoblok, een ontkoppelde voxax-recorder naast de blocnote en daar weer naast een computer. Een marinier in uitgaanstenue schonk koffie uit een zilveren pot in een kopje dat hij perfect op het schoteltje in balans hield en zette het dampende brouwsel vervolgens rechts naast Carver – dat zou Alex' plaats zijn en de man zou weten dat hij het zwart dronk. In de verzegelde mappen die voor elke stoel op tafel lagen, zaten precies dezelfde, door de computer uitgedraaide rapporten als welke Michaels bij zich had.

Carver wierp Alex zijn beroepsmatige glimlach toe en gaf een knikje naar de plaats naast zich. Alex was al half op weg toen de deur openging en de president en diens chef-staf Jessel Leon de ruimte betraden.

'Goedemorgen, heren.' De president knikte naar de secretaresse en glimlachte. 'En u ook, mevrouw Upton. Ik heb een druk programma vandaag, dus laten we direct terzake komen. Walt?'

'Meneer de president. Rond middernacht werd Steve Day, de commandant van de FBI-divisie Net Force, vermoord. U kent Alex Michaels... ik heb hem op Days stoel gezet. Hij zal de feiten voorleggen zoals we die nu kennen.'

'Geen leuke manier om promotie te krijgen,' zei de president met een hoofdknik naar Michaels. Hij klonk een beetje nerveus. Was hij misschien bang dat hij het volgende doelwit zou zijn? 'Oké, laat maar horen.'

Zo zacht als hij kon haalde Michaels eens diep adem. Hij liep naar de computer, opende de gecodeerde diskhouder en overhandigde de disk aan de secretaresse. Ze plaatste het ding en voerde de virale scan uit. Alles bij elkaar duurde dit niet langer dan vijf seconden.

'U kunt nu spreken,' liet mevrouw Upton hem weten.

'Dank u,' zei Michaels. 'Computer, beeld één, graag.'

In het plafond klikte een holografische projector aan en in het midden van de tafel werd een driedimensionaal beeld te zien van de plaats van de moord, nog geen acht uur geleden gefotografeerd vanuit een politiehelikopter.

Michaels begon uitleg te geven. Over de explosie, de aanval, de dodelijke slachtoffers en vermoedelijke doden. Hij ging methodisch te werk, nam de tijd. Al pratend liet hij de computer nog meer beelden tonen. Na tien minuten onderbrak hij zijn verhaal even en keek de tafel rond. 'Vragen tot nu toe?'

'Zijn er afgelopen nacht nog andere ongebruikelijke activiteiten aangaande FBI-functionarissen waargenomen?' Het was de president. Ja, dat was een verstandige vraag. Wie zou de volgende kunnen zijn?

'Nee, meneer de president.'

'Heeft er nog iemand de verantwoordelijkheid opgeëist, een terroristische groepering of zoiets?'

'Nee, meneer de president.'

'Iets over de bommen?' vroeg Reed.

'De lading onder de putdeksel was een antitankmijn van het Amerikaanse leger en merktekens leren ons dat hij deel uitmaakte van een partij die vermoedelijk tijdens de Golfoorlog in Irak de grond in ging. Is later waarschijnlijk opgegraven door een boer met een metaaldetector en verkocht op de zwarte markt. Of misschien voor een ander doel ingezet door een kwartiermeester en nooit in Irak aangekomen. Valt voorlopig niets zinnigs over te zeggen.'

'De kleefmijn op het portier was ongemerkt, maar het lab zegt dat hij afkomstig is uit een surplusvoorraad van de Israëlische marine, ongeveer vijf jaar oud.'

'Die kun je op een beetje wapenbeurs zo op de kop tikken,' zei Reed. Hij glimlachte om duidelijk te maken dat het een geintje was. Ook hij klonk nerveus. Niet echt bang, maar een tikkeltje gespannen. Begrijpelijk.

Michaels ging verder: 'Geen afdrukken of DNA-bezinksel op de gevonden hulzen die allemaal hetzelfde waren. Uit de kogels die uit de slachtoffers en wagens zijn verwijderd, blijkt de munitie fabrieksgeladen Federal 147 g 9 mm Luger FMJ met ronde kop te zijn geweest, en vermoedelijk subsonisch uit een pistool of een handmitrailleur. Beschadigingen aan de mantels van de kogels tonen aan dat beide typen wapens werden gebruikt. Tot dusver tonen kruitsporen aan dat de partijnummers deel uitmaakten van zendingen die naar Chicago, Detroit, Miami en Fort Worth gingen.'

'Probeer dat nog maar eens te traceren,' zei Reed. 'En die wapens liggen waarschijnlijk al in de baai.'

'Oké, we hebben de feiten voor ons liggen,' zei de president. 'En nu een theorie. Meneer Michaels, wie heeft het gedaan? Wie is het volgende slachtoffer?'

'Computer, beeld twaalf,' sprak Michaels.

Er verscheen een andere holoprojectie, wederom vanuit de lucht genomen, maar dit beeld toonde een andere plek, op klaarlichte dag.

'Dit komt uit het FBI-archief en betreft de moord afgelopen september in New York op Thomas "Big Red" O'Rourke. De aanvalsmethode vertoont een opmerkelijke gelijkenis. Onder de gepantserde limo van de Ierse gangster ontplofte een bom en de portieren werden weggeblazen door kleefmijnen, O'Rourke en zijn lijfwachten werden gedood door verschillende salvo's uit 9 mm pistolen en handmitrailleurs.'

'Er zijn nog meer van dit soort moorden geweest, toch?' informeerde de president.

'Inderdaad, meneer de president. Vorig jaar december Joseph DiAmmato van de Dixie-maffia in New Orleans en afgelopen februari Peter Heitzman in Newark. Volgens de FBI-divisie georganiseerde misdaad werden de aanslagen bevolen door Ray Genaloni, hoofd van de Vijf Families in New York, maar het onderzoek is nog gaande.'

'Wat inhoudt dat je nog niets concreets hebt,' merkte Reed op.

'Niets waar een federale aanklager mee naar de rechter kan stappen, nee.'

De president knikte. 'Dus het ziet ernaar uit dat deze zaak te maken heeft met de maffia. En niet een of andere terroristische groepering?'

Michaels koos zijn woorden nu zorgvuldig. 'Meneer de president, zo op het oog lijkt dat heel goed mogelijk.'

Carver kwam nu tussenbeide. 'Alex, mag ik even?'

Michaels knikte instemmend, blij dat zijn baas het even wilde overnemen. Hij hoopte dat zijn opluchting niet al te zeer opviel.

Carver nam het woord. 'Commandant Day was enkele jaren hoofd van de FBI-divisie georganiseerde misdaad. Onder zijn leiding werd de helft van de grote New Yorkse families gearresteerd en daar weer de helft van werd veroordeeld en verdween achter de tralies. Onder hen ook Genaloni's vader en oudere broer. De maffia zal Steves dood nauwelijks betreuren. En heeft gewoonlijk het geheugen van een olifant.'

"Wraak is een gerecht dat je het best koud kunt opdienen",' zei de president. 'Is dat niet een Siciliaanse uitdrukking?' Hij oogde nu iets relaxter dan in het begin. De maffia zou het niet op hem gemunt hebben.

Hij stond op en keek op zijn horloge. 'Heren, het spijt me dat ik het hierbij moet laten, maar ik heb elders dringende zaken. Het lijkt erop dat dit een of ander maffiaverwant incident is en hoewel ik het verlies van commandant Day betreur, heb ik niet de indruk dat de nationale veiligheid gevaar loopt.' Hij wierp een vluchtige blik op Reed, die zijn hoofd schudde.

Of hun eigen hachje, dacht Michaels.

'Goed, Walt. Ik zie dit wél graag opgehelderd. Dus hou me op de hoogte. Heren. Mevrouw Upton.'

En daarmee vertrokken de president en zijn chef-staf.

Carver begaf zich naar Michaels, die naast de computer stond. 'Nou, dat viel best mee, toch?'

'Ja, meneer.'

'Oké. We zullen die Genaloni het vuur na aan de schenen leggen,' zei Carver. 'Hij zal niet eens meer kunnen pissen zonder dat iemand hem vanuit de wc-pot in de gaten houdt. Ik wil dat je computermensen gaan graven.'

'Ja, meneer.'

'Praat met Brent Adams van georganiseerde misdaad, hem zal worden opgedragen mee te werken. Dit wordt geen territoriumoorlog, ik draag jóú deze klus op. De president van de Verenigde Staten heeft ons zojuist laten weten dat hij dit opgehelderd wil zien en dat klonk mij niet bepaald als een vriendelijk verzoek in de oren.'

'Nee, meneer.'

'Dat was het. Ik wil dagelijks een rapport zien, liefst eerder als je nieuws hebt. Kun jij nog iets bedenken?'

'Nee, meneer. We houden u op de hoogte.'

'Mooi zo.'

Pas toen hij weer in zijn auto zat en het Witte Huis een goed eind achter zich had gelaten, stond Michaels zichzelf toe zich te ontspannen. Dit gedoe op hoog niveau was riskant. Hij zat liever in het veld, nieuwe agenten opleiden, het maakte niet uit wat, in plaats van te bakkeleien met politici en veiligheidsadviseurs. Eén misstap, één verkeerd woord, en je kon de rest van je carrière paperclips tellen. Dus nu vielen zijn persoonlijke plannen zowaar samen met wat hij rechtstreeks van de top te horen had gekregen: vind de moordenaar van Steve Day.

Of anders...

Prima. Geen probleem. Dat was precies wat hij toch al van plan was, en nu beschikte hij over de benodigde middelen.

4

In de kleine sportzaal oefende Toni Fiorella net haar *djuru's* toen twee leerlingen uit het klasje van nieuwe FBI-rekruten binnenkwamen. Inmiddels waren er al een stuk of tien mensen met hun training bezig, hangend aan de gewichten, op de fiets, met de boksbal. Het waren voornamelijk vaste klanten: sportleraren of medewerkers van het trainingscentrum. De rekruten bleven meestal in hun eigen zaal, iets wat haar goed uitkwam. Groentjes, meestal kersvers van de rechtenfaculteit of de accountantopleiding, meenden vaak de wijsheid in pacht te hebben en dat de FBI zich vereerd mocht voelen nu zij besloten hadden het departement met hun inspirerende aanwezigheid te verrijken.

Ze zette haar rechterbeen naar voren zodat haar gewicht voor het grootste deel op haar voorste voet kwam te rusten. Ze boog haar knie, sloeg de handen ineen en maakte met gestrekte armen ruitenwissersgebaren ter afweer: recht vooruit, naar links, naar rechts. Vervolgens zwiepte ze haar rechterelleboog omhoog om de denkbeeldige aanvaller tegen het hoofd te raken. Met haar linkerhand gaf ze een tik op de elleboog om de klap te simuleren, ze liet de hand onder haar rechterarm glijden, klaar om de reactie van haar tegenstander te kunnen opvangen, en maakte het af met een korte directe en een linkse.

Dit was de eerste djuru, en een heel eenvoudige serie.

Een van de nieuwelingen, een lange, gespierde vent in een blauwe stretch wielrenbroek en een bijpassend FBI-shirt speciaal voor rekruten, wierp haar een blik toe, grinnikte en mompelde wat tegen zijn collega.

Die was klein en had een gedrongen lichaamsbouw, een beetje propperig zelfs, met zware wenkbrauwen. Hij moest lachen om de opmerking.

Ze negeerde de twee, haalde uit met haar linkervuist en hield vervolgens haar linkerarm tegen haar heup. Daarna plaatste ze haar linkervoet naar voren om dezelfde oefening met haar rechtervuist te doen.

Days overlijden had haar meer geraakt dan ze had verwacht, en ook Alex' gemoedstoestand drukte zwaar op haar. Ze was speciaal hierheen gekomen om wat van haar frustraties van zich af te meppen nu het haar niet was gelukt Alex een troostende hand te bieden zoals ze gewild had. Maar de training hielp niet veel en op het moment was ze niet bepaald in een barmhartige bui.

Ze werkte haar serie van stappen en slagen af, gaf een elleboogstoot naar achteren en begon zo aan het tweede djuru-patroon. De Bukti-variant voorzag in acht korte vormen of djuru's, met evenzoveel *sambuts* – vaste reeksen – en talloze technieken die uit deze eenvoudige routines voortvloeiden.

Stretch en Propje waren met elkaar de confrontatie aangegaan en dansten nu al sparrend heen en weer. Ook al wist Toni dat ze zich op haar eigen vorm diende te concentreren – haar goeroe zou het voorhoofd hebben gefronst –, sloeg ze beide mannen vanuit haar ooghoek gade. Stretch sloeg zichzelf bijna een slag in de rondte met al die hoge schoppen waarvan de meeste op het hoofd waren gericht. Propje leefde zich uit met het schreeuwen van verscheidene *kiai*, de karateachtige keelgeluiden ter concentratie, terwijl hij achterwaarts dribbelde en al wegduikend en blokkerend de klappen probeerde te ontlopen.

Ze kreeg de indruk dat Stretch voor een Koreaanse en Propje voor een Japanse of Okinawese vechtvariant had gekozen. Allebei leken ze redelijk bedreven, maar Stretch was de beste.

Ze zag hem grijnzen en vervolgens een hoge trap achteruit lanceren.

Regelrecht uit een slechte actiefilm, dacht ze. Ze hield haar tempo constant en deed net alsof ze de mannen niet in de gaten had. Maar de blik op haar gezicht verried haar, het lukte haar niet helemaal om die zelfingenomen grijns van haar gezicht te halen.

Stretch zag het, en was niet blij.

Hij maakte een korte buiging naar Propje ten teken dat hij klaar was, en draaide zich naar haar om. 'Valt er iets te lachen, mevrouw?' Een sterk zuidelijk accent. Alabama, of Mississippi misschien.

Nou, paranoïde was hij in elk geval niet, want ze lachte hem inderdaad uit, ook al probeerde ze het zoveel mogelijk te onderdrukken. Maar om de waarheid te zeggen, deed ze daar niet echt veel haar best voor. Ze kon er niets aan doen, dat gevoel van superioriteit zodra ze een van de andere oosterse vechtsporten zag uitgevoerd. Iedereen vond zijn of haar systeem beter; zelf wíst ze dat het hare de beste was.

Omdat ze eigenlijk toch al zo'n beetje aan het eind van haar reeks oefeningen gekomen was, stopte ze ermee. Ze wist dat ze in haar oude zwarte trainingsoutfit, worstelschoenen en zweterige haarband niet echt indrukwekkend oogde. En met haar een meter vijfenzestig en zestig kilo was ze dik dertig centimeter en bijna 32 kilo lichter dan Stretch. Maar het was zijn toon die haar irriteerde.

'Nee,' antwoordde ze, ''t was niets.'

'Nee? Ik kreeg anders even de indruk dat u eh, mijn oefeningen nogal amusant vond, of zo.'

'Nee,' antwoordde ze, 'niets amusants aan.' Ze wilde zich omdraaien.

Dat was het moment waarop Propje zijn kans schoon zag: 'Mijn vriend hier heeft een tweede graad in de zwarte band.' Daarbij gebaarde hij naar haar alsof hij wilde verwijzen naar haar eigen oefeningenreeks. 'Ik weet zeker dat hij u nog wel het een en ander kan leren.'

'Ben ik van overtuigd,' was haar antwoord. Ja, vooral hoe het níét moet. Maar ze hield haar mond en liep naar haar handdoek. Maar beter snel onder de douche, want met deze twee spierverrekkende macho's in haar buurt kon ze zich toch niet concentreren. Ze was opgegroeid in een huis vol broers en wist dat zodra het testosteron eenmaal begon te vloeien, het meteen springtij werd: dan was er geen houden meer aan. Nog even en de heren rochelden op de vloer en grepen al dan niet in hun broek naar hun kruis om het zaakje op te schudden.

Mannelijkheid, een delicate zaak. Ze moest inmiddels toch beter weten dan zich ermee te bemoeien.

'Dus wat was dat daarnet voor een soort dansje?' wilde Stretch weten. Hij en Propje keken elkaar grinnikend aan.

Een soort dansje. Mijn god.

Ze draaide zich om en keek de twee aan. 'Dat heet een djuru,' zei ze. 'De stijl heet pukulan pentjak silat bukti negara-serak.'

Stretch wierp haar een kamerbrede grijns toe. 'Nou, dat klinkt eerder als een of ander Thais gerecht met pindasaus. Enne, hebt u daar een bepaalde graad in?'

'We hebben geen zwarte banden of zo. Je bent of leerling of leermeester. Ik ben een leerling.'

'Zag er leuk uit, ook al heb ik er nooit van gehoord,' reageerde Stretch.

Leuk...

Ze glimlachte. Normaal gesproken liet ze veel van de onzin uit de monden van irritante heren langs zich heen gaan, en vooral neerbuigendheid, want daar werd ze maar al te vaak mee geconfronteerd. Ze was pas 27 – dat alleen al zorgde voor commentaar – ze was een vrouw – nog meer commentaar – en Italiaans, goed voor ten minste drie, vier maffiagrappen. Ze vroeg zich af waarom mannen toch altijd weer die behoefte aan dergelijk gedrag vertoonden. Niet allemaal, en ook niet voortdurend, maar soms maakte het de omgang met mannen erg vermoeiend. Zeg maar rustig vaak, dacht ze bij zichzelf.

Op een andere dag, en in een betere bui, zou ze hoofdschuddend hebben geglimlacht, zich hebben omgedraaid en de jongens hun pleziertje hebben gegund. Maar op dit moment had ze maar weinig menselijke goedheid in zich. Ze had een lange rotnacht achter de rug en de dag waarop ze zich bezig was voor te bereiden, zou nog langer en nog rottiger worden. Hier had ze geen behoefte aan. En weet je? Ze hoefde het ook niet te pikken.

En dus nam ze het woord: 'Wat jammer toch dat jullie opleiding zo beperkt is dan.'

Stretch fronste zijn voorhoofd. Hij rook een belediging al op een kilometer afstand. 'Pardon?'

Ze glimlachte nadrukkelijker, en zo stralend mogelijk. 'Welk woord begreep je niet helemaal?'

'Luister, mevrouw, we gaan toch niet elitair worden, hoop ik?'

'O, nee hoor. Dus jij hebt de zwarte band?'

'Klopt.'

'Ik heb een idee. Waarom kom je niet hier staan en probeer je mij te raken? Dan zal ik je laten zien hoe mijn dansje precies werkt.'

Stretch en Propje keken elkaar even aan. Stretch aarzelde en ze wist wel waarom. Hij was bij voorbaat al de verliezer. Gaf hij haar een pak slaag, dan was hij de grote pitbull die het op een klein vrouwtje had voorzien. En omgekeerd zou zijn mannelijkheid flink op losse schroeven komen te staan.

'Lijkt me beter van niet, mevrouw. Ik ben een expert en ik wil u niet onnodig pijn doen.'

'O, daar zou ik me maar geen zorgen over maken,' zei ze. 'Het lijkt me namelijk niet erg waarschijnlijk.'

Ze wist dat ze hiermee niet op de goede weg was. Haar goeroe zou uiterst geïrriteerd zijn als die zou zien hoe ze bezig was deze vent uit zijn tent te lokken. Maar het leek wel alsof ze er niets aan kon doen. De arrogantie straalde van hem af, als de damp van een verse hotdog op een winterse dag ergens in de Bronx.

Propje trok de zware, harige balk boven zijn ogen op naar Stretch. 'Hé, je hoeft haar toch niet meteen tegen de grond te meppen? Je laat haar gewoon wat van je bewegingen zien.'

Stretch grijnsde. Een kans om te showen, die liet je toch niet zomaar voorbijgaan? 'Goed, mevrouw.'

Hij kwam dichterbij. Op ongeveer drie meter afstand bleef hij
staan, maakte een buiging en nam meteen een gevechtshouding
aan: iets naar voren gebogen en met de handen geheven, de ene iets
hoger dan de andere. 'Klaar?'

Ze schoot bijna in de lach. Hij had haar net zo goed een telegram
kunnen sturen.

Hij was snel, en bleek slimmer dan hij eruitzag. Hij waagde zich
tenminste niet aan zo'n flitsende en domme hoge schop. In plaats
daarvan dook hij met een snelle beweging op haar af, plaatste zijn
rechterbeen naar voren en haalde met zijn rechtervuist hard en snel
uit naar haar borstbeen. Een goede actie, goed in balans, en precies
gemikt op de plek die haar geen al te erge pijn zou bezorgen als ze
de stoot niet kon ontwijken. Ook was zijn dekking in orde.

Uitstekend.

Waarschijnlijk ging hij ervan uit dat ze een stap naar achteren zou
zetten, maar hierin week haar silat-versie af. Ze blokkeerde met
allebei haar handen geopend, deed een stap naar voren, met haar
linkervoet vooruit, en dook onder zijn uitgestrekte arm door om
haar rechterelleboog stevig tussen de ribben onder zijn oksel te
planten. Klonk mooi hol, trouwens. Hij was machteloos.

En volslagen verrast.

Haar voeten waren alweer in positie: basis...

Razendsnel naderde ze hem van achteren, greep zijn linkerschouder met haar linkerhand: invalshoek...

Tegelijkertijd sloeg ze haar rechterhand tegen zijn voorhoofd en
hield haar elleboog omlaag: hefboom...

Nu duwde ze zich naar voren. Daarbij trok en duwde ze zijn schouder omlaag en rukte zijn hoofd naar achteren.

Basis, invalshoek, hefboom. Met deze drie manoeuvres achter
elkaar lukte het altijd. Zonder uitzonderingen.

En ze dééd ze achter elkaar.

Stretch stortte ter aarde als een net omgezaagde Californische
sequoia en belandde plat op zijn rug op de mat. Ze had nog meer
elleboog-, knie- en andere technieken in de strijd kunnen werpen,
maar deed in plaats daarvan twee stappen naar achteren. Ze wilde
hem niet blesseren, ze wilde hem enkel voor paal zetten.

De hele manoeuvre, van zijn aanval tot haar twee stappen naar achteren, had nog geen twee seconden geduurd.

Hij rolde om en dook op haar af. 'Trut!'

Waar blijf je nou met je 'mevrouw'?

Waarschijnlijk had hij een reeks manoeuvres in zijn hoofd, een favoriete combinatie van trappen en stoten, schijnbewegingen en schijnuithalen alvorens de genadestoot te leveren waarmee hij meestal succes oogstte als hij om punten aan het sparren was. Als ze hem liet begaan, kon dat voor haar wel eens gevaarlijk worden. En dus liet ze hem niet begaan.

Terwijl hij uithaalde voor een linkse, sloeg ze beide handen ineen en blokkeerde, zette een stap naar buiten, omklemde zijn boven-arm, zwenkte, verplaatste haar hele gewicht naar haar ene knie en liet hem zo een buiteling maken. Bij sommige boksstijlen leerde je een beetje hoe je een tegenstander moest vastgrijpen en hoe te vallen, maar bij die van Stretch klaarblijkelijk niet.

Hij maakte een halve flip en plofte opnieuw met een harde klap op de mat, hard genoeg om even naar lucht te moeten happen. Het waren slechts eenvoudige manoeuvres, regelrecht uit de eerste dju-ru. Waarom moeilijk doen als het gemakkelijk kon, nietwaar?

Ze sprong weer overeind en wachtte even om te zien of hij aan een derde aanval zou beginnen.

Maar zo dom was hij nu ook weer niet. Ditmaal stak hij bij het opstaan zijn hand omhoog ten teken van overgave. De les was voor-bij. Hij wist dat hij het onderspit gedolven had.

Toni voelde zich triomfantelijk, ook al besefte ze dat dat eigenlijk misplaatst was. Vervolgens wierp ze een blik naar de deur van de sportzaal.

Daar leunde Alex Michaels tegen de muur en sloeg haar gade.

Michaels liep naar haar toe. Zelf verkeerde hij in redelijke conditie. Bijna dagelijks jogde hij een kleine vijf, zes kilometer, soms fietste hij wat op zijn ligfiets, hij had een fitnessapparaat in zijn apparte-ment, maar had al sinds zijn diensttijd en zijn begintijd bij Net For-ce niet meer op de mat gestaan. Computerfreaks spendeerden nu eenmaal weinig tijd aan netelige situaties in de echte wereld. Hij veronderstelde dat hij in de meeste een-op-eensituaties wel zijn mannetje kon staan, maar toch nam hij het liever niet op tegen die stevige figuur die nu overeind krabbelde. En na gezien te hebben hoe de arme stakker door Toni als een frisbee door de lucht was geslingerd, moest hij er niet aan denken om met háár de uitdaging aan te gaan. Uit haar dossier wist hij wat voor vechtsport ze bedreef, maar verder wist hij er weinig van. Verbazingwekkend.

'Interessant,' zei hij. 'Silat, zei je? Waar heb je dat geleerd?'

Ze depte haar gezicht met een handdoek. 'Toen ik dertien was, woonde er in mijn buurt een Nederlandse vrouw van Indonesische afkomst. Suzanne DeBeers, zo heette ze. Ze was in de zestig, gepensioneerd en pas weduwe. Ze zat graag op de stoep voor het gebouw aan de overkant te genieten van haar pijpje en de lentezon. Op een zaterdag kwamen er vier bendejongens aan die haar plek wilden opeisen. Ze stond op om weg te gaan, alleen, dat ging de heren niet snel genoeg. Een van hen probeerde haar op te jagen met een schop voor haar achterste.'

Toni sloeg de handdoek over haar schouder. 'Het waren jongens van rond de achttien, twintig, met messen en geslepen schroeven-draaiers op zak. Ik stond net te wachten op de bus en zag alles gebeuren. Het duurde hooguit vijftien seconden en tot op heden zou ik je niet kunnen vertellen wat ze die jongens flikte. Het was een oud, dik vrouwtje, ze rookte als een schoorsteen, maar ze sloeg erop los en liet die vier gasten alle hoeken en gaten zien. En al die tijd bleef die pijp netjes in haar mond. Alle vier moesten ze voor behandeling naar het ziekenhuis. Ik concludeerde dat ik alles moest leren wat die vrouw wist.'

'Runde ze een sportschool?'

'Nee. Pas een paar dagen later had ik het lef de straat over te steken en haar te vragen of ze me het een en ander wilde leren. Ze knikte en glimlachte alleen maar, en zei "natuurlijk". Ik trainde bij haar, tot ik afstudeerde en naar Washington verhuisde. Altijd als ik thuis ben om mijn ouders te bezoeken, dan train ik bij haar.'

'Ze moet al aardig op leeftijd zijn,' concludeerde Michaels.

'Tweeëntachtig inmiddels,' was haar antwoord. 'En nog steeds durf ik het niet tegen haar op te nemen.'

'Verbazingwekkend.'

'Het is een heel doordachte vechtkunst, gebaseerd op de hoek waaronder je je tegenstander vastgrijpt en op hefboomprincipes. Speciaal bedoeld voor situaties waarin je met verschillende tegen-standers te maken hebt die allemaal groter en sterker zijn dan jij. Dus alles draait om techniek en niet om spierkracht, wat in mijn geval goed uitkomt. Normaal gesproken vorderen vrouwen hier niet zover in, maar haar echtgenoot reisde veel en wilde dat ze in staat was zichzelf te verdedigen,' eindigde ze haar verhaal. 'Maar ik zal je niet langer vervelen met esoterisch vechtsportgedoe.'

'Onzin, ik vind het interessant. Wat is het verschil met bijvoorbeeld boksen of judo?'

'Nou, de meeste oudere vechtsporten komen uit oude beschavin-gen. Kungfu uit China, taekwondo uit Korea, jiujitsu uit Japan, honderden, ja zelfs duizenden jaren lang hebben ze hun technieken kunnen verbeteren. Geleidelijk aan maakten de meer lugubere trekjes plaats voor spirituelere zaken. In beschaafd gezelschap zal het principe van vechten totdat de dood erop volgt hen meestal tegenstaan. Wat niet wil zeggen dat een expert in zulke vechtsporten niet gevaarlijk is. Een goede kungfu- of karatebeoefenaar zal je zeker je eigen hoofd aanreiken als je niet weet hoe je hem moet tegenhouden.'

'Ik hoor een "maar" doorklinken in je verhaal,' zei Michaels.

Ze grijnsde. 'Veel van alle silat-technieken kwam uit de jungle en is pas een generatie of twee, drie oud. Je hebt honderden verschillende stijlen, hoewel de meeste in Indonesië pas na de onafhankelijkheid in 1949 in het openbaar beoefend werden. Het zijn echt oerprincipes, met maar één doel: het gedeeltelijk of geheel uitschakelen van je vijand. Er zit niks beschaafds aan. Het is zo dodelijk en efficiënt als het maar kan. Als een bepaalde techniek niet werkte, dan belandde de beoefenaar of in een rolstoel of in het graf en werd dat stukje informatie dus niet op anderen overgebracht.'

'Interessant.'

Opnieuw grijnsde ze. 'Wat je hier net zag, dat was de *bukti,* het eenvoudige werk. De *serak,* dat is de basis, is weer totaal anders. Heel onaangenaam en vooral bedoeld voor flink wat wapens: stokken, messen, zwaarden, drietanden en zelfs vuurwapens.'

'En ik maar denken dat ik met een gezellige Italiaanse meid uit de Bronx te maken heb. Doe me een plezier en waarschuw me als ik je irriteer.'

'Kijk, Alex...'

'Ja?'

'Je moet me gewoon niet irriteren...' Ze lachte. 'Goed, wat brengt jou hier? Ik neem aan dat je niet speciaal bent komen kijken om te zien hoe ik rekruten een pak rammel geef, toch?'

'Nee, het is zakelijk. We zitten met een nieuw probleem. Iemand heeft zojuist de subnet-hoofdserver van de Net Force-buitenpost in Frankfurt opgeblazen.'

'Je bedoelt die van de CIA?'

'Ja. Uitgezonderd internationale noodsituaties en daar waarbij presidentiële toestemming vereist is, hoeft Net Force slechts in eigen land als zodanig operatief te zijn. Ik bedoelde dus eigenlijk het CIA-monitorhoofdkwartier.'

'Zeker regelrecht uit het handvest, hè?' zei ze glimlachend.

'Hoezo, wat insinueert u nu eigenlijk, plaatsvervangend commandant Fiorella? Net Force zal nooit de wet overschrijden.'

Haar glimlach werd breder. Hij vond het leuk om haar aan het glimlachen te maken. De gedachte dat een FBI-divisie zich alleen diende te richten op het monitoren van het webverkeer binnen de VS was tamelijk kortzichtig. Het net kende nu eenmaal geen grenzen; het web vertakte zich wereldwijd in alle richtingen en hoewel het net waar dan ook bijna overal toegankelijk was, waren er systemen waarop met de juiste volmacht net even iets gemakkelijker op in te loggen viel. De CIA was bereid om zo nu en dan, en in ruil voor bepaalde diensten waarover het zelf niet beschikte, haar naam aan Net Force te verlenen. Voor de CIA was het juist verbóden om binnen de VS te opereren, maar niémand die dat echt geloofde.

'Ik ga me even opfrissen,' zei ze.

5

Een inkomende antitankraket sloeg in in het gebouw achter kolonel John Howards Net Force Strike Team, op nog geen zeven meter boven hun hoofd. Het projectiel explodeerde meteen en sloeg een zwarte krater in het tachtig jaar oude bouwwerk. Rond het half dozijn soldaten die achter een verwrongen metalen vuilcontainer ineendoken, kletterde een regen van brokken steen en glasscherven neer. Een fikse bui, maar op dit moment de minste van Howards zorgen. Die klootzak met de raketwerper moest worden uitgeschakeld, en snel!

'Reeves en Johnson, over de linkerflank!' riep Howard. Het was helemaal niet nodig om te schreeuwen want ze droegen allemaal een LOSIR-hoofdset met oortelefoon en microfoon in hun helm. Hij had kunnen fluisteren en dan nog zouden ze hem luid en duidelijk gehoord hebben. Deze infrarode tactische communicatiesystemen hadden een kort bereik en functioneerden vrij goed, maar alleen als je degene met wie je praatte ook echt zág; aan de andere kant zou een bericht niet door een vijand met een scanner worden opgevangen tenzij je ook hém kon zien, en dat was de reden waarom ze werden gebruikt. 'Odom en Vasquez, onderdrukt vuren! Chan en Brown, over de rechterflank! Op mijn bevel... drie... twee... één... nú!'

Met hun H&K-handmitrailleurs openden Odom en Vasquez nu het vuur en ontketenden daarmee een volautomatisch spervuur van 9 mm-kogels uit de trommelmagazijnen die elk honderd patronen telden...

Reeves en Johnson doken naar links en spurtten behendig naar de overkant van de straat waar ze met korte dribbelpasjes dekking zochten achter een grote oplegger. De truck was al lang geleden uitgeschakeld, de banden waren verbrand en weggesmolten. Oude kogelgaten hadden het metaal van de cabine en oplegger, beide besmeurd met roet en graffiti, een pokdalig uiterlijk gegeven.

Chan en Brown doken naar rechts en gaven ondersteuning met salvo's uit hun wapens terwijl ze zich zigzaggend voortbewogen.

De aangepaste SIPE-uitrusting die het team droeg, moest voldoende zijn om alles tegen te houden wat de plaatselijke tegenstander over hen liet neerdalen. De gevechtsvesten en -broeken waren van stug geweven gekloonde spinzijde en bevatten zakken van een elkaar overlappende keramische bepantsering die pistool- of geweerkogels moest stuiten, mits het niet om *hotloads* zou gaan die er dwars doorheen zouden gaan. De helmen en laarzen waren uitgerust met kevlar voorzien van inzetstukken van titanium. De rugzakcomputers waren shockproof en ingepakt in een dubbele keramische bepantsering. De tactische computers versleutelden radioberichten en satelliettransmissies, en voorzagen in silhouetbewegingen, IR- en UV-scans, terreinimpressies en zelfs lichtvuurpolarisators ingebouwd in de inklapbare veiligheidsviziers van de helm. De wapenrusting van Net Force was niet zo zwaar als het gewone legertenue, omdat ze niet was uitgerust met SCBA, *distill* of *biojects*. Voor dit soort aanvallen, eendagsacties, hadden ze al die toeters en bellen van een infanteriebepakking niet nodig; maar toch, met zo'n pak woog je algauw bijna tien kilo meer.

Howard dook ineens op en schoof zijn Thompson handmitrailleur over de bovenrand van de vuilcontainer, vuurde enkele salvo's van drie patronen elk in de richting van de schuilplaats waar die vent met de raketwerper zich ophield. De tommygun was echt een simpel speeltje, een antiek geval uit 1928 en had ooit tijdens de drooglegging toebehoord aan een sheriff uit Indiana. Howards overgrootvader werd als zwarte officieel niet toegelaten tot het leger, maar de blanke sheriff met wie hij had gewerkt wist direct wanneer hij met een goed mens te maken had, ongeacht diens huidskleur. En zo kon het gebeuren dat er een onofficiële neger rondliep die twintig jaar lang als agent een dikke boterham verdiende, ook al werd dit buiten de boeken gehouden. Toen de sheriff overleed, liet hij de tommygun aan opa Howard na. Chicago-typemachines noemden ze die dingen toen...

Geen tijd om terug te blikken in het verleden, John! Bukken!

Ook de raketman had zijn hoofd ingetrokken, maar iemand naast hem in het trappenhuis beantwoordde het vuur met een salvo uit een klein wapen, dat tegen de zware vuilcontainer aan pingde en kletterde waarvan het gehavende staal nog steeds dik genoeg was om de kogels tegen te houden. Howard was er maar wat blij mee, zijn uitrusting ten spijt...

'Granaat!' Het lawaai van het geweervuur werd overstemd door Reeves' stem over Howards communicatiesysteem.

De granaat die Reeves in het trappenhuis had geworpen, ontplofte.

Nog meer granaatscherven sloegen tegen de vuilcontainer en Howard werd overspoeld door de stank van verbrande springstof en door rook en stof.

Twee seconden verstreken. En al het schieten stopte.

'Veilig!' schreeuwde Johnson.

Kolonel Howard kwam overeind, zag Johnson grijnzen en een duimgebaar maken. Howard beantwoordde de grijns. Zijn mannen – oké, vijf man en een vrouw – stonden gereed om te vuren. Hun wapens speurden naar mogelijke doelwitten terwijl ze de straat en gebouwen naar nog meer narigheid afzochten. Het zou ongelooflijk stom zijn om precies op dit moment overeind te komen om die aardige Amerikanen gedag te wuiven.

Howard tikte tegen de *flat pad* van zijn helm, activeerde daarmee zijn vizierdisplay en kreeg een digitale tijdsaanduiding. Meestal zette hij het ding niet op wanneer het echt menens werd omdat hij geen trek had het vuur te openen op de spoken die zijn computer hem voorschotelde. Zulke dingen werd je geacht te negeren als je eenmaal over voldoende ervaring beschikte, maar zodra de echte kogels je om de oren vlogen, was het verbazingwekkend hoeveel goedgetrainde soldaten het vuur openden op een pictogram van een warmtebron of een knipperende timer in een display.

'Goed gedaan, jongens, maar laten we voortmaken. We hebben nog zes minuten om het rendez-vouspunt te bereiken.'

Het team maakte aanstalten zich terug te trekken...

Plotseling vervaagden de mannen, de straat, de gebouwen. Alles werd schimmig, daarna transparant. Vervolgens was alles zwart.

'John, bericht prioriteit één,' klonk een gedecideerde militaire stem.

Howard knipperde met zijn ogen, bracht het VR-vizier omhoog en zuchtte.

Hij zat in zijn kamer op het hoofdkwartier van Net Force. Het vuurgevecht in Sarajevo was een *virtual reality* computersimulatie geweest en geen echte strijd. Zodra er een on line-prioriteitsbericht binnenkwam, ging dat voor alles. 'Verbind maar door,' beval hij zijn computer.

Het hoofd en de schouders van burgercommandant Alexander Michaels van Net Force verschenen boven Howards bureau.

Howard knikte naar de holoprojectie. 'Commandant Michaels.'

'Kolonel. We zitten met een probleem waar u wellicht het uwe van wilt weten.'

'De explosie in Duitsland?' vroeg Howard.

'Inderdaad.'

'Mijn mensen zijn al op de hoogte. Hebben we het hier over een interventie?' Howard kon zijn nieuwsgierigheid niet verbergen.

'Nee, niet in Frankfurt,' antwoordde Michaels, 'daar is het te laat voor. Maar ik heb al onze luisterposten en subnets in staat van paraatheid, met name in Europa. Houd uw Strike Teams in elk geval paraat.'

'Mijn Strike Teams staan altíjd paraat, commandant.' Hij was zich bewust van zijn afgemeten toon, maar ook daar kon hij niets aan doen. Hij moest er nog aan wennen om bevelen te krijgen van een burger, een man wiens vader een carrière-onderofficier in het leger was geweest maar die zelf nooit in dienst had gezeten. Toegegeven, de president van de Verenigde Staten was opperbevelhebber van het leger en, inderdaad, de huidige president had ook nooit gediend, maar hij was wel slim genoeg om zijn generaals hun werk ongestoord te laten doen. Steve Day was een marineman geweest en dat was al erg genoeg; maar van Alexander Michaels was Howard nog niet zo zeker.

'Het was niet mijn bedoeling iets anders te impliceren, kolonel.'

'Neem me niet kwalijk, commandant. We zitten nu in alarmfase Twee. Ik kan mijn topteams binnen een uur in de lucht hebben, en binnen een halfuur als we op alarmfase Eén overschakelen.'

'Ik hoop niet dat het zover komt.'

'Inderdaad, commandant,' zei Howard. Maar wat hij hoopte, was dat het wél zover zou komen. Hoe sneller zijn troepen een kans kregen om te laten zien waar ze in een oorlogssituatie echt toe in staat waren, hoe gelukkiger hij zou zijn. Als soldaat had je zo nu en dan een oorlog nodig, of op zijn minst een politionele actie.

'Ik hou u op de hoogte,' zei Michaels. 'Sluiten.'

'Ja, commandant.'

Maar daar maakte Howard zich geen zorgen over. Hij had zijn eigen computerwizards die de netten afstruinden. Als Michaels' team er het eerst bij was, zou het slechts met een haarlengte voorsprong zijn.

Hij kon hen maar beter aan het werk zetten om er zeker van te zijn dat ze niets misten. Hij opende weer een verbinding.

Wanneer hij on line ging, gebruikte Plekhanov nog steeds de ouderwetse helm en handschoenen, ook al was dit bij de nieuwe systemen niet langer nodig. Tegenwoordig was een eenvoudig vizier dat bijna net zo smal was als een potlood al voldoende om het hele gezichtsveld te laten vullen met holoprojecties. De lezerssoftware achter de *holocam* van de computer kon de vingergebaren van de gebruiker net zo gemakkelijk interpreteren als de beste handschoenen. Maar de handschoenen vond hij gewoon fijner, hij was ze gewend. Net zoals de meeste toetsenborden nu over het dvorak- in plaats van het qwerty-patroon beschikten, ook zo'n systeem waar hij niet op overgestapt was. Wat anderen zeiden, kon hem niets schelen; vijfenveertig jaar van ingebakken typepatronen lieten zich niet zomaar ongedaan maken en door iets anders vervangen alleen maar omdat die nieuwere methode efficiënter was.

Hij gebaarde het web tot leven. 'Pad Olympisch Schiereiland,' was zijn commando.

De VR-uitrusting nam het over en vertoonde een beeld van een gematigd regenwoud en een smal pad geflankeerd door hoge douglassparren, volle varens en een lappendeken van diverse zwamsoorten: champignons, paddestoelen en dergelijke. Het middagzonlicht van een vroege julidag viel schuin door het dichte bladerdak van evergreens en elzen en penseelde het bos met stroken licht en donker. Insecten zoemden, vogels tjilpten; een aangename warmte, niet te heet in de schaduw, hing in het woud.

Plekhanov was gekleed in praktische wandelkleding: een kaki overhemd en korte broek, kniekousen en zware wandelschoenen. Op zijn hoofd stond een Ierse regenhoed. Hij droeg een stevige wandelstok van zijn eigen lengte en een kleine rugzak met daarin een regenponcho, een waterfles en een plastic tas met wandelbenodigdheden: een kompas, zaklantaarn, lucifers, verbanddoos, een Zwitsers zakmes en een mobiele telefoon/GPS-unit voor noodgevallen. Hoewel hij niet van plan was van het pad af te wijken, was het altijd beter goed voorbereid te zijn dan niet.

In zijn rugzak zat ook het verzegelde pakketje dat hij moest afleveren.

Hij liep langs de oever van een beek en luisterde hoe het koude, heldere water over de gladde stenen kabbelde. Hier en daar zag hij kleine visjes in de rustiger gedeelten van de stroom. Hij genoot van de geur van de sparren, het gevoel van de zachte humusgrond onder zijn wandellaarzen en het verlaten pad, verstoken van andere mensen.

Na een poosje stevig te hebben doorgestapt, hield hij halt om een slokje water te nemen. Terwijl hij zo wat uitrustte, bestudeerde hij zijn horloge. Het ding leek als twee druppels water op het uurwerk dat hij langer dan vijftien jaar had gedragen, een Russisch analoog savonethorloge. Het was een Molnija, groot, zwaar, voornamelijk van staal met een achttien-steens werk. Dit model had de hamer met sikkel en ster op de achterzijde, een inzetsel van het Kremlin op het dekseltje aan de voorzijde en was gemaakt ter herdenking van de Russische overwinningen in de oorlog van 1941-1945. Na het uiteenvallen van de Sovjet-Unie had het armlastige Rusland alles wat niet vastgespijkerd zat verkocht aan mensen die er het geld voor hadden, en dit soort horloges was voor belachelijk lage prijzen van de hand gedaan. Stel dat je in het Westen een niet-digitaal uurwerk van zo'n goede, sterke kwaliteit op de kop kon tikken – wat je dus wel kon vergeten –, dan zou je daar met gemak tien keer zoveel voor moeten betalen als hij voor dit exemplaar had gedaan.

Met zijn duim drukte hij op het knopje en de deksel sprong open. Hij keek naar de Romeinse wijzerplaat. Hoogste tijd voor zijn ontmoeting bij de grote rots aan de kust. Hij knipte de deksel dicht. Hij moest opschieten. Bij de rots – een massief stuk verweerd gesteente vlak bij waar de Grote Oceaan en de Straat van Juan de Fuca bij Cape Foulweather samenkwamen – zou Plekhanov zijn pakketje overdragen aan een koerier. Die zou het per vissersboot – althans, volgens dit scenario – bezorgen bij een dikke man die toegang had tot bepaalde systemen. In ruil voor het pakketje kostbaarheden – in dit geval binaire 'juweeltjes' die hij kon verkopen – zou de dikke een bescheiden reeks elektronische 'sneeuwballen' afschieten. Tegen de tijd dat deze hun doel bereikten, zou een aantal ervan nog dezelfde omvang hebben, die van harde ijsballen, maar andere zouden tot waarachtige lawines zijn uitgegroeid. Wat er ook nodig mocht zijn.

Vlak voor Plekhanov schoot een klein dier het pad over – een konijn of misschien een wasbeertje? – en in de varens ontstond enige commotie nu het diertje in het struikgewas wegschoot. De man glimlachte. Dit was een van zijn favoriete uitstapjes. Hij genoot met volle teugen van het contrast met de werkelijkheid. Wandelen over een bebost pad, het stond net zo ver van computers en netwerken af als de maan van de aarde. En dat was absoluut niet ironisch bedoeld.

Natuurlijk bracht dit soort mijmeringen hem bij de technologie en de verschillende manieren waarop hij deze had ingezet. Daarvan was het meeste in virtual reality of in subverbindingen geweest. Niet alles uiteraard. De echte wereld vroeg soms om echte acties.

Neem nu de fysieke vernietiging van de CIA/Net Force-buitenpost in Duitsland, grof maar noodzakelijk. Te veel elektronisch geknoei met programmeurs die net zo bedreven waren als de computerkrakers van Net Force zou alleen maar argwaan wekken. Maar een bom kon van iedere willekeurige gevaarlijke radicaal afkomstig zijn. Een beetje afwisseling moest er wel zijn. Het soort software en virusaanvallen die hij op het punt stond af te vuren op systemen in een aantal landen van het Gemenebest van Onafhankelijke Staten, in de Baltische Staten en ja, zelfs hier en daar in Korea of Japan, gewoon om de mensen een beetje in het ongewisse te laten, tja, dat zou van een heel andere orde zijn.

Op heel korte termijn zouden honderden programmeurs en systeemingenieurs beginnen te vloeken en zweten, en zou een enorme chaos moeten worden rechtgezet. Zodra die chaos zich aandiende, zou er grote vraag ontstaan naar zijn talenten. Want wie kon dit klusje nu beter opknappen dan degene die precies wist hoe de zaak was afgebroken?

Het pad kronkelde naar links, daarna naar rechts, om vervolgens vanuit het bos uit te monden in een zanderig gebied waar hier en daar wat plukken hoog gras of lage bodembedekkers stonden. Ongeveer een kilometer verderop sloeg de branding op de rotsachtige kust. Hij zag de vissersboot ruim voor de kust voor anker liggen en ook een sloep met hoge boeg, die vanaf het grotere vaartuig naar de kust voer. Ze waren hier om hem op te zoeken, om op te pikken wat hij bij zich droeg en vervolgens zijn bevelen uit te voeren. De lucht werd grijzer, de mist rukte op en ook werd het wat koud. Toepasselijk voor dit scenario.

Dit was nu een typisch voorbeeld van de kracht van VR, het vermogen om dit soort beelden te scheppen, maar VR was slechts een klein onderdeel van zijn talenten.

Hij lachte hardop. Het was goed om de touwtjes in handen te hebben. En heel spoedig zou het allemaal nog beter worden.

6

Dinsdag 14 september, 11:15 uur
New York

Ray Genaloni legde voorzichtig de hoorn neer. 'Sorry, maar dient deze lijn niet beveiligd te zijn?' Hij verhief zijn stem niet, maar sprak op een toon van iemand die naar het weer informeerde. Hij wees op het knipperende rode lampje op de kleine elektronische afluisterverklikker op de console. 'Dat komt op míj anders niet echt veilig over.'

Luigi Sampson, verantwoordelijk voor de naleving van de veiligheid bij Genaloni Industries – min of meer de legale kant van het circus –, haalde zijn schouders op. 'Dat zijn de feds. Ze hebben nu eenmaal spullen die voor ons niet in de handel verkrijgbaar zijn.'

Geïrriteerd beet Genaloni knarsend op zijn tanden. In gedachten begon hij langzaam te tellen.

Een... twee... drie...

Bijna de hele veertig jaar van zijn leven was dit de manier geweest waarop hij zijn woede probeerde te beteugelen, maar hij was er na al die jaren nauwelijks bedrevener in geraakt...

... vier... vijf... zes...

Twintig jaar geleden had Little Frankie Dobbs hetzelfde bij hem geflikt en op een of andere manier was diens schouderophalen hem toen in het verkeerde keelgat geschoten. Met een honkbalknuppel had hij Frankies schedel ingeslagen, de idioot om zeep gebracht, een pak van negenhonderd dollar door bloedspetters volledig geruïneerd en hij had zijn vader om vergeving moeten vragen omdat Little Frankie belangrijk was geweest en ook nog eens de zoon van een oude vriend.

... zeven... acht... negen... tien.

'Het zal wel...' wist hij er nog net uit te persen. Hij voelde zich iets gekalmeerd, ook al was hij nog laaiend en brandde de woede als hete lava in zijn maag. Zolang het maar niet te zien was, daar ging het om. Dat van Little Frankie was inmiddels lang geleden en sindsdien was hij aardig opgeklommen. Hij keek wel uit om nu zijn zelfbeheersing te verliezen en stommiteiten uit te halen. Niet nu, tenminste. Hij had gestudeerd aan Harvard, was president-directeur van een grote firma, om maar te zwijgen van zijn positie als baas van de Familie en alle vertakkingen die dáár weer bij kwamen kijken. Vooral rustig blijven, uitvinden hoe de vork in de steel zit.

Hij keek naar Sampson, die op de bank tegenover zijn bureau zat. 'Luister, Lou, wie zit hier achter?' vroeg hij, wijzend naar de telefoon.

'Dat is Net Force, van de FBI,' antwoordde Sampson.

Genaloni frommelde wat aan de strik van zijn zijden stropdas van tweehonderd dollar. Rustig blijven, dat was de manier. Rustig blijven. 'Net Force? Dat zijn computerfreaks. Daar houden we ons nauwelijks mee bezig.'

Sampson schudde zijn hoofd. 'Iemand heeft vorige week in Washington D.C. hun baas koud gemaakt. Ze zoeken de dader nu bij ons.'

'En? Hebben ze gelijk of heb ik even wat gemist?'

'Wij hebben het niet gedaan, baas.'

'Dan vraag ik je, waarom zitten ze ons af te luisteren?'

'Iemand wil hun graag het idee geven dat wij de daders zijn. Wie die vent ook om zeep heeft geholpen, heeft dezelfde werkwijze toegepast als ons Ice Team.'

'Waarom zou iemand de FBI die indruk willen geven? Laat maar, ik weet het antwoord al. De vraag is dus wíé dit ons wil flikken.'

Genaloni liet zich achteroverzakken in zijn massagestoel. Het ding had hem vier ruggen gekost, zat volgepropt met servomotortjes en geavanceerde elektronica en was zorgvuldig en gladjes afgewerkt met bruin leer. De stoel zoemde, sensoren deden hun masseer- en tastwerk en regelden zo de veerspanning en de kussens onder in zijn rug. Op zijn veertiende had hij zijn rug beschadigd bij een weddenschap en was hij vanaf een kade bijna twintig meter omlaag in de East River gesprongen. Dat was tweemaal stom geweest: ten eerste vanwege de sprong zelf, ten tweede vanwege het vervuilde water. Hij mocht van geluk spreken dat hij om zich heen maaiend in dat gore water en krimpend van de pijn geen hepatitis had opgelopen. Sindsdien werd hij herhaaldelijk geplaagd door lage rugpijn. 'Ik zou het niet weten, Ray. We hebben er onze mannetjes op gezet, maar tot nu toe nog geen aanknopingspunten.'

'Oké, zoek maar uit wie het voor ons wil verzieken. Laat me het weten zodra je eruit bent. En stuur een boodschap aan de Selkie. Zet hem stand-by, ik kan mijn eigen telefoon niet eens meer vertrouwen.'

'We kunnen dit zelf wel afhandelen Ray, ik heb er mijn mannetjes voor.'

'Doe me een lol, Lou, wil je? Ik bedoel, je hebt het tegen je baas, ja?

'Goed,' zei Sampson met een knik.

Nadat deze was vertrokken, drukte Ray op een tiptoets aan zijn stoel waarna de servomotortjes begonnen te zoemen en zijn pijnlijke rug masseerden. Op zulke problemen zat hij niet te wachten. De legale handel bracht nu meer op dan het grijze circuit, er zaten wat bedrijfsovernamen en een paar fusies in de pijplijn en hij had geen behoefte aan een stel FBI-figuren die in zijn nek zaten te hijgen. Wie hier ook verantwoordelijk voor was, beging een fout, een grote fout. Nog één generatie en zijn familie zou respectabel zijn, net zo wettig als al die andere families wier criminele voorouders ergens lang geleden de basis voor hun fortuin hadden gelegd. Zijn kleinkinderen zouden handen schudden met de Kennedy's, de Rockefellers, de Mitsubishi's, zonder ook maar een spoor van illegaliteit of schandaal. Het doel heiligde de middelen. Alles in naam van de respectabiliteit, ook al moest je eerst een stel obstakels uit de weg ruimen.

Dinsdag 14 september, 08:15 uur
San Francisco (Californië)

Mikhayl Ruzhyó stond op een straathoek in Chinatown en staarde naar vijf levende eenden in een etalage. Boeiender dan al het andere dat hij hier had gezien, die eenden. Hij had een ritje gemaakt met een van die beroemde trams: wat hem betrof behoorlijk overschat allemaal; vanuit de verte had hij de Coit Tower bestudeerd; hij had aan de Fisherman's Wharf gebakken garnalen gegeten; had die beroemde bar gezien waar vrouwen die graag hun borsten met siliconen volspoten naakt hadden gedanst. En was op straat een hoop homostellen gepasseerd die hand in hand liepen en dingen deden waarvoor zij in zijn land gearresteerd zouden worden.

En nu keek hij naar de eenden die, voorbestemd om op iemands bord te belanden, achter de etalageruit van deze Chinese groenteboer heen en weer waggelden. Wat een opwindend leven toch.

Hij glimlachte heimelijk. Hij was heus geen boerenkinkel die voor het eerst de grote stad bezocht. Een man van de wereld, dat was hij. Hij kende Moskou, Parijs, Rome, Tel Aviv, New York, Washington D.C. Maar nergens had hij zich thuis gevoeld. Er was één plek waarnaar hij nu meer verlangde dan ooit, zijn kleine boerderij aan

51

de rand van Grozny. Opstaan bij het ochtendgloren, naar buiten de winterkou in, met een dikke laag vorst op de grond, om hout te hakken voor het fornuis. Je spieren gebruiken, zoals een vent hoort te doen. Hij wilde zijn geiten, kippen en ganzen voeren, de koe melken, om daarna zijn handen aan het vuur te warmen, terwijl Anna in geurig ganzenvet alvast de eieren voor zijn ontbijt bakte...

Hij wendde zijn hoofd af van de tamme gevederde dieren die niet wisten welk lot ze wachtte. Vijf jaar geleden was ze gestorven, opgeëist door de kanker die haar leven veel te snel had weggeknaagd. Ze had gelukkig geen pijn geleden. Hij had genoeg contacten gehad om voor de juiste medicijnen te zorgen. Maar behandelen was onmogelijk geweest, ondanks het feit dat zelfs de beste dokters van het land erbij waren gehaald. Daar had Plekhanov voor gezorgd. Ruzhyó zou de Rus eeuwig dank verschuldigd zijn voor diens hulp tijdens Anna's laatste dagen.

Wat hij wilde, was onmogelijk. De boerderij was er nog, zijn broer bestierde haar, maar Anna was er niet meer en dus betekende de plek niets meer voor hem. Niets.

Hij liep verder, en had maar weinig oog voor mogelijke gevaren nu de Chinese bewoners en toeristen hem passeerden en met gretige blikken de etalages bewonderden. Met hier een winkel waar ze je geïmporteerde koperen voorwerpen probeerden aan te smeren, en daar eentje die gespecialiseerd was in stereoapparatuur en kleine computers. Verderop was een schoenenzaak.

Toen Anna stierf, had ze hem niets nagelaten. Na een zware, schamele periode die hij grotendeels verdrongen had, herinnerde Plekhanov hem aan zijn oude verlangen zijn land te zien bloeien. En het was Plekhanov die hem een manier geboden had dat doel te bereiken, namelijk door te doen waar hij altijd al bedreven in was geweest: mokrie dela, natte zaken. Voor Anna's ziekte had hij dat voor gezien gehouden, gepensioneerd als hij was, maar nu? Wat maakte het eigenlijk uit? De ene plek was net zo goed als de andere. Zolang hij Plekhanov maar een plezier kon doen, daar ging het om. Nee, terugkeren naar zijn oude leventje van weleer, dat zat er niet meer in. Nooit meer.

Het verbindingsapparaatje aan zijn broekriem piepte opeens. Hij keek om zich heen, verscherpte zijn blik en keek aandachtig of anderen hem opmerkten. Niets wees erop dat hij in de gaten werd gehouden. Niemand in deze stad had daar ook maar belang bij. Maar ja, in deze business hield je het niet lang vol als je niet meer dan voorzichtig was. Plekhanov wilde niets anders dan dat en dus deed hij wat nodig was.

Hij trok het apparaat los van zijn riem. Slechts drie mensen behoorden dit nummer in hun bezit te hebben: Plekhanov, Winters de Amerikaan en Grigory de Slang.

'Ja?'

'Het gaat om een nieuwe klus,' was Plekhanovs boodschap.

Ruzhyó gaf een knikje naar het luidsprekertje, ook al was er geen beeldverbinding.

'Ik begrijp het.'

'Ik neem later nog wel contact op voor nadere details.'

'Ik wacht af.'

Plekhanov verbrak de verbinding en Ruzhyó stak het apparaatje terug aan zijn riem en verschoof het totdat het goed zat. Hij was gewend aan het gewicht van een pistool op die plek en zelfs een klein wapen was nog altijd een stuk zwaarder dan dit kleine communicatieding. Maar hij had nu geen wapen op zak. Het was hier geen Tsjetsjenië of Rusland, waar hij een officiële status genoot. Hier droeg je normaliter geen wapen bij je, tenzij je bij de politie zat of een of andere veiligheidsagent was. Vooral in deze stad. Wapens waren hier verboden. Ergens in een park was een standbeeld gemaakt uit het metaal van gesmolten wapens. Trouwens, hij behoorde niet tot het soort mannen dat zich naakt voelt zonder wapen aan de riem. Hij kende wel een stuk of tien manieren om iemand met de blote hand, een stok of met andere beschikbare werktuigen om het leven te brengen. In die dingen was hij uitstekend getraind. O, ja, zodra het nodig was, zou hij een wapen regelen, maar anders niet.

In het land van schapen is zelfs een tandeloze wolf nog koning.

Een nieuwe klus. Best. Hij was er klaar voor. Hij was er altijd klaar voor.

De beveiligde lijn piepte en met een glimlach bewoog Mora Sullivan haar hand over het toestel om het te activeren. Het was een draadloze verbinding, volledig afgeschermd en alle inkomende en uitgaande berichten werden gecodeerd. Het signaal werd talloze malen omgeleid waarbij elk nieuw telefoontje binnen het net en van en naar de satellieten in een willekeurig patroon telkens een totaal andere route aflegde. Het traceren van berichten om zo de locatie van haar telefoontoestel te achterhalen was nu onmogelijk. En ook haar eigen stemgeluid werd vervormd; zonder een gecodeerde ontvanger zou de binaire code niet kunnen worden omgezet. De snelheid, toon en toonhoogte en de cadans van haar stem werden door haar computer zo aangepast dat degene aan de andere kant van de lijn een mannelijke stem opving met het diepe timbre van een Amerikaanse tv-presentator uit het middenwesten. Als luisteraar wist je niet beter of je had een levendige man van middelbare leeftijd aan de lijn die misschien ooit wat te veel had gerookt of gedronken. De stemvervormer werkte op zich goed genoeg en er was dus geen spoor van elektronische foefjes in het geluid te bekennen. Zelfs de meest geavanceerde digitale stemanalist zou niet in staat zijn het geluid te matchen. Niet dat het ooit zover zou komen, trouwens.

'Ja?'

'U weet met wie u spreekt?'

Het was Luigi Sampson, Genaloni's veiligheidschef. 'Ik weet met wie ik spreek, ja,' antwoordde ze.

'Wij zouden binnenkort een beroep op u willen doen, kan dat?'

'Ik kan wel een gaatje vrijmaken.'

'Mooi. Als u de volgende week stand-by kunt zijn, dan betalen wij uw gebruikelijke voorschot tegen servicetarief.'

De Selkie glimlachte. Haar stand-by-voorschot bedroeg vijfentwintigduizend dollar per dag, of ze nu werkte of niet. Honderdvijfenzeventigduizend dollar voor een weekje paraat staan ingeval iemand besloot een doelwit te kiezen, was niet slecht betaald. Haar tarief voor de eigenlijke klus varieerde al naar gelang de complexiteit en het risico: het begon bij een kwart miljoen. Zodra de cliënt een doelwit had, werd het stand-by-voorschot op de uiteindelijke rekening in mindering gebracht. Ze was niet inhalig. En Genaloni behoorde tot haar beste klanten, goed voor twee miljoen dollar over het afgelopen jaar. Nog een halfjaartje, acht maanden, en ze kon gaan rentenieren, het spel de rug toekeren. Inmiddels had ze daarvoor al bijna genoeg geld weggezet, zo tegen de tien miljoen. Het was altijd al haar grote doel geweest. Met dit bedrag kon ze jaarlijks een miljoen aan rente toucheren zonder van het hoofdbedrag af te snoepen. En dat op haar dertigste: ze was rijk; kon gaan en staan waar ze wilde, alles doen wat ze wilde. Niemand die ook maar een vermoeden zou hebben wat ze in een vorig leven had uitgespookt; niemand die de kleine, roodharige, Ierse vrouw ook maar ergens van zou verdenken, deze dochter van een IRA-strijder die bij zijn dood geen nagel had om aan zijn gat te krabben. Niemand die haar zou verdenken als de Selkie, de hoogstbetaalde huurmoordenares op deze planeet. Afgezien van haar huidige identiteit had ze het voor haar nieuwe leven benodigde papierwerk en de elektronische wegbewijzering al op orde. Zodat, mochten haar achtergrond en haar rijkdom ter sprake komen, ze zonder problemen door de controle kwam.

De lessen die ze als jong meisje van haar vader had gekregen over hoe met wapens, messen of bommen om te gaan, hadden duidelijk vruchten afgeworpen. Natuurlijk zou hij waarschijnlijk niet al te blij zijn geweest met de namen van haar opdrachtgevers, maar zijn idealen waren nu eenmaal niet de hare. Met het besluit van de Britten Ierland aan zijn eigen lot over te laten, had het eeuwige conflict plotseling zijn betekenis verloren, ook al weigerden de spelers zomaar de wapens neer te leggen en het daarbij te laten. Een dergelijke ingeburgerde traditie verging niet zomaar, ook al gold dat wel voor de bestaansreden ervan.

Haar moeder, goddank een eigenwijze Schotse, had haar kinderen, alle zeven, geleerd een dubbeltje eerst tweemaal om te keren en het dan pas uit te geven.

Ze glimlachte opnieuw. Zo was ze aan haar *nom de morte* gekomen, namelijk via haar moeder. De oude verhalen die ze haar kinderen 's avonds laat had verteld wanneer de tv weer eens kapot was en de radio alleen maar ruis te horen gaf, liepen over van ondergeschoven kindjes, banvloeken en magie. De Selkies waren het robbenvolk, vol magie, met het vermogen van mens in rob te veranderen en omgekeerd. Ze had dat altijd al een mooi beeld gevonden, dat je het ene leek, terwijl je eigenlijk het andere was.

Niemand wist wie ze was. Nog nooit had ze oog in oog gestaan met een cliënt, behalve een dan, maar die bevond zich niet meer onder de levenden. Huurmoordenares zonder gezicht, dat was ze: een man, zo veronderstelden de meesten, en ook nog eens de beste die er was.

Op dat laatste zou haar vader maar wat trots zijn, dat wist ze zeker. En het leek erop dat ze opnieuw op jacht mocht.

7

Donderdag 16 september, 06:15 uur
Washington D.C.

Een van de redenen waarom Alex Michaels zo tevreden was over zijn appartement, was de grootte van de aangebouwde garage. Er konden twee wagens in en er was zat ruimte voor zijn hobby. Dat was de afgelopen maand een dertien jaar oude Plymouth Prowler geweest. Deze was in de plaats gekomen van een MG Midget uit '77 die hij anderhalf jaar lang had gereviseerd. Hij had ervan genoten en er aardig wat aan verdiend, maar de kleine Engelse sportwagen kon qua uiterlijk niet tippen aan de Prowler. Die was begin jaren negentig door de legendarische Tom Gale ontworpen als een conceptauto voor Chrysler om na vier jaar eindelijk in productie te gaan. Het was in wezen een opgetutte opgevoerde auto met achterwielaandrijving, een open tweepersoons sportauto, gespoten in een schitterende, diepe volle kleur die bekendstond als Prowler-paars. Aangezien hij niet oud genoeg was om voor een oldtimer door te gaan, was hij uitgerust met alle toeters en bellen van een gewone wagen: airbags, rembekrachtiging, stuurbekrachtiging en zelfs een inklapbaar achterraam; eigenlijk praatte je hier over een speeltje voor grote jongens. Ook had hij een gewone versnelling, de voorbanden waren kleiner dan de achterbanden, open voorwielen met een minimum aan spatbord en een snelheidsmeter die op de stuurkolom gemonteerd zat. Hij was te jong geweest om de gloriejaren van de opgevoerde auto's te hebben meegemaakt, een periode – eind jaren veertig, begin jaren vijftig – die werd afgeschilderd in de films uit die tijd die al achterhaald waren toen hij in 1970 werd geboren. Maar van zijn grootvader had hij de verhalen gehoord. Verhalen over het Eisenhower-tijdperk toen hij een '32 Ford, nog in de grijze grondverf, had opgevoerd en op zomerse zondagochtenden deelnam aan races: een kwart mijl scheuren over de gebarsten betonnen banen van een gesloten vliegveld. Hij had Michaels' geestesoog gevuld met verbouwde en verlaagde Chevy's, Mercury's en Dodges die soms twintig handgepolijste lagen brandweerrode metallic-lak telden, met wieldoppen die *spinners*, *moons* of *fake wires* werden genoemd. Hij liet hem de stapels auto-magazines zien die met de jaren compleet verdroogd en vergeeld waren, maar waarvan de vervagende foto's nog altijd de wagens onthulden. Een gelukkige glimlach verscheen op zijn gezicht zodra hij de jonge Alex vertelde over geïmproviseerde races op vrijdagavonden bij elk verkeerslicht midden in de stad, met zijn allen op de parkeerplaats voor de drankzaak en rock-'n-rollmuziek die uit AM-radio's schalde, een tijd dat benzine vier cent per liter kostte en bijna niemand die iets voorstelde nog liep als dat niet nodig was.

Sommige jongens verlangden ernaar een cowboy in het oude westen van eind negentiende eeuw te zijn. Michaels was liever James Dean in de naoorlogse jaren vijftig...

Glimlachend wreef hij crèmegrijze ontvetter in zijn handpalmen en vervolgens over de rest van zijn handen. Het spul had die scherpe, geparfumeerde lucht die hem deed denken aan opa Michaels, die hem op zijn veertiende was begonnen te leren hoe je aan auto's werkte.

In die ouwe zijn werkplaats kon je van de vloer eten, zo schoon was het er, met die grote rode ladekast vol gereedschap altijd binnen handbereik. De ouwe kon een motor uit elkaar halen, een versnellingsbak plaatsen, een achterbrug demonteren en wanneer hij dan klaar was, lag er nooit een druppel olie of gruis op de betonvloer van de werkplaats. Hij was een kunstenaar.

Hij leefde niet lang genoeg om de Prowler te zien. Op zijn zeventigste werd hij geveld door een hartaanval, maar Michaels wist zeker dat zijn grootvader dit laatste project zijn goedkeuring zou hebben gegeven, zij het onder enig voorbehoud. Tja, de wagen was niet zo sober als de ouwe het graag gehad zou hebben – al die franje als airbags en dingetjes met bekrachtiging vond hij maar niets – maar was wél een analoge machine in een digitale wereld en had wel degelijk die ouderwetse uitstraling. Reed ook lekker, hoewel Michaels daar nog niet veel aan toe was gekomen. Op de werkbank lagen diverse motoronderdelen, waaronder de elektronische brandstofinjectie die nodig verbeterd of gewoon compleet vervangen moest worden. De vorige eigenaar had blijkbaar geprobeerd het ding op eigen houtje te repareren en, net zo blijkbaar, niet geweten wat nu de voor- of achterkant van een schroevendraaier was.

Hij veegde het meeste vuil van zijn handen af aan een rode werklap en wierp deze vervolgens in een stalen lappenbak. Zijn grootvader had altijd een obsessieve angst gehad voor zelfontbranding, maar Michaels leek het idee van een lap die spontaan vlam vatte nogal vergezocht. De rest van het vet zou er ook wel onder de douche af komen...

De deurbel ging. Hmm. Zeker zijn chauffeur. Die was vroeg, hij verwachtte hem eigenlijk pas over een halfuur. De bij een moord geldende protocollen waren nog altijd in werking, nog een paar dagen zelfs, dus een van de bewakers die buiten postten zou iedereen die hier niets te zoeken had, hebben tegengehouden.

Hij reikte naar de intercom. 'Larry?'

'Ik dacht het niet.' Een vrouwenstem.

'Toni?'

'Yep.'

'Loop even om naar de garage, dan laat ik je binnen.' Op het bedieningspaneel drukte hij op het knopje van het elektrische slot op het hek dat toegang bood tot zijn tuin. Toen Toni om de hoek verscheen, liet hij de garagedeur opengaan.

'Wauw. Dus dit is je nieuwe wagen?'

Hij grijnsde. 'Dit is het beest.'

Ze stapte de garage binnen en legde een hand op het rechter achterspatbord. 'Ziet er te gek uit.'

'Ik zou je graag een ritje aanbieden, maar hij is nog niet "on line".' Hij gebaarde naar het onderdeel op de werkbank.

'Brandstofinjectie verstopt geraakt?' vroeg ze.

Die vraag verraste hem en dat moest van zijn gezicht zijn af te lezen.

Voordat hij iets kon zeggen, haalde ze haar schouders op. 'Ik ben opgegroeid met broers. Auto's waren dé statussymbolen bij ons in de buurt. De jongens hadden altijd wel een blok op de brug staan om te proberen hem aan de praat te houden. Ik heb er het een en ander van opgepikt. Is dit een achtcilinder?'

'Een zescilinder,' zei hij. 'Een 3,5 liter, 24-kleppen en enkele bovenliggende nokkenas, maar bij 5.900 toeren zal hij wel aan de tweehonderd pk komen. Het is niet zo'n krachtpatser als de Dodge Viper – die blaast de portieren uit een Corvette – maar hij zal lekker doorkachelen.' Ze was stoer, mooi en had verstand van auto's: een combinatie die een hoop mannen, inclusief hijzelf, wel konden waarderen in een vrouw.

Linke soep, Alex. Daar kun je je vingers maar beter niet aan branden.

'Laat het me weten zodra je hem aan de praat hebt.'

'Zal ik doen. En, wat brengt jou hier zo vroeg?'

'Er zijn wat ontwikkelingen...' begon ze.

Zijn huistelefoon ging over. Hij knikte naar Toni. 'Momentje.' Hij liep naar de muur met het voornemen de beller af te poeieren. 'Hallo?'

'Hoi, raad eens!'

'Susie? Hoe gaat het?'

'Fantastisch, paps. Mam zei dat ik even moest bellen om je te bedanken voor de rolschaatsen.'

Even wist hij niet waar het over ging, vervolgens werd de leegte ingenomen door een gevoel van paniek. Gisteren was ze jarig! Jezus, hoe kon hij dat nu hebben vergeten? En wat voor rolschaatsen had ze het over? Had Megan hem gedekt? Dat zou de eerste keer zijn.

'Hoe was het feestje, schat? Het spijt me dat ik er niet bij kon zijn.'

'Het was gaaf. Al mijn vriendinnen waren er, behalve Lori, maar die heeft griep dus dat was niet erg, en zelfs Tommy Sufkop, de stomme Dumbo was er.'

Michaels grinnikte. Zeven – nee, acht jaar nu – en niet bepaald op haar mondje gevallen. Tommy, dat moest vast haar nieuwe oogappeltje zijn. Hoe erger de namen, hoe verliefder ze was. Plotseling werd hij overvallen door verdriet, een stekend gevoel in zijn buik. Het was een heel eind van Boise naar Washington D.C. Hij miste alle mooie momenten van Susie.

'Hoe maakt je moeder het?'

'Prima. Ze maakt nu ontbijt. We mochten uitslapen, want het is vandaag rapportvergadering voor de onderwijzers. Wil je haar spreken?'

Opeens herinnerde Michaels zich dat Toni in de garage was. Hij wierp een blik in haar richting, maar ze zat gehurkt bij de Prowler en bestudeerde de voorwielophanging. Haar broek zat strak om haar mooie achterste. Hij wendde de ogen af. De kont van zijn assistente, daar kon hij beter maar niet naar kijken nu hij zijn dochter aan de lijn had.

'Nee, schat, ik spreek haar later wel. Doe haar de groeten maar.'

'Doe ik. Wanneer kom je weer eens langs, paps?'

'Binnenkort, meisje, zodra ik vrij kan krijgen.'

'Zeker weer crisis, hè?'

Even vroeg hij zich af hoe zij dat kon weten, maar ze drukte niet al te lang op zijn geweten. 'Dat zei mama, dat je een crisis had en daarom niet op mijn feestje kon zijn. Ze zei dat je altijd crisis hebt.'

'Zo is het ook, schattebout. Het is nooit saai.'

'Nou, ik moet ophangen, want ik hoor de magnetron, dus de wafels zijn klaar. Ik hou van je, paps.'

'Ik ook van jou, Susie. Doe mama de groeten van me.'

'Doei!'

Hij hing op. Hij miste haar. Megan ook, ook al was de scheiding nu al ruim drie jaar een feit. Het was niet zijn idee geweest om uit elkaar te gaan. Zelfs na de uitspraak had hij nog steeds hoop gehad. Op de een of andere manier zouden ze weer bij elkaar komen, om alles bij te leggen...

Hij richtte zijn aandacht weer op Toni, die inmiddels overeind was gekomen en nu over de motor gebogen stond. Hij ging naast haar staan. 'Mijn dochter,' legde hij uit.

'Wat zei ze van de rolschaatsen?' vroeg Toni.

Hij knipperde met zijn ogen toen ze hem aankeek. 'Heb jíj die gestuurd?'

'Ik... tja. Jij zat tot over je oren in je werk, dus ja, inderdaad. Ik hoop dat dat oké was...?'

Hij knikte met zijn hoofd. 'Prima. Je hebt me gered. Dat ik het vergeten ben, zeg. Ongelofelijk. Haar moeder zou het me voor altijd blijven inwrijven. Bedankt, Toni.'

'Ik ben anders nog steeds je assistente,' zei ze. 'Het is mijn taak jou goed voor de dag te laten komen.'

Kijk aan. Hij had haar ingehuurd omdat ze goede referenties had, en ze deed haar werk uitstekend. Maar nu bleek ze veel meer te zijn dan alleen een goede assistente.

Hij werd zich bewust dat ze slechts een halve meter van elkaar af stonden. Ze was een aantrekkelijke vrouw, ze rook schoon en fris, hij wilde haar in de armen nemen. Maar hij was nu eenmaal haar baas en vreesde dat de omhelzing verkeerd zou worden opgevat. Vooral gezien het feit dat zijn gevoel op dat moment niet bepaald platonisch van aard was.

O? sprak een stemmetje in zijn hoofd. Misschien ben je alleen maar bang dat die omhelzing helemaal niet verkeerd zal worden opgevat, hè? Stel dat ze het fijn vindt.

Plotseling kreeg hij de behoefte opnieuw zijn handen af te vegen. Hij draaide zich om, deed een paar stappen en graaide naar een schone poetsdoek. 'Nou, voor de draad ermee.'

Toni voelde zich teleurgesteld. Ze had het vuur in hem gevoeld, heel even gedacht dat hij een hand naar haar zou uitsteken, letterlijk, en haar adem was in afwachting gestokt. Ja. Ja, doe het...!

Maar nee, hoor. In plaats daarvan draaide Alex zich om en begon hij zijn op zich al schone handen af te vegen aan een doek. Hij kwam weer helemaal terzake.

Verdomme. Er schoot een beeld door haar hoofd, ze lagen naast elkaar en vreeën hartstochtelijk in die wilde paarse wagen van hem. Vergeet het maar, Toni.

Toch was het beslist een goede zet geweest om zijn dochter dat verjaarscadeau te sturen. Zijn dankbaarheid was oprecht genoeg geweest. Ook dat voelde ze.

'Wil je eerst het slechte nieuws horen? Of het ergste nieuws?'

'O, jee...'

Donderdag 16 september, 07:35 uur
Quantico

'Kolonel? U kunt maar beter gaan opzadelen,' zei Michaels.

'Commandant?' John Howard schoof naar het puntje van zijn stoel, de rug opeens recht en gespannen.

'Volgens een codebericht dat is onderschept door de CIA-luisterpost op de Amerikaanse ambassade in Oekraïne staat er een aanval gepland op de standplaats aldaar, waarschijnlijk in de komende paar dagen. Nu zien we graag twee dingen gebeuren: ten eerste, u neemt een peloton of wat van uw beste mensen om de marinewacht van de ambassade bij te staan en een mogelijke aanval af te slaan. Ten tweede, en dit is belangrijker, zouden we er niets op tegen hebben als u, zolang u daar zit te wachten tot de hel losbreekt, aan de weet kon komen wie erachter zit.'

Howard grijnsde naar het lege scherm. Yes! 'Zullen die Oekraïners het niet, eh, afkeuren wanneer wij in hun land achter terroristen aan zitten?'

'Officieel wel, ja. Officieel zullen u en uw troepen de ambassade, Amerikaans grondgebied immers, niet verlaten. Officieus zal de plaatselijke regering u geen strobreed in de weg leggen. Voor deze operatie hebben we een Dad Tee-beleid in werking gesteld.'

Opnieuw grijnsde Howard. Dad Tee, dat kwam van het acroniem DADT – don't ask, don't tell – een beleid dat lang voordat de regering-Clinton de term populair maakte al wortel geschoten had. Wat betekende dat zolang hij en zijn mannen geen verkeerde dingen deden, het gastland een oogje kon – en zou – dichtknijpen. Zolang hij maar niet voor het oog van de CNN-camera's het capitool platbrandde of de president vermoordde, zouden ze ermee wegkomen.

'Commandant Michaels, binnen dertig minuten heb ik mijn teams in de lucht.'

'Rustig aan, kolonel, neem er gerust een uur of twee voor. De relevante informatie wordt op dit moment naar uw S&T-computer

verzonden. Morgan Hunter, de CIA-chef ter plaatse, zal uw contact-persoon zijn op de ambassade, maar u leidt de operatie.'

'Commandant.'

Nadat hij had opgehangen, kon Howard de grijns niet van zijn gezicht af krijgen. Eindelijk. Een veldoperatie, en dit keer geen virtuele. Dit was het echte werk.

Hij merkte dat zijn ademhaling versnelde en voelde opeens aandrang om naar de wc te gaan. Dit was het helemaal.

'Tijd voor áctie,' sprak hij voor zich uit. 'Ac-tie!'

8

Gezeten in zijn kantoor maakte Jay Gridley zich klaar om het net op te gaan.

Cyberspace was toch iets anders dan hoe de films van destijds dat hadden voorgesteld, wist hij. Maar VRC's, virtual reality-constructies, maakten gebruik van beelden om een websurfer over het net te navigeren. De beelden waren bijna onbeperkt: honderden gewone commerciële overlays, variërend van steden met snelwegen tot kleine dorpjes en tot ruimtevluchten. En daarnaast waren er nog tienduizenden shareware-scenario's van het web te downloaden. Van de beste software die je je kon bedenken was een deel zomaar gratis van het net af te halen. Met downloaden of timesharing van de 'zachte waar' kreeg je een virtuele speeltuin die onbegrensde programmeermogelijkheden bood. Stel, je vond niets van je gading, dan kon je toch je eigen reisvehikel creëren. Je hoefde zelfs niet eens over programmeerkennis te beschikken. WebWeaveWare was inmiddels eenvoudiger dan een puzzel met twee stukjes.

Gridley had enkele favoriete voertuigen waaruit hij kon kiezen zodra hij zijn VR-uitrusting opzette en on line ging. Hij maakte zijn vingergebaar om de commando-mode op te starten, gebaarde het web tot leven en sprak de woorden: 'Dodge Viper, Beieren.'

De VR-uitrusting genereerde een beeld van een bergweg omgeven door een ietwat gestileerd Duits landschap. Hij zat achter het stuur van een RT/10 Viper, een zwarte cabriolet met brede witte racestrepen, en reed over een steile slingerweg. De douanepost was niet ver weg meer. Hij trapte de koppeling in en schakelde terug van zijn zes naar zijn vijf, liet zijn voet weer op het gaspedaal rusten, en grijnsde tegen de frisse bries die zijn lange zwarte haar deed opwapperen. Elke keer weer genoot hij van de klassieke James Bondfilms, ook al klonk 'De naam is Gridley, Jáy Gridley,' lang niet zo enerverend...

De douanepost doemde op in de verte. Slechts één geüniformeerde soldaat hield de wacht bij een geelzwarte slagboom die over de weg was neergelaten. Een lichte mitrailleur hing schuin over zijn borst. Gridley schakelde terug en remde. Een diepe grauw steeg op vanonder de motorkap nu de wagen tot stilstand kwam.

'Uw papieren graag,' vroeg de douanebeambte.

De man rook naar een melange van goedkope aftershave en oud zweet, met daarbij nog een vleugje sigarettentabak.

Gridley glimlachte, reikte naar de binnenzak van zijn smoking – als je het spel toch meespeelde, dan moest je het ook goed doen – en haalde zijn paspoort tevoorschijn.

Uiteindelijk zou hij zelf een vrouwelijke passagier moeten programmeren om dit scenario compleet te maken. Een zwoele roodharige, misschien, of een donkere, dodelijke brunette. Een vrouw die steeds angstiger wordt naarmate de snelheid wordt opgevoerd, maar ook steeds meer opgewonden. Ja...

In de echte wereld werd nu een elektronisch wachtwoord ingetikt, bestemd voor een gateserver op het web. Binaire hexcodes ping-pongden als bitjes van het ene systeem naar het andere, maar in VR waren de beelden nu eenmaal een stuk aangenamer en spontaner.

Een vluchtige blik. Daarna gaf de grenswacht hem met een klein knikje zijn paspoort terug en deed de hefboom omhoog. Gridley had deze weg al eens eerder afgelegd. Nooit problemen gehad.

Na de volgende bocht ging de bergweg plotseling over in een heuse *Autobahn*, met verkeer dat met meer dan 160 kilometer per uur langsraasde. Hij stampte op het gaspedaal en de Viper liet een flinke laag rubber op het asfalt achter, eerst in zijn één... dan in zijn twee... ja zelfs in zijn drie. De motor zat aan het plafond van zijn toerental en hij schakelde naar zijn vier, vervolgens naar zijn vijf en belandde uiteindelijk in zijn zes terwijl hij netjes opging in de stroom voorttuffende auto's en vrachtwagens.

James Bonds oude Astin-Martin, en zijn BMW uit latere films, zouden de Viper nooit hebben kunnen bijhouden. Deze had een topsnelheid van rond de 260 kilometer per uur, een tiencilinder motor van acht liter waarmee je in een oogwenk op je topsnelheid zat. Een raket op wielen.

Hij bevond zich nu in de netstream. Zijn programma draaide op rolletjes. Hij hield van het snelwegscenario maar kon, als hij dat wilde, ook op een gemoedelijk wandelingetje langs een beekje overschakelen, of op een fietstocht door Frankrijk. Maar zulke abrupte overschakelingen hadden toch een beetje een ontnuchterend effect. Voor hem doemde nu een uitritbord op: CyberNation.

Hij fronste zijn wenkbrauwen. De laatste tijd was er een hoop info-bagger over CyberNation, een 'virtuele staat' die niet alleen toeristen accepteerde, maar ook inwoners een plek bood. Zij – wie de scheppers van deze staat ook mochten zijn – boden een hele reeks van extraatjes als je bereid was naar hun eigen schepping te 'migreren', als je dus bereid was je elektronische staatsburgerschap te verruilen, wat tamelijk onwaarschijnlijk leek. Zelf had hij er nog geen ervaringen mee, maar het idee was interessant. Op een dag zou hij met zijn zee van vrije tijd eens onderzoeken waar al die drukte nu eigenlijk om te doen was.

Hij wierp een blik op het analoge klokje op het dashboard. Voor dit monster geen digitale tellertjes.

Een ranke Jaguar zoefde voorbij en Gridley glimlachte. Ik dácht het niet.

Hij trapte de Viper op zijn staart, voelde de schop in zijn rug, zelfs in de zesde versnelling, nu de auto naar voren schoot en de Jag naderde alsof deze stilstond. Hij raasde voorbij, zag de gefronste blik van de chauffeur en grijnsde. De Jag liep op zijn tandvlees, maar de Viper zat nog lang niet aan zijn maximumtoerenaantal. Doei!

Hij voelde zich nog steeds tamelijk ingenomen met zichzelf toen hij ongeveer achthonderd meter verderop het wrak zag. Een grote combinatie was gekapseisd en op haar kant terechtgekomen. De trailer blokkeerde nu alle rijbanen aan deze kant van de snelweg. Er stond inmiddels al een file van vierhonderd meter die snel groeide. Verdomme!

Hij trapte op de rem – voorzichtig, de remschijven waren dan wel van de bovenste plank, maar geen goeie ouwe ABS – en begon terug te schakelen. Gelukkig stond de Viper net zo graag weer stil als dat hij accelereerde. Hij stopte achter een dikke Mercedes met mannen met hoeden erin. Een blik in de achteruitkijkspiegel verried dat ergens achter hem nu ook de Jaguar vaart minderde en stopte.

Waar deze virtuele boodschap op neerkwam, was dat iemand zijn systeemverbinding had zitten saboteren, ofwel per ongeluk, dan wel opzettelijk.

Vanaf de overzijde van de Autobahn kwamen de blauwe zwaailichten en het typisch Europese sirenegeluid het wrak al tegemoet. Dat moest de politie zijn – de digi-dokters – om te kijken hoe het allemaal zat.

Aan deze kant van de snelweg was het verkeer inmiddels volledig tot stilstand gekomen. Met een kwiek sprongetje over het lage portier van zijn Viper belandde hij op het wegdek. Gelukkig zat er flink wat rek in zijn smoking. Hij wilde rustig naar de agenten slenteren om uit te vinden wat er aan de hand was. Voor een veramerikaniseerde Thailander in smoking moest het toch niet zo moeilijk zijn om wat informatie te krijgen, vooral niet met zijn Bond-façade...

Tyrone Howard scheurde over het net. De wind striemde in zijn blote gezicht, op de oude vliegbril na dan. Die vormde zijn enige bescherming op de grote Harley-Davidson XLCH die nu met een snelheid van meer dan 160 kilometer per uur voortronkte. Een klassieke fiets, zo werden ze niet meer gemaakt, en zelf had hij nog wat jaren te gaan voordat hij oud genoeg zou zijn om werkelijk op zo'n ding te rijden, gesteld dat hij er een zou kunnen vinden of zich veroorloven. Het leuke van VR was juist dat je dingen kon doen die in de EW, de echte wereld, niet konden.

Dit was Los Angeles. Hij was pas langs een aanrijding geraasd die bijna de hele Hollywood Freeway in noordelijke richting geblokkeerd hield en reed net met de gashendel tegen de stuitnok in de richting van de Valley toen zijn eigen plug-in organiser hem de tijd doorgaf: zijn vader was op weg naar huis en zou maar een paar minuten de tijd hebben voordat hij weer zou vertrekken. Hij kon Tyrone niet vertellen waar hij heen ging of zo, want dat was allemaal geheim. Maar afscheid nemen moest toch kunnen. Zijn vader was opgetogen geweest, ook al had hij het proberen te verbergen. Jammer dat ma bij haar zus in Birmingham op bezoek was. Ze zou er spijt van krijgen dat ze pa gemist had.

Hij reed een uitvoegstrook op, schakelde terug en reed een parkeerterrein op. Op het moment dat hij zijn oude vliegbril omhoogschoof, gebeurde hetzelfde met zijn VR-vizier en bevond hij zich opeens weer in zijn eigen kamer. Hij knipperde even met zijn ogen. Vergeleken met virtual reality leek de echte wereld altijd zo... bleekjes. Alsof het eigenlijk een imitatie was, en de virtuele werkelijkheid de echte wereld was.

Precies op tijd. Hij hoorde hoe iemand via de voordeur binnenkwam.

'Tyrone?'

'Hé, pa!'

Hij vloog overeind, en struikelde bijna over zijn eigen voeten. Jezus! Het leek wel alsof hij de hele dag niets anders deed dan dingen omkieperen of uitglijden en struikelen. Opa Carl had verteld dat zijn vader op zijn dertiende precies hetzelfde was. Die kon niet door een drie meter brede gang lopen zonder negen keer tegen de muren te botsen. Maar Tyrone geloofde dat toch niet helemaal, dat zijn vader zo onhandig was geweest. Of dat hij het zelf ooit eens zou afleren.

Na de huiskamer te hebben bereikt zonder het meubilair te hebben ontwricht, zag hij zijn vader, gekleed in diens Net Force-uniform: neutraal grijze pantalon, dito overhemd en glimmend gepoetste zwarte laarzen. Achter hem stond hoofdsergeant Julio Fernandez, gekleed in hetzelfde tenue.

'Hé, Tyrone,' begroette de sergeant hem.

'Hé, sergeant, alles goed?'

'Vrij goed, voor een oude Hispanic,' grinnikte hij. Fernandez had de RS, de Reguliere Strijdkrachten, destijds verlaten en wel op hetzelfde tijdstip als kolonel Howard. Ze kenden elkaar al twintig jaar, waren min of meer gelijktijdig tot Net Force toegetreden. Zijn vader had hem verteld dat de sergeant had gezegd dat als de kolonel zich voor burgers kon inzetten, hij ook geschikt zou zijn. Maar de sergeant kon weinig belangstelling opbrengen voor computers, of zelfs helemaal niet, wat op Tyrone een vreemde indruk maakte, vooral als je je bedacht op welk terrein Net Force actief was.

'Ik wilde nog even langskomen voordat we vertrekken,' zei zijn vader. 'Ik heb je moeder al gebeld. Ze komt om achttienhonderd uur aan met het vliegtuig, dus je zult jezelf even wat uurtjes moeten vermaken. Lukt dat, denk je?'

Tyrone grinnikte. 'Poeh, klinkt toch wel eng: na schooltijd al die tijd in een leeg huis, wie weet sterf ik van de honger, of van terminale verveling.'

'Het leven is hard. Mevrouw Townsend doet vandaag de carpool, toch?'

'Klopt.' Deze week was het de beurt aan de moeder van Rick Townsend, volgende week Arlo Bridgers moeder en de week daarop de zijne. Met de carpool was je veel sneller van en naar school dan met de bus. Dit semester begon hij pas halverwege de ochtend, dus hij had nog tot acht uur de tijd. Zijn vader grijnsde terug, liep naar hem toe en gaf hem een knuffel. 'Ik weet niet wanneer ik weer terug ben. Zorg jij nou maar voor je moeder. Ik bel wel als ik in de gelegenheid ben.'

'Begrepen, kolonel.'

Zijn vader draaide zich om. 'Goed, sergeant, rechtsomkeert.'

'U zegt het maar, kolonel.'

Zijn vader gaf hem nog een laatste kneepje in zijn schouder, draaide zich om en liep naar de deur.

Tyrone kreeg plotseling een koud gevoel vanbinnen. Zijn vader liet zich nooit uit over de risico's die er aan zijn taken kleefden, maar om nu thuis te komen terwijl hij niets hoefde op te halen, en niet langer dan een minuutje, enkel om afscheid van hem te nemen... Het maakte Tyrone nerveus.

Waar stuurden ze hem heen? En wat voor problemen zouden er voor hem op de loer liggen?

Plekhanov zat in zijn kantoor achter zijn computer. Er was verder niemand aanwezig, waarschijnlijk zelfs op de hele verdieping niet. De regering had geen middelen om in een nachtploeg te voorzien, maar als hij het graag had gewild, dan had hij het uit eigen zak kunnen bekostigen. Een van de voordelen voor een computerexpert van zijn kaliber was dat elektronische vermogensdelicten een fluitje van een cent waren, zolang je maar niet te inhalig werd. Een miljoentje hier, een miljoentje daar, en al snel zwom je in het geld.

Zijn verbindingssoftware had het werk al verricht en hem ingelogd bij het Geweer en inmiddels waren de zaken bijna geregeld.

'Is alles duidelijk, Mikhayl?'

'*Da*, het is duidelijk.'

Plekhanov fronste zijn voorhoofd. Het stond hem niet aan dat Ruzhyó een Russisch woord gebruikte, ook al was de kans dat iemand het zou opvangen één op een miljoen. Desondanks was Plekhanov niet van zins een dergelijk risico te nemen. Maar hij bracht het verder niet te berde.

'Verdere bijzonderheden omtrent kleding, hardware en voertuigen vind je in het beveiligde bestand. Gebruik de tweede rekening voor het geld. Wees daarin niet bescheiden, we willen dat je goed werk verricht.'

'Ja, ja,' reageerde Ruzhyó, 'goed werk.'

'Verder nog iets?'

'Nee, dit was het wel, geloof ik.'

'Een goede jacht dan maar.'

'Dank je.'

Nadat de verbinding was verbroken, leunde Plekhanov achterover in zijn stoel en overdacht zijn volgende actie. Al die kleine details waarover je je het hoofd moest breken wilde je dat het plan naar wens zou blijven verlopen... Een telefoontje hier, wat informatie daar, een paar woordjes ingefluisterd in een invloedrijk oor: het verstevigde je basis en het hield de zaak aan het rollen.

Alles verliep volgens plan.

Donderdag 16 september, 10:15 uur
San Francisco

Ruzhyó voelde zich nu iets beter. Het was altijd lekker om een vast-omlijnde opdracht om handen te hebben, een klus, ongeacht de beperkingen. Hij had zijn leveranciers al benaderd en de appara-tuur die ze voor hun volgende stap nodig zouden hebben, kon in nog geen dag worden opgebouwd. Hij wist van tevoren wat die stap mogelijk zou behelzen. Maar nu, na het bevestigende telefoontje, wist hij het zeker. Het gaf hem wat lucht, en daarvan had hij gepro-fiteerd.

Nu moest hij de Slang en de Texaan bellen en hen op scherp zet-ten. Het zou riskant zijn, in zekere zin zelfs riskanter dan de aanslag op de FBI-man, hoewel minder gevaarlijk. Ditmaal zouden ze de wet aan hun zijde hebben.

Bij wijze van spreken dan.

Donderdag 16 september, 13:15 uur
Quantico

Van achter zijn bureau keek Alex Michaels bedenkelijk naar de jon-geman die tegenover hem zat.

'Goed, Jay, maar wat wil dat precies zeggen?'

Gridley schudde het hoofd. 'Ik zou het niet weten, chef. Ik ben een stuk of vijf snelwegen – netwegen – af gereden, en overal autowrak-ken. En nog andere waarvoor ik geen tijd meer heb gehad. De poli-tie – eh, de systeembeheerders – hadden weinig moeite met de afhandeling, alleen in Australië was de chaos enorm. Op zich niets gecompliceerds, maar wel een globale opstopping.'

'Maar er is geen sprake van grootschalige sabotage? En het lijkt niet speciaal gericht op een bepaald systeem?'

Jay schudde zijn hoofd. 'Nou, ja en nee eigenlijk. Afzonderlijk gezien stelde het allemaal niet zoveel voor, maar alles bij elkaar genomen wordt het opeens een flink probleem. Tijd is geld, vooral op de tolwegen. En vanwege sommige vertragingen kon er aardig wat worden overgeheveld. Stel dat een groot deel daarvan naar een bepaalde binnenzak werd geheveld, dan zou de drager van die jas nu Cleveland kunnen kopen en gaan rentenieren. Ofschoon ik me afvraag wie zoiets nou wil. Maar voorzover we het kunnen overzien, is niemand er rijker van geworden. Tenminste, over het wie, waarom en hoe tasten we nog in het duister.'

Hij zweeg even, knipperde met zijn ogen en staarde voor zich uit alsof hij opeens in trance was geraakt.

'Jay?'

'Oeps, sorry. Voorzover ik heb ontdekt, was niet één bepaald systeem de dupe. De zaak was redelijk verspreid over een stuk of vijf links. Ik heb mijn speurneuzen aan het werk gezet, maar die hebben nog niets gevonden. De figuur die dit programma gemaakt heeft, is goed, heel goed, want hij heeft de hele kermis langs een reeks van beveiligingen weten te smokkelen. En de enigen die hem hebben gesnapt, zijn wij.'

Gridley glimlachte, duidelijk ingenomen met dat laatste feit.

'Dus de Net Force-systemen zijn buiten schot gebleven?'

'Ja. Hij heeft het wel geprobeerd, maar ketste af op onze gesloten deuren. Hij is niet zo slim als hij misschien denkt. We sporen hem wel op.'

Maar opeens vlamde de achterdocht in Michaels op, en zonder enige reden: tenzij hij ons juist die indruk wil geven.

'Duidelijk. Ga na wie hier verantwoordelijk voor is en vind hem. Laat me weten hoe je vordert.'

'Komt voor mekaar, chef.'

Gridley stond op en sjokte het kantoor uit. Nadat de jongeman verdwenen was, leunde Michaels achterover in zijn stoel en liet zijn gedachten de vrije loop. Sinds Steve Days dood was er iets vreemds aan de hand. Hij kon niet precies aangeven wat, maar hij had het gevoel alsof heel Net Force opeens onder vuur lag. Beroepsparanoia misschien? Zou kunnen, het hoorde bij het werk, maar stel dat dat niet zo was. Stel dat iemand er inderdaad op uit was Net Force te ondermijnen. Wie was dat dan? En nog veel belangrijker: met wat voor reden?

Hij wapperde zijn hand heen en weer boven zijn intercom.

'Ja?' sprak de stem van Toni vanuit het belendende kantoor.

'Ha, Toni. Nog nieuws?'

'Nee, Alex, het spijt me.'

De moord op Day hing nog altijd als een grauwe onweerswolk boven de FBI-divisie: dreigend en onbestendig.

Hij wilde iets tegen zijn assistent zeggen, maar bedacht zich. Hij wilde niet als een zeurkous overkomen. En trouwens, hij had al

genoeg op zijn bord om zich zorgen over te maken: het moordon-
derzoek, de situatie in Oekraïne, de andere netproblemen. Hij kon
zijn ongegronde vermoedens maar beter voor zichzelf houden, tenzij er dingen gebeurden die ze enig gewicht zouden geven.

9

Vrijdag 17 september, 05:01 uur
Ergens boven Noord-Europa

Kolonel John Howard leunde achterover in zijn stoel aan boord van het lijnvliegtuig en knikte naar sergeant Fernandez naast hem. Misschien wel een van de slimste dingen die Net Force ooit gedaan had: het huren van een aantal 747's om deze vervolgens toe te rusten voor tactische vluchten. De grote jumbojets waren wel even heel iets anders dan die oude militaire transportrammelkasten die weinig meer waren dan uitgeholde aluminium hulzen, zo lawaaiig dat je niet kon praten of zelfs maar denken. Er was een bijzonder praktische reden voor deze keus, de factor comfort even buiten beschouwing gelaten: een 747 met civiele herkenningstekens kon landen op plaatsen waar een Amerikaans militair vrachtvliegtuig alleen al om de stomme poging kon rekenen op een Stinger-raket voor zijn snufferd.

'Oké, Julio, laten we alles nog één keer doornemen.'

De sergeant schudde het hoofd. 'Excuseer, kolonel...'

'Dat zou voor het eerst zijn,' onderbrak Howard hem.

'... en met alle respect...' ging hij verder, Howards opmerking negerend, 'maar de kolonel moet een kop als een zeef hebben.'

'Dank u voor uw neurologische diagnose, dokter Fernandez.' Hij knipte ongeduldig met zijn vinger. 'Opschieten.'

Fernandez zuchtte. 'Kolonel. Oekraïne is ongeveer zo groot als Frankrijk, telt 52 miljoen inwoners, heeft een gekozen president en een 450-koppig parlement, het Verkhovna Rada. De Amerikaanse ambassade staat in de hoofdstad Kiev – de plaatselijke bevolking spelt dit "Kyiv" – gevestigd aan Yuriya Kotsubinskoho nummer 10. Het gebouw was vroeger het bolwerk van de communistische partij en het hoofdkwartier van de communistische jeugdbond totdat de Oekraïners de rooien er in 1991 uit schopten. Er werken 198 Amerikanen en 244 Oekraïners op of voor de ambassade.'

Howard glimlachte, maar verborg dit voor Fernandez. De sergeant vertelde het nooit twee keer op dezelfde manier.

Fernandez ging verder: 'Kiev telt drie miljoen inwoners, beslaat 45 bij 44 kilometer en is gelegen aan de Dnipro, die helemaal tot aan de Zwarte Zee doorloopt. In deze tijd van het jaar is het er nog steeds warm, hoewel het voornamelijk bewolkt is met een voortdurende kans op regen. Ongeveer driekwart van de bevolking is Oekraïner, twintig procent is Russisch, de rest joods, Wit-Russisch, Moldavisch, Pools, Armeens, Grieks en Bulgaars. Inclusief uzelf zijn er misschien dríé mensen van Afrikaanse afkomst in het land, hoewel een aantal Krim-bewoners en etnische Mongolen een ietsepietsie gekleurd zijn. Op straat zult u behóórlijk veel bekijks hebben, kolonel.'

Howard wuifde deze opmerking weg. Hier hadden ze de helft van de reis over gekibbeld. De kolonel hoorde absoluut niet mee te doen aan deze operatie. Hij diende op de ambassade te blijven en 'het verkeer' te regelen via de radio en satellietverbinding. Kolonel. 'Ga door.'

'Kolonel. De stad ligt zeven tijdzones voor op Washington. Er is een prima metro- en stratenstelsel, radio- en tv-stations zijn hopeloos, tot het middaguur kun je het CNBC Superstation ontvangen en na zessen 's avonds CNN, en de *Wall Street Journal* en *New York Times* van gisteren, als je tenminste naar een groot hotel gaat en bereid bent je halve pensioen neer te tellen. Als je een openbaar toilet in loopt, moet je je eigen wc-papier meenemen, want dat zul je nodig hebben.

'Hun munt is de *hryvnia*, eentje van ons levert er twee van hen op bij de legale wisselkantoren. Het water is oké om in te baden als je het tenminste eerst een paar seconden laat lopen om het lood eruit te krijgen, maar drinken moet je het niet zonder het eerst te koken want het wemelt van de bacteriën en darmparasieten. Stralingsniveaus van Tsjernobyl zijn doorgaans normaal, maar eet geen plaatselijke paddestoelen, bessen of wild vlees tenzij je 's nachts zonder bedlampje wilt kunnen lezen.

'Als je alcohol drinkt, gaat rijden en gepakt wordt, beland je waarschijnlijk achter de tralies, tenzij het de militie is die je in de kraag vat, want in dat geval word je vermoedelijk standrechtelijk geëxecuteerd. Ze zuipen hier als tempeliers, maar wanneer ze zat zijn, gaan ze lópen. Ze hebben geen medelijden met dronken bestuurders en dat is maar goed ook.

Veel mensen praten nog steeds Russisch, maar de officiële taal is het Oekraïens. Het nuttigste zinnetje dat u zult willen kennen is: "*Probachteh, deh choloveechy tualeht.*"'

'Wat betekent?' vroeg Howard.

'"Neemt u me niet kwalijk, maar waar is het herentoilet?"'

Howard grinnikte en schudde zijn hoofd. 'Ga door.'

Fernandez dreunde alles op, maar Howard was er maar half bij. Ondanks de bezorgdheid van de sergeant over de gatenkaas in zijn hoofd beheerste hij deze stof wel degelijk. Hij liet het alleen nog dieper in zijn geheugen branden. Beter zeker zijn dan spijt krijgen.

Helaas had de sergeant gelijk dat hij niet door de straten van Kiev moest gaan sluipen. Hij was in China geweest en overal waar hij kwam, waren mensen op hem afgekomen om hem aan te gapen en soms aan te raken. In sommige culturen was je als zwarte niet alleen anders, je wekte verbazing op. Met dergelijke aandacht kon hij zich absoluut onmogelijk heimelijk over straat begeven. Maar toch, het idee om met het lokale CIA-hoofd in een commandoruimte van de ambassade te moeten zitten, terwijl zijn teams op jacht gingen naar het hol van de terroristen, sprak hem op geen enkele manier of vorm aan. Hij was militair, een man uit het veld voordat hij bij Net Force kwam, en wilde niet meer tijd achter een bureau doorbrengen dan absoluut noodzakelijk was.

'... wapens en velduitrusting worden onder strikte geheimhouding om ongeveer 0945 uur plaatselijke tijd per diplomatieke post verwacht. Hoewel diplomatieke verschepingskrat misschien een toepasselijker omschrijving zou zijn. FedEx vervoert het spul. Wat zegt u daarvan? We hebben helemaal geen bommenwerpers nodig, we kunnen het gewoon per FedEx naar onze vijanden verzenden, hen ervoor laten tekenen en het zootje tot ontploffing laten brengen. Boem.'

Howard slaakte een gepast gegrom om te laten horen dat hij nog niet ingedommeld was. Dus... hoe wilde hij dat doen, onopvallend over straat gaan? Met de een of andere vermomming? Make-up misschien? Het was zijn operatie en hij moest toch in staat zijn zichzelf een actieve rol toe te bedelen? Misschien kon hij zijn teams de boel eerst laten verkennen en vervolgens zelf overkomen voor de grote finale, mocht het zover komen. Er moest toch een manier zijn? Hij had al te veel oorlogen uitgezeten...

'... de criminaliteit neemt hand over hand toe en we worden aangeraden ons 's avonds laat niet in ons eentje in donkere stegen te wagen.' Fernandez grinnikte. 'Maar ik durf te wedden dat een plaatselijke overvaller vreselijk in zijn broek zal schijten als hij op een van ons stuit en recht in de loop van een H&K-laser-handmitrailleur staart.'

'Sergeant, ik stel voor eventjes geen plaatselijke inwoners, ja zelfs geen overvallers, overhoop te schieten als dat niet hoeft. Dit wordt geacht een chirurgische ingreep te zijn, een kleine incisie met een lancet en de zaak meteen weer dichtnaaien, niet meer schade dan strikt noodzakelijk. We willen geen incidenten die we niet kunnen verdoezelen.'

'Natuurlijk, kolonel. Ik zal zorgen dat de jongens het knokken tot een absoluut minimum beperken.'

Howard grijnsde en schudde opnieuw zijn hoofd. Je kon geen betere man aan je zijde of achter je hebben staan dan Julio Fernandez. Zelfs een zesjarige kon beter overweg met een computer dan hij, maar wanneer de nood aan de man kwam, was hij de beste. Met zijn werpmes kon hij een vlieg tegen de muur vastpinnen en vervolgens met om het even welk vuurwapen hij op dat moment toevallig bij zich had de oogjes van het insect eruit knallen, en aan jou de keus welke hand hij daarbij mocht gebruiken.

Binnenkort zou een zootje halfbakken plaatselijke radicalen erachter komen dat het uiten van bedreigingen aan het adres van een Amerikaanse ambassade een uitermate stom idee was.

Vrijdag 17 september, 13:25 uur
New York

Geflankeerd door twee lijfwachten verliet Luigi Sampson, hoofd beveiliging van Genaloni Industries, het Chinese restaurant in de binnenstad. Ondanks zijn positie en afkomst leek Sampson niet zo dol te zijn op Italiaans eten. Hij genoot meer van de Chinese keuken en dan het liefst in grote hoeveelheden. Voor het middageten had hij een portie pikante kip, tarwenoedels, varkensvlees in zoetzure saus, citroeneend en sneeuwkrab in pindasaus verorberd en ook nog eens twee bier en drie koppen thee achterovergeslagen. Er was te weinig over om nog in kleine papieren bakjes mee te nemen.

Al peuterend met een tandenstoker wandelde Sampson naar zijn auto met chauffeur, illegaal geparkeerd voor het restaurant. Restjes van zijn maaltijd vlogen door de lucht en vielen op de stoep.

Vanuit de eenvoudige, eenkleurige vierdeurs personenwagen aan de overkant keek Ruzhyó naar Winters, de bestuurder, en vervolgens naar Grigory de Slang achterin. 'Zijn we gereed?'

'Ik ben gereed,' zei de Slang.

'Eropaf, hoss.'

De drie droegen identieke houtskoolzwarte pakken, niet al te dure, met glanzende, zwartleren schoenen, een donkere zonnebril en kortgeknipte coupes. Ze hadden pasjes en penningen bij zich die hen identificeerden als speciale agenten van de Amerikaanse FBI. Deze legitimatiebewijzen waren uiteraard vervalsingen, maar wel de beste die je kon krijgen, en als zodanig zouden ze elke inspectie, ja zelfs tot destructieve tests toe, doorstaan.

Het kenteken van de auto was omgewisseld en het huidige was afkomstig van een voertuig dat op dit moment op de FBI-parkeerplaats stond, niet eens zo ver van waar ze zich nu bevonden.

Wat Ruzhyó betrof zag de Slang er nog steeds uit als een grote, domme Rus, zelfs met zijn vermomming, maar daar viel niets aan te doen. Bovendien leken grote domme Russen erg veel op grote domme Amerikanen.

Van hen was Winters de beste chauffeur, dus die moest achter het stuur blijven.

Ruzhyó verplaatste het pistool in de holster achter zijn rechterheup. Het was een SIG .40, een effectief, effen zwart Duits gevechtswapen, peperduur en betrouwbaar, en hetzelfde als wat veel FBI-agenten bij zich droegen. Ze léken ook agenten, zelfs de Slang.

'Oké. Daar gaan we.'

Ruzhyó en Grigory stapten uit en staken de straat over.

De lijfwachten zagen hen direct en een van hen mompelde iets tegen Sampson. Deze stopte even met in zijn tanden peuteren, keek naar de naderende figuren en grijnsde. Hij lachte en zei iets tegen zijn mannen. Ruzhyó kon het niet verstaan, maar had wel een idee wat het kon zijn. Voor deze heren kon hun eigen federale gezag hen aan hun reet roesten.

Nu Ruzhyó en de Slang het trio hadden bereikt, zei Sampson: 'Goedemiddag, jongens. Jullie zijn van de FBI, hè?' Hij glimlachte naar de twee lijfwachten om te laten zien hoe bedreven hij was in het herkennen van federale agenten.

Het was precies zoals Plekhanov en Ruzhyó hadden gepland. Geef mensen iets wat hun verwachtingen dicht benadert en ze houden zichzelf voor de gek, je hoefde niet eens je mond open te doen.

Ruzhyó imiteerde het platte accent van het middenwesten dat hij had geoefend. 'Luigi Sampson? Ik ben speciaal agent Arnold, dit is speciaal agent Johnson.' Als een echte FBI-agent hield hij in zijn linkerhand zijn identiteitspas plus -penning omhoog, daarbij de wapenhand vrijhoudend. Hij knikte naar de Slang, die de lijfwachten op een norse blik trakteerde.

Hoewel hun legitimatie vals was, gold dit niet voor hun namen: Arnold en Johnson waren toegewezen aan het kantoor in New

York. 'We willen graag dat u even meekomt om een paar vragen te beantwoorden.'

'Natuurlijk, jongens,' reageerde Sampson. 'Verificatie?' vroeg hij vervolgens aan de lijfwacht die het dichtst bij hem stond.

De lijfwacht had een kleine flatscreen-computer bij zich en toetste wat commando's in. Even later antwoordde hij: 'Ze staan op de lijst.'

'Bel de advocaten en de baas. Breng hen op de hoogte.' Met zijn duim en middelvinger schoot Sampson het tandenstokertje in de lucht. 'Eens kijken, tweede verdieping van het Federal Plaza, als ik me niet vergis?'

'U bedoelt de tweeëntwíntigste verdieping, meneer Sampson. U bent er al eens geweest,' zei Ruzhyó.

Sampsons grijns werd breder. Deze simpele test was wel voldoende, dacht hij. Hij was een idioot, vooral omdat hij dacht dat hij slim was. Een verstandig man hield altijd rekening met nieuwe dingen; idioten dachten alles al te weten. 'Altijd fijn om de regering ergens mee te helpen. Laten we gaan.'

'En, waar gaat dit over, jongens?' vroeg Sampson inmiddels achter in de auto naast de Slang.

Terwijl Winters optrok, zag Ruzhyó hoe een van Sampsons lijfwachten op straat stapte om hun kenteken te noteren. Mooi zo. Hij keek Sampson aan. 'U werkt voor de familie Genaloni. Zelf hebt u zes man vermoord en opdracht gegeven tot de moord op nog eens meer dan tien anderen. U en uw slag mensen zijn verantwoordelijk voor drugs op straat, prostitutie, smokkelen, gokken en andere illegale activiteiten, te veel om op te noemen.'

'Ho, even! Dát is laster, agent, want het is níét waar. Ik ben veiligheidsman voor een legitiem bedrijf. Ik zou maar op uw woorden passen als u niet vervolgd wilt worden. Onze advocaten vervelen zich te pletter.'

'Jullie zijn crimineel uitschot,' zei Ruzhyó, 'en binnen zeer korte tijd zullen jullie daarvoor boeten.'

Sampson lachte. 'Veel succes bij het bewijzen, meneertje. Slimmere figuren dan u hebben dat al eerder geprobeerd.' Hij leunde achterover en zijn gezicht verstrakte. 'Voor het avondeten ben ik alweer vrij.'

'Ik dacht het niet,' zei Ruzhyó.

'O, nee? Nou, als je dat gelooft, ben je behoorlijk stom.'

'Nee, hoor. Jíj bent stom, want jíj gelooft dat we van de FBI zijn.'

Op Sampsons gezicht stond nu een mengeling van angst en ongeloof te lezen. De Slang had inmiddels zijn pistool getrokken en duwde dit in de zij van de man. 'En je zou wel vréselijk stom zijn als je nu probeerde te bewegen,' voegde hij eraan toe. Zijn Russische accent was zo aangedikt dat je ertegenaan kon leunen zonder om te vallen.

'Jezus Christus!' bracht Sampson uit.

'Ik ben bang dat die je geen helpend handje zal toesteken, hoss,' merkte Winters op.

'Wat is hier verdomme aan de hand? Wie zijn jullie? Wat willen jullie?'

'Wij willen de wolven een vergiftigd hapje voorschotelen,' antwoordde Ruzhyó.

De crimineel fronste het voorhoofd. Hij begreep het niet. Noch zou hij de tijd hebben zich er het hoofd over te breken. Het noodlot had in het loterijmandje gegraaid, de koude harde vingers gesloten en...

Luigi Sampsons nummer was getrokken.

10

Vrijdag 17 september, 14:30 uur
New York

Ray Genaloni was woedend, woedend genoeg om iemand met zijn blote handen de nek om te draaien. De man die tegenover hem voor zijn bureau stond, een van Luigi's lijfwachten, was met slecht nieuws gekomen. Hij was de enige op wie Genaloni zijn woede kon afreageren, maar het zou een slecht plan zijn hem de nek om te draaien. Ray hield zich in toom, alsof hij krampachtig een deksel op een pan met kokende melk hield om die niet te laten overkoken.

'Sorry, Donald, maar wat bedoel je precies met: "De FBI heeft hem niet"?'

'We hebben onze advocaten eropaf gestuurd, baas. De FBI zegt dat ze Luigi niet hebben opgepakt.'

'Maar jij en Randall zeggen van wel.'

'We kwamen net uit het restaurant. Ze waren met hun tweeën, met nog een derde in de wagen. Luigi heeft hen herkend. Randall en ik ruiken een FBI'er al op een kilometer afstand. Dus we hebben meteen hun insignes gecheckt: ze staan op de lijst van New York. De wagen waarin ze zaten, had een niet-traceerbare kentekenplaat en die hebben we door onze contacten bij de politie laten natrekken. Ze werden ooit blind aan deze FBI-voertuigafdeling verstrekt. Ze hebben hem dus.'

'Waarom vertellen zij onze advocaten dan dat ze nog nooit van hem gehoord hebben?'

'Ik zou het niet weten,' antwoordde Donald hoofdschuddend.

Zo'n vijftien seconden staarde Genaloni zwijgend voor zich uit. Hij zag hoe bij de lijfwacht het zweet uitbrak. Mooi. Laat hem maar peentjes zweten. Ten slotte zei hij: 'Dat was het. Ga maar iets nuttigs doen.'

Nadat de lijfwacht verdwenen was, liet Genaloni zich op zijn bureaustoel zakken en staarde naar de muur. Wat voerden die FBI-gasten toch in hun schild? Waarom zaten ze hem op zijn huid? Op Luigi kon je vertrouwen. Al dreigden ze met van alles, hij zou zijn mond niet opendoen, maar 'we hebben hem niet', die variant kende hij nog niet. En hij was er absoluut niet blij mee. Ze voerden iets in hun schild en wat het ook was, het maakte hem pissig.

Ook best. Ze wilden krijgertje spelen? Prima. Zijn mes was scherp genoeg om ermee te kunnen koppensnellen, en dat vanuit zijn leunstoel. Hij hoefde er zelfs alleen maar naar te kijken. Eens zien wie hier godver de baas is.

Hij pakte zijn telefoon. 'Vervormen, code 2435, Sunshine.'

'Klaar,' antwoordde zijn computer.

Hij toetste een nummer in.

Eens zien wie hier godver de baas is.

'Begrepen,' antwoordde Mora Sullivan, wetend dat haar stem haar niet zou verraden.

Ze zette het toestel met een handgebaar uit en begon met afgemeten stappen te ijsberen.

Drie stappen naar links, omdraaien, drie terug, omdraaien, en opnieuw terwijl ze de aard van de opdracht tot zich door liet dringen. De Selkie mediteerde niet in lotushouding. O, ja, ze kon zich volkomen roerloos houden als dat nodig was, bij het besluipen, bijvoorbeeld. Maar nu leek het voor haar het beste als ze zich bewoog, op beide benen stond, zijstraten verkennend, beducht voor sluiproutes, plannen beramend.

Ze kon zich elke gedaante aanmeten die ze maar wilde en de wereld was haar speeltuin. Maar deze opdracht was gevaarlijk. Voor vergissingen was geen plaats. Doorgaans kenmerkten bijna al haar opdrachten zich door een ingebouwde vergissingsclausule, een kleine marge voor kleine foutjes. En ofschoon ze nooit iets op zijn beloop liet, had ze zich wel eens aan fouten bezondigd. Kleine dingetjes, geen overduidelijke aanwijzingen die een achtervolger op het goede spoor zouden helpen. Maar toch, ze hád wel eens een steekje laten vallen. Ze was de beste, maar zelfs de besten zagen wel eens iets over het hoofd, om het pas naderhand te beseffen als ze er niet langer greep op hadden.

Een, twee, drie. Omdraaien.

Mensen waren de kleine sporen die ze per ongeluk had achtergelaten nooit opgevallen, want de meesten schonken er gewoon geen aandacht aan. Uiteindelijk had de tijd zijn werk gedaan en waren het nog slechts kuiltjes op haar pad, kuiltjes die voor een normaal oog niet opvielen.

Maar dit keer...? Dit keer zouden haar acties met argusogen bekeken worden. Politiefunctionarissen, ongeacht voor welk bureau ze werkten, waren speciale gevallen. In de eerste plaats beschermde de politie haar eigen manschappen. De boodschap was eenvoudig:

jullie kunnen flink over de schreef gaan en ontsnappen, maar het om zeep brengen van een smeris hoort daar niet bij. Doe je dat wel, dan kom je met stip boven aan de lijst en zal je naam pas weer worden uitgegomd als je in de kraag bent gevat of onder de zoden ligt en bij voorkeur dat laatste. Sullivan wist dat. Haar vader was een van die 'gelukkigen' geweest die een agent hadden neergeschoten en had dat met zijn eigen leven moeten bekopen. De agenten die hem te pakken hadden gekregen en hem standrechtelijk hadden geëxecuteerd, hadden totaal geen moeite hun wraak te rechtvaardigen. Totaal geen moeite.

Een, twee, drie. Omdraaien.

Het doelwit uit de weg ruimen zou niet het probleem zijn. Dat was nog het eenvoudigste deel. Een huurmoordenaar die bereid was zich in de kraag te laten vatten of te sterven, had de keus uit talrijke doelwitten die in de publieke belangstelling stonden, van de president tot de man in de straat.

Maar ermee wegkomen, dat was een andere zaak. Vooral als de best getrainde en slimste breinen behorend tot de top van de antimisdaadorganisatie eens hun licht in jouw ontsnappingstunnel lieten schijnen. Manoeuvreerruimte was er ditmaal niet, fouten waren uit den boze. Zelfs de kleinste aanwijzing zou gevonden worden, uitvergroot, geanalyseerd, beproefd en opgevolgd.

De gedachte was tegelijk beangstigend en verleidelijk. Voor de Selkie vormde het gevaar een levenselixer. Ze genoot van de adrenaline alsof het een exclusieve wijn was en ze koesterde de kick die het haar gaf. De waarheid was dat als ze wilde, ze de volgende ochtend de hele zaak de rug kon toekeren om een lang en welvarend leven te leiden. Beschikte je eenmaal over meer dan een paar miljoen die voor jou het werk deden, dan had je eigenlijk niet meer nódig. Ze had een doel, en dat zou ze bereiken, want ze bereikte altijd haar doel. Toch was ze wel zo kien te beseffen dat het spel voor haar net zo belangrijk was als de beloning. En ditmaal zou het een uitdaging zijn. Nog nooit eerder had ze een FBI-agent uit de weg geruimd, laat staan eentje die het hoofd van een subdivisie was.

Een, twee, drie. Omdraaien.

Het plan vereiste een grondige analyse, een onverdeelde aandacht voor alle mogelijke problemen en voldoende tijd om er verzekerd van te zijn dat alles in orde was. Alles.

Voordat ze vertrok, zou ze zich een nieuwe identiteit aanmeten. Ze zou een vrouw worden die in Washington D.C. thuishoorde, die alle reden had om zich dicht in de buurt van haar doelwit op te houden, die indien nodig elke inspectie glansrijk zou doorstaan.

Ze hield op met ijsberen en grinnikte in zichzelf. Nu al borrelde de adrenaline in haar op, deed haar huid en spieren verstrakken, bezorgde haar een roes die haar zo nu en dan de adem benam.

Ze was een magisch wezen. In staat net zo gemakkelijk van uiterlijk te veranderen als sommige mensen van kleding; ze kon alles worden wat ze wilde.

En haar metamorfose was in feite nu al begonnen.

Zaterdag 18 september, 16:19 uur
Los Angeles

Aangekomen op de luchthaven van Los Angeles liet Ruzhyó zich meevoeren op de lopende band. Hij was op weg naar het autoverhuurbedrijf. Volgens de piloot benaderde de buitentemperatuur die van het lichaam. Ook al was het herfst, de zomer was nog niet klaar met dit land. Aan de oostkust, waar hij aan boord was gegaan, was het bijna net zo warm geweest.

De zaken in New York waren voorspoedig verlopen. Nog geen vierentwintig uur na zijn kidnapping was Luigi Sampson niet langer onder de levenden.

Tenminste, zo goed als, dacht Ruzhyó. Het aan stukken gehakte lichaam van de crimineel zou inmiddels een dikke gelei zijn, ingemaakt in een tank die aan de binnenkant met glas was bekleed en was gevuld met een zeer sterk zuur. Grigory de Slang was gedwongen geweest de dode man in stukjes te zagen die klein genoeg waren om door het drukventiel boven op de tank te kunnen, een klus waar Grigory zijn hand totaal niet voor omdraaide. Zijn oom was slager en daar had hij vele zomers lang gewerkt voordat hij in dienst ging. De tank stond in een metaalverwerkingsbedrijf in New Jersey en was speciaal bedoeld voor de opslag van een etsmiddel voor staal. De oplossing, waarvan de crimineel geleidelijk aan een component vormde, werd doorgaans in kleine hoeveelheden gebruikt. Zodra het personeel deze tank – er waren er twee – zou aanspreken, zou de vloeistof alleen maar wat verontreinigd zijn met de organische restanten van Luigi Sampson zaliger. Het zou totaal niet opvallen, wellicht afgezien van wat verkleuring zodra hij samen met het zuur op de afgeplakte delen van diverse stalen plaatwerk werd gespoten. Het zuur was dan wel uiterst sterk, maar Grigory had het zekere voor het onzekere genomen en had alle tanden van de dode eruit gehamerd, die vervolgens door Winters, de Amerikaan, een voor een over de reling van de veerboot naar Staten Island waren geworpen, samen met de handjes popcorn voor de zeemeeuwen.

Ook van de FBI-vermommingen restte inmiddels geen spoor: de identiteitspapieren en kleding waren verbrand, de as was weggespoeld, de insignes waren platgewalst en bij een recyclingbedrijf voor metaal gedumpt. De wagen had zijn oude kentekenplaten terug en stond weer bij het verhuurbedrijf waar hij eerder met valse identiteitspapieren was gehuurd. De pistolen waren schoongeveegd, ingepakt, voorzien van de aanduiding 'steenmonsters' en naar een postbusadres van een niet-bestaand persoon in Tuscon in Arizona verzonden. Daar zouden ze blijven liggen totdat de huurperiode van het kluisje verliep of het personeel van het postagentschap op zoek ging naar de postbushouder. Maar dat zou nog maanden duren. Allemaal wegwerpartikelen.

Met zo'n truc kon je maar één keer wegkomen – Genaloni en zijn bende zouden nu op hun hoede zijn – maar het hoefde ook niet meer.

Er bestond een piepkleine kans dat de lijfwachten foto's te zien zouden krijgen van de echte agenten voor wie Ruzhyó en Zmeyá zich hadden uitgegeven, maar dat was zeer onwaarschijnlijk. Genaloni's achterdocht en aangeboren wantrouwen jegens de autoriteiten zouden hierdoor nog eens worden verscherpt en hij keek wel uit hun hulp in te roepen om zijn man te vinden, zelfs al zou hij hun verhaal geloven, wat hij dus niet zou doen. Deze zware jongen zou de zaak niet opnemen met de federale autoriteiten. Laatstgenoemden hadden op hun beurt wel wat anders aan hun hoofd en zouden de hele handel snel vergeten.

Volgens de FBI had Genaloni gewoon een van zijn eigen mannen vermoord. En Genaloni dacht dat de FBI achter hem aan zat. Dat eerste was niet waar, maar het laatste was nu wel degelijk het geval. Plekhanovs speurwerk had aan het licht gebracht dat Genaloni niet bepaald een geduldig man was. Het lag voor de hand dat hij iets onbezonnens zou doen. Zo niet, dan zou Ruzhyó het voor hem doen, of in elk geval die schijn wekken.

Geef je vijand iets anders om zich het hoofd over te breken: het was een oude, maar nog altijd nuttige truc. Plekhanov kende zijn pappenheimers en was een meester in het manipuleren. Een goede om bij een conflict aan jouw kant te hebben, en een heel slechte om als opponent te hebben.

Er waren nog enkele andere kleinigheidjes die Ruzhyó en zijn mannen konden uithalen om zowel Net Force als de Familie verder tegen elkaar op te hitsen. Kleine dingen, die desalniettemin meer olie op het vuur gooiden. En dat zou inderdaad gebeuren.

Vroeg of laat zal zelfs de sterkste emmer die ene extra druppel niet meer kunnen hebben.

Het was aan hem om voor die ene extra druppel te zorgen.

Zondag 19 september, 02:30 uur
Kiev

John Howard voelde zich een tikkeltje geïrriteerd door de CIA-chef in Kiev. Morgan Hunter mocht dan wel 45 jaar zijn en grijs, maar afgaande op de pasvorm van zijn pak en de manier waarop hij zich bewoog, verkeerde hij nog altijd in behoorlijk goede conditie. En al twintig jaar lang was hij CIA-man; hij had in Chili gewerkt, in Berlijn, toen in Moskou na het uiteenvallen van de Sovjet-Unie, om vervolgens hier te belanden. Hij behoorde zijn zaakjes dus te kennen.

'Het spijt me, kolonel, maar wat moet ik verder nog zeggen? Niet één van onze infiltranten onder radicale groeperingen heeft iets kunnen oppikken wat we nog niet wisten. We hebben de zaak niet kunnen natrekken.'

'De klok tikt door, meneer Hunter.'

Ze bevonden zich in de kleine vergaderkamer in de kelderverdieping, een ruimte die Howard speciaal voor dit onderzoek toebedeeld had gekregen. Telefoons, computers, printers, tv-monitoren en dergelijke stonden op tafels en hingen aan het plafond.

De CIA-man glimlachte uit de hoogte. 'Daar ben ik me van bewust, kolonel. Wíj hebben die klok zelf aan het tikken gebracht, dus u hoeft ons niets te vertellen. Misschien kunt u zich nog herinneren dat wij degenen waren die de zaak onder de aandacht van uw organisatie hebben gebracht, een organisatie die hier min of meer op onze uitnodiging aanwezig is, kolonel.'

Net toen Howard wilde reageren, betrad Julio Fernandez de kamer. Hij salueerde naar de kolonel, wat eigenlijk niet hoefde, en meldde: 'Kolonel, we hebben misschien een aanwijzing.'

'Vertel op, sergeant.'

Fernandez wierp een blik op Hunter en richtte zijn ogen weer op de kolonel. Howard moest zijn best doen om niet te grinniken. De blik was veelbetekenend en leek in elk geval te suggereren: is het veilig om ten overstaan van deze lul-de-behanger te praten, kolonel? Hunter zag het en verbeet zich.

'Kolonel, Lucy – ik bedoel Lucy Jansen van het derde team – is, eh, bevriend geraakt met iemand op de lijst.' Hij overhandigde Howard een lijst waarop één naam met rood was omlijnd. Terwijl hij naar de naam staarde, vervolgde Fernandez zijn verhaal. 'Hij spreekt Duits, en zij ook, dus daarmee hebben ze al iets gemeen. Ze hebben elkaar in een plaatselijke bar, eh, ontmoet en na een stuk of zes wodka's heeft hij laten ontglippen dat hij een oude raketwerper heeft en dat hij heel binnenkort de kans krijgt deze te gebruiken.'

Howard werd opeens geïnteresseerd. 'Ga door.'

'Lucy probeert hem uit te horen. Over een paar uur neemt ze contact met me op.'

Howard keek naar Hunter.

Deze haalde zijn schouders op. 'Zou iets kunnen zijn, zou ook een dronkelap kunnen wezen die indruk wil maken op een vrouw.'

Howard knikte. 'Klopt. Maar hij staat op onze lijst.' Hij keek weer naar Fernandez. 'Hou me op de hoogte.'

'Kolonel.' Opnieuw een keurig saluut waarna Fernandez zich omdraaide en wegmarcheerde.

'Ik zal eens kijken of ik wat meer over zijn achtergrond te weten kan komen,' zei Hunter en hij wees naar de lijst.

'Goed idee.' Hij aarzelde even en kwam tot de slotsom dat het geen zin had de degens te kruisen met een CIA-man. 'Sorry van daarnet. Ik heb nog wat last van jetlag.'

'Geeft niks, kolonel. Daar hebben we allemaal wel eens last van. Ik wil deze heren net zo graag achter de tralies hebben als u. Als we ons werk naar behoren doen, moet het lukken.'

'Amen.'

De twee glimlachten opnieuw, ditmaal oprecht.

Misschien had het niets te betekenen, maar Howard had er zo zijn eigen gedachten over. Hij kreeg opeens vlinders in zijn buik. Dit wás het. Dit zou hen regelrecht naar het hol van die radicalen voeren.

11

Toen de telefoon ging, bevond Alex Michaels zich in zijn garage, sleutelend aan de Prowler. Hij wist vrij zeker wie er belde. Hij veegde zijn handen af aan de vettige doek en greep naar de hoorn.

'Hallo?'

'Paps!'

'Hé, kleine meid, hoe gaat het?'

'Prima. Nou ja, behalve dan dat ik met rolschaatsen viel en nu is m'n kniebeschermer dus nogal kapot.'

Hij voelde zich plotseling bezorgd. 'Met jou alles goed?'

'Met míj wel, maar die kniebeschermer is helemaal gescheurd, snap je?'

'Beter dat ding dan jij.'

'Dat zei mams ook al.'

Op de achtergrond hoorde hij Megan: 'Laat mij even met papa praten, schat.'

Michaels voelde hoe zijn maag zich omdraaide, hoe zijn ingewanden koud en gespannen werden.

'Mams wil je spreken.'

Hij haalde diep adem. 'Tuurlijk. Geef haar maar.'

'Doei, paps.'

'Doei, kleine.'

De tijd strekte zich uit. Een eeuwigheid verstreek. Beschavingen geraakten in verval, vielen in puin...

'Alex?'

'Hallo, Megan. Wat is er?'

'Susie, maak jij even een kopje koffie voor mama?'

Michaels kreeg plotseling het gevoel alsof hij zich in een vrije val bevond.

Er ging een minuut voorbij. 'Luister, Alex, ik weet dat je werk voor alles gaat, maar je dochter denkt nog steeds dat de maan opkomt in haar vaders schaduw. Ben je straks nog in staat jezelf van je werk los te weken en naar haar toneelopvoering te komen?'

De jaren van geruzie dreigden weer aan te breken, vers bloed uit oude wonden genas nooit, niet in zijn hart tenminste. Hij had geen zin in ruzie. 'Dat is toch in oktober?'

'Goh, je weet het nog. Ongelofelijk.'

Met haar sarcasme kon ze hem nog altijd openrijten, als een nieuw scheermes dat door papier glijdt.

In oktober zou de hele toestand rond Days dood vermoedelijk wel achter de rug zijn; zo niet, dan zou het waarschijnlijk niet meer zo'n hoge prioriteit hebben dat hij niet even weg kon voor het toneelstukje van zijn dochters klas. 'Ik zal er zijn,' zei hij.

'Zeker weten?'

'Ik zei dat ik er zal zijn.' Ook dat kon ze nog altijd, zijn woede opwekken zonder haar stem te verheffen en met de onschuldigste zinnetjes. Zeker weten? Als ze hem voor een verdomde leugenaar had uitgemaakt, zou het precies hetzelfde hebben geklonken.

Er volgde een ongemakkelijke stilte. Het laatste jaar van hun samenzijn waren er meer van die ongemakkelijke stilten gevallen dan ooit. Niet zozeer uit woede dan wel uit berusting. Het onvermijdelijke einde van hun huwelijk was als een gletsjer op hen afgekropen, uiterst traag maar onverbiddelijk, alles wat op zijn pad kwam tot gruis vermalend.

'Luister,' zei ze, 'er is nog iets. Ik ga met iemand om. Ik wilde dat je het van mij hoorde.'

Het koude gevoel in zijn maag verhardde zich tot ijle, vloeibare zuurstof, zo ijzig dat zijn ademhaling stokte. Toen hij weer kon praten, deed hij zijn uiterste best om zijn stem onbewogen, luchtig en licht nieuwsgierig te houden.

'Ken ik hem?'

'Nee, hij geeft les op Susies school. Niet haar onderwijzer.'

'Mooi. Gefeliciteerd...'

'Alex, we staan niet op het punt van trouwen, we gaan gewoon met elkaar uit. Jij hebt toch ook wel afspraakjes gehad?'

Hij wachtte net iets te lang met zijn antwoord: 'Natuurlijk.'

'Jezus, Alex.'

En ook dát somde in het kort de jaren van geruzie op. Sinds Megan en hij uit elkaar waren, was hij niet meer met een andere vrouw geweest. Hij had er een paar keer over nagedacht, voor aantrekkelijke vrouwen had hij beslist nog wel oog, hij had zelfs korte fantasieën gehad, maar nooit had hij ernaar gehandeld. Zodra de fantasie voorbijging, bleef de realiteit over, en het risico. En hij miste Megan nog steeds, ondanks alles wat er voorgevallen was. Ze was zijn grote liefde geweest. Dat zou ze altijd blijven. Als ze belde en hem vroeg naar huis te komen, zou hij zo gaan, zelfs als het hem zijn appartement, zijn wagen en zijn baan zou kosten. Eerder had hij zich dat niet gerealiseerd, maar nu wist hij het wel. Te laat natuurlijk. Het zou nooit gebeuren. Ze waren gescheiden. Ze ging uit met een andere man. Ging misschien zelfs met hem naar bed.

Zijn maag bleef opspelen, hij moest bijna overgeven bij de gedachte dat Megan naakt naast een andere man lag, lachend, vrijend, dingen uithalend die hij en zij ooit hadden gedaan. En erger nog was het besef dat ze naar een andere man verlangde en niet naar hem. Wetende dat zij ervan zou geníéten...

Hij schudde het hoofd. Hoogste tijd om op een ander spoor over te schakelen. Hij had niet het recht zich nog zo te voelen, als hij dat al ooit gehad had.

'Ik moet ophangen. Zeg Susie dat ik van haar hou.'

'Alex...'

'Dag, Megan. Hou je taai.'

Zachtjes legde hij de hoorn op de haak. Hij keek naar de paarse wagen waar hij nu elke vrije minuut aan werkte. Meestal kon hij zijn gevoelens over Megan wel onderdrukken. Zolang hij maar druk bezig was, zolang hij er maar niet over na ging denken, was er niets aan de hand. Maar zodra hij haar stem hoorde, zodra haar woorden bij hem een beeld opriepen, werd het onmogelijk.

Misschien dat er een toverformule bestond die al het kwaad tussen hen kon uitwissen; misschien dat er magische woorden waren die hen weer bij elkaar zouden kunnen brengen, zoals het ooit geweest was toen Susie nog in het verschiet lag of zelfs toen ze een mollig en lachend baby'tje was geweest, rondkruipend in dat grote oude huis in Idaho.

Misschien dat zulke woorden bestonden... maar Alex Michaels kende ze niet.

Zondag 19 september, 11:15 uur
Washington D.C.

Toni Fiorella had net het telefoongesprek met haar moeder in de Bronx beëindigd, een zondagochtendritueel dat doorgaans twintig of dertig minuten in beslag nam voordat mama prikkelbaar begon te worden: 'Schat, dit moet je toch een fortuin kosten?'

Ongeacht hoe vaak ze haar moeder had verteld dat ze zich die paar uur per maand interlokaal bellen wel kon permitteren, leek het maar niet tot haar door te dringen. Mama kwam nog uit de tijd dat interlokaal bellen een grote luxe was die je reserveerde voor geboorte- of overlijdensaankondigingen, en misschien een snel belletje tijdens vakanties. En het idee om een computer in huis te nemen en gewoon te e-mailen of spraaktransmissie te gebruiken, was uitgesloten. Mama had niet veel op met dergelijke dingen.

Gedurende het laatste kwartier van hun gebabbel was Toni in de keuken rond gaan scharrelen. Ze had schotels afgespoeld, deze in de vaatwasser gezet, het aanrecht en het messenblok schoongeveegd, zelfs de vloer gedweild. Het was een kleine flat, maar de keuken was groter dan in een andere woning van deze omvang, en de vinylvloer leek genoeg op echt hout om je bij een eerste blik voor de gek te houden. Een leuke woning.

Ze wilde net de mop wegzetten toen de telefoon ging.

Belde haar moeder soms terug om nog iets te zeggen?

'Hallo?'

'Ondercommandant Fiorella?'

'Ja?' De stem klonk bekend, maar ze kon hem niet thuisbrengen.

'U spreekt met Jesse Russell. Wij, eh, hebben elkaar onlangs ontmoet...'

Een zuidelijk accent. Wacht eens... ze wist het weer: 'Stretch.'

'Pardon?'

Toni was zich er niet van bewust dat ze het hardop had gezegd. Ze bloosde, blij dat ze geen beeldverbinding hadden. 'Neemt u me niet kwalijk, meneer Russell, laat maar zitten. Wat wilt u?'

'Mevrouw, ik wilde u mijn excuses aanbieden. Voor dat akkefietje in de sportzaal. Ik stond me uit te sloven voor Barry en hield mijn hoofd er niet goed bij. Ik had me niet zo moeten gedragen, het was stom en het spijt me.'

Toni grijnsde. Nou, nou, nou. De wonderen waren de wereld dus nog niet uit. Een klootzak die zijn excuses aanbiedt. En omdat ze wist dat ze niet had moeten doen wat ze gedaan had, kon ze nu vriendelijk zijn. 'Het is al goed, meneer Russell, vergeet het maar.'

'Nee, mevrouw, ik zal zoiets niet snel vergeten. Ik, eh... vroeg me af of u misschien bereid zou willen zijn mij een keer wat meer van die vechtsport te laten zien? Zodat ik kan zien wat u deed in plaats van de vloer met mijn achterste aan te vegen?'

Toni gniffelde. Misschien was hij toch niet zo kwaad. Hij bezat een zekere charme. 'Als we elkaar in de zaal tegen het lijf lopen, prima,' antwoordde ze.

'Nou, mevrouw Fiorella, als u me dan kunt zeggen wanneer u misschien weer gaat trainen, dan zou ik mijn agenda erop af kunnen stemmen om er even tussenuit te breken. Ze houden ons behoorlijk bezig op de opleiding, maar zo nu en dan hebben we wat vrije tijd.'

Toni dacht er even over na. Probeerde deze vent haar te versieren? Of had hij echt interesse om silat te leren? Een verleden in een andere vechtkunst was soms een belemmering, maar niet altijd. En haar goeroe zei altijd dat ze leerlingen nodig had, want anders zou ze de sport nooit echt goed onder de knie krijgen.

'Soms train ik 's ochtends, maar meestal tijdens mijn lunchuurtje, van twaalf tot één. Dan zou je eens kunnen binnenwippen als je wilt.'

'O, dat wil ik zeker.'

'En dat gemevrouw kun je ook wel achterwege laten. Ik heet Toni.'

'Rusty, voor mijn vrienden,' zei hij. 'Dank je. Ben je maandag in de sportzaal?'

'Tenzij er iets tussenkomt.'

'Dan zie ik u daar, mevrouw... ik bedoel, Toni.'

Ze glimlachte terwijl ze de mop wegzette. Stretch – Russell – had zich zowel vóór als direct nadat ze hem gevloerd had een behoorlijk domme macho getoond. Maar dit telefoontje, stel dat er verder niets achter zat, compenseerde dat enigszins. Over het algemeen verdienden de meeste mensen een herkansing. God wist dat ze wel eens ergens in gestapt was waar ze spijt van had gekregen en nu was ze blij dat zij eens aan de ontvangende kant van iemands vergevensgezindheid stond. Mensen konden dus veranderen, dat moest ze nu geloven. En trouwens, hij zag er lang niet slecht uit.

Ze werd meteen overvallen door een gevoel van ontrouw. Wat die Russell verder ook mocht zijn, hij was geen Alex, in de verste verte niet. Niet qua postuur, niet qua houding. Alex was de man die ze wilde. En vroeger of later, als ze maar hard genoeg haar best deed, zou hij haar misschien ook willen.

Maar een leerling zou nog niet zo slecht zijn. En wie weet kon een knappe leerling Alex de ogen openen, hem laten zien dat Toni het bekijken waard was. Dat zou geen kwaad kunnen.

Jay Gridley startte de grote motor van de Viper en liet een spoor van brandend rubber achter nu hij de koppeling snel liet opkomen en het talud langs de snelweg op scheurde. En waarom ook niet? In VR hoefde hij toch geen nieuwe banden te kopen.

De afgelopen paar dagen had hij bijna continu het net afgestruind, op zoek naar nog meer wegversperringen, maar tot dusver was hij niets abnormaals tegengekomen. O, ja, natuurlijk, er waren wel verkeersknopen, met hier en daar een lichte aanrijding, maar dat was normaal.

Hij bevond zich op de 405, vlak bij LAX, toen een jonge vent hem met een kleine 130 kilometer per uur op een joekel van een motor voorbijraasde. Gridley glimlachte naar het joch op de Harley. Hij wist wie het was, ook al toonde het VR-beeld een iets oudere en gespierdere berijder.

Hij schakelde, voelde hoe de Viper worstelde om te worden losgelaten en met een flinke trap op het gaspedaal gaf hij zijn bolide de sporen. De grote V-10 loeide en brulde, en het verkeer om hem heen veranderde in een schilderij.

Binnen enkele seconden joeg hij het kleine wagentje van 100 naar 145 kilometer per uur. *Ka-boem!*

Born to be wild, en als je het niet aankunt, zet 'm dan maar aan de kant, maat!

Hij trok langszij de jongen op de motor, grijnsde en toeterde een keer.

In het echt waren de twee via het net middels een directe on line-verbinding aan elkaar geschakeld, ongeveer zoals circa twintig miljoen anderen dat elke dag deden op de grote commerciële netten, maar de VR-visuele modus maakte het allemaal stukken leuker zodra de software dit soort overlappende scenario's mogelijk maakte.

'Hé, Tyrone!'

De jongen keek opzij en grijnsde zijn fonkelende, gelijkmatige tanden bloot. 'Hé, die Jay Gee! Wat doe jij hier?'

'Problemen opzoeken.'

'Dat is mijn afdeling!'

'Yo, verderop is een chauffeurscafé. Trek in een bak koffie? Ik moet je iets vragen.'

'Tuurlijk, gepro, Jay.'

De jongen trok de gashendel tegen de stuitnok en leunde tegen de wind in. De luchtstroom ranselde zijn kleren en zelfs zijn strakke krulhaar. Hij demarreerde en Gridley gunde hem wat voorsprong.

Gepro? Jay moest er even over nadenken. Ach, natuurlijk: geen probleem.

Zó oud was hij nu ook weer niet, maar het viel allemaal niet meer bij te houden en hij wist dat hij er niet meer middenin stond. Het jargon dat in was toen hij nog jong was, was nu antiek voor iemand van Tyrones leeftijd. 'Gepro' zou net zoiets zijn als zijn 'relax' of het 'No problemo, Batman' van zijn vader. De taal verlegde haar grenzen, veranderde steeds en soms draaide ze honderdtachtig graden om. 'Cool' werd 'gaaf' werd 'wreed' werd 'vet' om vervolgens weer 'cool' te worden. Er was geen bijhouden aan.

Hij was nu 28, maar als hij met een joch als Tyrone praatte, voelde hij zich een zak oude Neanderthalerbotten. Hij schudde zijn hoofd. Maar aan de andere kant zagen en hoorden jongens die het net afstruinden vaak dingen die volwassenen misten, en Gridley wilde elke bron gebruiken die hij maar te pakken kon krijgen. Het ging erom de klus te klaren en niet om wie nu wat naar boven bracht.

Hij zette zijn richtingaanwijzer aan en reed de uitvoegstrook op. Als het zo bleef doorgaan, zou Tyrone tegen de tijd dat hij net zo oud was als Gridley dingen doen waarbij dit hier slechts runentekens zouden lijken.

12

Het was een rustige zondagavond. Buiten voelde de herfstlucht nog steeds zwoel en klam aan. Het appartement van Alexander Michaels was donker, op een enkele lamp in zijn slaapkamer boven na. Een roomwitte wagen – staatseigendom – met zwarte banden en met daarin twee FBI-agenten stond geparkeerd langs de stoeprand. Pontificaal. En dat was goed. Ze hadden net zo goed een neonbord op het dak kunnen hebben dat al flitsend de identiteit van de inzittenden aanprees: Smeris! Smeris! Smeris!

De twee luisterden naar countrymuziek die zachtjes door de radio klonk en waren verdiept in een spelletje schaak op een klein magnetisch schaakbord dat boven op het dashboard was gezet. Zo nu en dan keek een van de twee op naar Michaels appartement of keek om zich heen om te zien of er auto's of voetgangers aankwamen.

Maar het was zondag en op dit uur van de dag was er weinig verkeer op straat te bekennen. De meeste mensen die hier woonden, moesten de volgende dag weer vroeg op kantoor zijn en zaten nu binnen voor de tv, lazen een boek of hielden zich bezig met wat mensen met een bovenmodaal inkomen zoal deden aan de vooravond van een nieuwe werkweek.

Wat moest dat toch vreemd zijn, om elke dag weer op te staan en naar je werk te gaan, een echte baan te hebben. Ze vroeg zich af hoe iedereen dat toch voor elkaar kreeg: werken in een vreselijke omgeving, voor vreselijke lieden. Hoe kon je zo je leven leiden, zonder enige vreugde, zonder passie, zonder echte bevrediging? En ook al deden miljoenen dat, miljarden zelfs, ze kon er met haar verstand niet bij. Ze was liever dood dan zich te moeten schikken in het keurslijf van het afgestompte leven dat de meesten leidden. Wat had het voor zin?

Een surveillancewagen gleed langzaam door de straat. De geüniformeerde chauffeur die, afgaande op het opschrift op het portier, in een snelle gewapende assistentie voorzag, knikte naar de twee FBI-agenten. Ze knikten terug.

Een rustige straat in een rustige buurt. Niets abnormaals te bekennen. Mams en paps en de twee komma drie spruiten, de hond, de kat, de hypotheek, de oneindige eentonigheid van het bestaan.

Nou, één ding was in elk geval niet waar het op leek...

De Selkie liep over het trottoir in de richting van Michaels' appartement. De woning stond aan de westkant van de weg, een kleine tachtig meter verderop. Langzaam liep ze in noordelijke richting. Met haar 'gluuroog', een monokijker met een vergroting van twaalf maal, had ze het FBI-voertuig al bespioneerd. Het kleine sterrenkijkertje, zoals gebruikt door het Israëlische leger, was gefabriceerd in Bethlehem. De kijker bood een uitstekend blikveld en dus ook een goed zicht op de schakers, en van een afstand die het voor hen onmogelijk maakte haar te zien zonder eigen verrekijker.

Het microfoontje in haar handtas – een product van Chang Bio-Med in Beaverton in Oregon, een exclusieve dochteronderneming van Motorola – was gevoelig genoeg om het zachte geknauw van de countryzender vanuit de surveillancewagen op te vangen. De microfoon was vermomd als gehoorapparaat en de kijker kon net zo goed een busje haarlak zijn. Alleen een grondige inspectie kon de ware aard van deze spullen onthullen.

En wie zou het lukken haar handtas te doorzoeken? Niemand dus.

Op ongeveer vijftig meter van de woning zag ze hoe de agenten een blik in haar richting wierpen, om vervolgens weer verder te schaken. Ze hield haar blik neutraal, ook al wilde ze glimlachen. Ze hadden haar gezien en het hoofd weer afgewend.

Dat laatste had een goede reden. Want wat deze agenten zagen, was een oude vrouw, duidelijk dik in de zeventig, voorovergebogen, en langzaam voorthobbelend met een wandelstok. Een champagne-kleurig dwergpoedeltje trippelde drie meter voor haar uit, rukkend aan de lange riem en snuffelend aan de wilde bloesems in het keurig gesnoeide struikgewas.

De poedel, een goedgetraind gecastreerd mannetje, was gehuurd bij Not The Brothers Dog Kennel in het centrum van New York. Fikkie kostte duizend dollar per week en was zijn geld dik waard.

Het kleine beestje snuffelde nu aan de voet van een kersenboom vlak naast het trottoir, tilde zijn achterpoot op en besprenkelde de stam.

'Goed zo, Scout,' sprak de Selkie. Iedereen die dicht in de buurt zou zijn geweest – niemand dus – zou direct het stemgeluid van een oude vrouw hebben herkend, verzwakt door een leven van hard zwoegen en te veel sigaretten.

Ze droeg een jurk van bedrukt katoen tot op haar knieën, een dunne katoenen sweater en stevige, degelijke loopschoenen met veters over zwarte kniekousen. Haar haar was wit en zat in een strak permanentje. Voor het aanbrengen van het latex masker en de make-up had ze anderhalf uur nodig gehad en in daglicht behoorde ze zelfs van anderhalve meter afstand geen argwaan te wekken. Het lopen viel haar duidelijk moeilijk – het kwam door haar rechterheup – maar voor de brave Scout had ze het wel over. Die liet geen struik of boom onbesnuffeld en was druk in de weer om al die plekjes met de reuk van eerdere viervoeters zijn eigen geurmerk te verlenen.

Daarnaast had ze het ook nog eens warm. Haar gezicht prikte en de stank van de latex en de make-up was penetrant. Maar daar was niets aan te doen.

De Selkie wist precies wat de pottenkijkers zagen zodra ze haar nastaarden: iemands reumatische grootmoeder die nog even de hond uitliet om daarna weer naar huis te gaan en onder de wol te kruipen. En naar huis betekende slechts drie huizenblokken verder, inderhaast gehuurd, maar wel onder haar huidige vermomming. Stel dat ze werd aangehouden – wat niet zou gebeuren –, dan kon ze in elk geval een adres opgeven dat haar aanwezigheid alhier rechtvaardigde, en ze was van betere komaf dan haar hond. Ze was immers mevrouw Phyllis Markham, gepensioneerd na 41 jaar als boekhoudster in Albany, de hoofdstad van de staat New York. Raymond, haar echtgenoot, was oktober jongstleden gestorven waarna Phyllis uiteindelijk naar Washington was verhuisd zodat ze in haar vrije tijd musea kon bezoeken, wat ze zo graag deed. Hebt u die nieuwe Russische capsule in het Air and Space-museum al gezien? Of die grijze Tucker uit 1948 die ze van de een of andere drugshandelaar in beslag hebben genomen?

Sarah, de dochter van mevrouw Markham, woonde in Philadelphia en haar zoon Bruce leidde een dealerschap voor Dodge-trucks in Denver. Met haar achtergrond zat het wel snor en alle computernavorsingen zouden het staven. Met haar doffe, krakende stem kon ze met haar verhaal zelfs een etalagepop aan het geeuwen krijgen. Ze droeg geen voor de hand liggende wapens bij zich, niets wat haar zou kunnen verraden, op de vermomde elektronica na die, stel dat die in het zicht viel, door niemand als zodanig zou worden herkend. Maar toch, de wandelstok die zo onontbeerlijk leek, was van hickoryhout, handgemaakt en ongeveer een meter lang: mooi gladgeschuurd en liefdevol gepolitoerd door Cane Masters, een klein bedrijfje uit Incline Village in Nevada. Cane Masters was gespecialiseerd in het vervaardigen van volkomen legale wapens voor professionele beoefenaars van oosterse vechtkunsten. Een expert – en dat was de Selkie ongetwijfeld – kon iemand met een dergelijke wandelstok tot moes slaan, zonder te zweten.

Elke straatrover die in deze oude hulpeloze oma een gemakkelijke prooi zag, zou van een koude kermis thuiskomen. En met fatale afloop, als het aan haar lag.

'Toe maar, Scout...' fluisterde ze nu ze het appartement naast dat van haar doelwit had bereikt.

De kleine poedel was uitstekend getraind. Hij bleef staan, zakte door zijn achterpootjes en liet op het gras langs het trottoir een hoopje achter. Op het oog met enige moeite liet de oude vrouw zich al bukkend een beetje door de knieën zakken om met een stukje karton de grote boodschap op te scheppen en in een speciaal plastic doosje te deponeren. 'Goed gedaan, Scout!' sprak ze complimenteus, ditmaal luid genoeg voor de twee agenten. Ze liep verder, daarbij de twee schakende jongemannen in de wagen aan de overkant ogenschijnlijk negerend. Ze durfde te wedden dat ze zaten te glimlachen: kijk nou toch, is dat niet schattig? Oma's kleine schoothondje zit op het gras te schijten.

Ze wist niet of deze bewakers hier permanent waren, waarschijnlijk niet, maar dat maakte verder niet uit. Twee kerels in een wagen op straat vormden niet echt een bedreiging. Ze hadden haar nu aanschouwd in de hoedanigheid waarin ze dat wenste. Morgenochtend zou ze hier weer zijn, en ook 's avonds, en dat nog zeker de hele week, en misschien nog wel langer. Het zou niet lang duren voordat de dag- en nachtteams haar als 'niet verdacht' zouden aanmerken. Mevrouw Phyllis Markham, gepensioneerd boekhoudster uit Albany, vormde slechts één persoon uit een reeks van schimmen die wellicht een onzichtbaar deel van het leven van het doelwit gingen uitmaken. Zoals ook de tijdelijke kantoorkracht die binnenkort de afdeling burgerzaken van de marine van Quantico kwam versterken. Verder nog een nieuwe chauffeur van een Taco Tio-lunchwagen die zo nu en dan enkele FBI-agenten van een warme hap voorzag; en als het nodig was nog een stuk of vijf andere varianten. Na verdere bestudering zou ze de meest geschikte vermommingen kiezen.

En als Phyllis Markham degene was die het doelwit uit de weg zou ruimen, dan zou hij waarschijnlijk een dezer dagen stilletjes in zijn slaap komen te overlijden en zou iedereen het nakijken hebben. Na de daad zou de oude dame nog een tijdje haar ronde blijven maken, vlak langs de agenten die opdracht hadden haar doelwit te bewaken en zich nog altijd van geen kwaad bewust waren.

En tegen de tijd dat de dood van het doelwit bekend werd, was de poedel allang weer terug in zijn kennel in New York en zou er van de oude dame geen spoor resten.

'Kom, nog een blokje om en dan gaan we naar huis. Wat jij, Scout?' De poedel kwispelde met zijn staart. Hij was een lieve pup. Het was net als dat opschrift op die T-shirts: hoe meer je over mensen leerde, hoe meer je van honden ging houden...

Maandag 20 september, 08:17 uur
Kiev

Kolonel Howard was net klaar met de montage en demontage van zijn H&K-G3A3Z-aanvalsgeweer. Dit was een pitbull uit een reeks van kleine wapens. Het ding ratelde als een duizendklapper en vuurde het magazijn met de zware NATO-patronen van 7,62 mm volautomatisch leeg. De lege patroonhulzen werden met zo'n kracht uitgeworpen dat iedereen die zich op zo'n zestien à achttien meter waagde, rechts van het wapen en iets achter de schutter, zijn ogen riskeerde. Soms vlogen de lege hulzen zo snel voorbij dat je de lucht die langs de openingen raasde zelfs kon horen flúiten.

Hij veegde de overtollige droge smering weg en legde het wapen terug op tafel. Misschien ook maar even het pistool reinigen?

Hij trok zijn S&W Model 66 uit zijn holster en bekeek het. Het was van roestvrij staal, goed voor zes patronen, met een .357 loop van tien centimeter en voorzien van speciale houten Craig Spegel-kolf. Bepaald geen voorgeschreven handwapen dit – de meeste teamleden droegen een .40 H&K-USP-pistool met plastic schuiflade en frame, laservizier en demper en met meer dan tweemaal de munitie als zijn oude revolver. Maar de Smith was nu eenmaal zijn talisman en hij vertrouwde erop. Hij was er bedreven genoeg mee om in goede vorm een manshoog doelwit op honderd meter afstand te raken. En de Smith bleef nooit hangen zoals bij een automatisch pistool nog wel eens gebeurde. Hij opende de revolver en controleerde de munitie.

'Nog even doorpoetsen en u kunt zich erin spiegelen, kolonel.'

Hij keek Fernandez aan. 'Weet je, een minder inschikkelijke commandant zou je vroeger het kazerneterrein hebben op geschopt voor een strafexercitie en je daarna aan je lot hebben overgelaten.'

'Begrepen, kolonel. Uw geduld siert u, kolonel.'

Howard schudde zijn hoofd.

'Nul-acht-een-acht, kolonel,' meldde Fernandez.

Hij trok zijn wenkbrauwen op. 'Ik was niet van plan u naar de tijd te vragen, sergeant.'

'Eh, uiteraard, kolonel.'

Howard grijnsde opnieuw. Hij knipte zijn revolver dicht en liet hem in zijn holster glijden. Goed, hij was wat gespannen. Ze hadden de terroristen weten te lokaliseren en het scheen dat de leiders van de groep om elf uur dertig een bijeenkomst hadden gepland. Toen de dronkaard eenmaal door het vrouwelijke teamlid naar een lege kamer was gelokt, in de veronderstelling dat hem daar de nodige pleziertjes wachtten, wat dus niet het geval bleek, had hij zich toch tamelijk snel en vrijwillig in de kaart laten kijken.

Wat betekende dat Howard en zijn troepen anderhalf uur van tevoren ter plekke wilden zijn. De rit naar het pakhuis waar de bijeenkomst zou plaatshebben, bedroeg twintig minuten, en dat tweemaal gezien mogelijke verkeersproblemen, plus nog een halfuur voor je-weet-maar-nooit. Dat alles betekende dat ze hier om, zeg, nul-negen-nul-nul uur dienden te vertrekken. De meeste teamleden stonden al buiten op het ambassadeterrein en hadden zich verzameld bij het vertrekpunt.

Wat betekende dat ze nog ten minste veertig minuten hadden.

De tijd kroop voorbij, als bij een zenuwbehandeling: langzaam, héél langzaam...

Gelukkig zou zijn verschijning geen problemen opleveren. Er was beslag gelegd op een lokale bus, eentje waarmee arbeiders naar de diverse industrieterreinen in de omgeving werden vervoerd. Hij en Fernandez zouden het terrein per limousine verlaten en zich bij de bus vervoegen. Zelf zou hij plaatsnemen aan het gangpad zodat, mochten ze kijken, hij van buitenaf niet te zien zou zijn. En aangezien alle inzittenden voor hem werkten, zo'n vijfentwintig man, zou dat geen probleem zijn. De gevechtsuitrustingen waren aan boord en de manschappen zouden in burgeroverall zijn, gewoon een groepje arbeiders op weg naar hun werkterrein in het pakhuisdistrict langs de rivier. Theoretisch gezien konden er zich geen problemen voordoen. CIA-chef Hunter had de routes uitgestippeld en de plaatselijke politie was te verstaan gegeven even een oogje dicht te knijpen. Het zou vast op rolletjes gaan.

Voor Howard was er dan ook geen enkele reden zich zo nerveus te voelen, maar dat maakte niet uit. Hij had al twee bezoekjes aan het toilet achter de rug en ook een derde zat er wel in. Alleen al de gedachte aan eten bezorgde hem een wee gevoel in de maag en de koffie die hij zojuist gedronken had, versterkte de bibberatie alleen maar. Goed, het was dan wel geen grootschalige jungle-invasie, maar de kans dat er geschoten zou worden en er doden zouden vallen, was zeer aannemelijk. En dat laatste was zijn verantwoordelijkheid. De boel versjteren was wel het laatste wat hij wilde.

'Nul-acht-uur-tweeëntwintig,' meldde Fernandez.

Maar ditmaal gaf hij de sergeant geen veeg uit de pan. Daarvoor kenden ze elkaar te goed. De kolonel knikte, pakte een van de H&K-magazijnen en controleerde de munitie. Hij moest er niet te veel kogels in proppen, want dan zaten ze zo strak dat ze niet meer los kwamen. Dat zou niet best zijn. Uiteraard had hij het aantal kogels al tweemaal geteld. Waarschijnlijk was het aantal in de tussentijd niet veranderd.

Alsof je bij de tandarts zat, alsof je in de avondspits zat die als koude appelstroop over de ringbaan kroop.

Maar vergeleken met hoe hij zich op dit moment voelde, zou een zenuwbehandeling uiterst welkom zijn.

13

Vladimir Plekhanov zat op een met mos begroeide steen naast een oude boom en dronk wat koel water uit zijn veldfles. Ondertussen genoot hij van een straaltje vroeg zonlicht dat door het dikke dennenbaldakijn op de bosgrond viel. Hij haalde diep adem en snoof de doordringende geur van het sap van de douglasspar in zich op. Hij zag mieren die zich omhoog en omlaag langs de boomstam repten en keek hoe ze plotseling van hun pad afweken om de plakkerige hars te vermijden. Een van de mieren waagde zich te dichtbij en werd gegrepen door de hars. Hij worstelde voor zijn leven.

Over een paar miljoen jaar zou een of ander wezen dat ooit tot het mensenras had behoord misschien het stukje barnsteen vinden met daarin het diertje en zich afvragen hoe zijn mierenleventje was verlopen.

Plekhanov glimlachte, stak zijn hand uit en bevrijdde de worstelende mier voorzichtig met een van zijn vingernagels. Het diertje haastte zich verder. Wat zou het denken, als het kon denken, van die reuzenvinger die vanuit het niets gekomen was om zijn leven te redden? Zou hij het er met zijn soortgenootjes over hebben? Over hoe die hand van een reuzengod hem redde van de dodelijke valkuil?

Zijn dagdroom werd verstoord door de komst van de Oekraïner. De man bleek gespierd, fit en was gekleed in een wandelbroek, dito laarzen en een strak T-shirt. Zijn voetstappen waren onhoorbaar op het zachte pad, maar zijn tred verried ongemak. Hij zag Plekhanov en knikte. 'Gegroet,' zei hij in het Russisch.

De oudere man beantwoordde de groet in dezelfde taal.

De Oekraïner kwam naast Plekhanovs steen staan. Hij keek om zich heen. 'Boeiende beelden,' zei hij.

Plekhanov sloot het dopje van de waterfles en propte deze weer in zijn rugzak die naast hem op de steen rustte. 'Ik breng al te veel tijd door in de EW-beschaving; waarom zou ik die meenemen in VR?'

'Naar mijn smaak toch iets te stil,' oordeelde de Oekraïner. 'Maar ieder zijn meug.'

'Ga zitten.'

De Oekraïner schudde zijn hoofd. 'Nee, ik moet zo weer terug.'

Plekhanov haalde zijn schouders op. 'Heb je nieuws voor me?'

'De Amerikanen hebben de verblijfplaats ontdekt van degenen die de aanval op hun ambassade in Kyiv plannen. Ze zullen op korte termijn tot actie overgaan.'

Plekhanov keek naar de mieren op de boomstam. 'Heeft hun lang genoeg gekost. Misschien moeten we voortaan wat minder subtiel zijn met onze hints.'

Nu was het aan de Oekraïner om de schouders op te halen. 'Ik begrijp niet waarom we de aanval niet gewoon groen licht hebben gegeven.'

Plekhanov glimlachte. 'Omdat het beschadigen van een anderszins normaal Oekraïens gebouw geen enkel doel dient. Waarom je toch al schaarse schatkist nóg meer plunderen om het weer op te knappen? Waarom het risico nemen dat je onschuldige landgenoten doodt?'

'De samenzweerders zijn óók mijn landgenoten.'

'Maar nauwelijks onschuldig te noemen. Dat zootje fanatici is een rondhollend kruitvat dat op springen staat. Vroeger of later zou de hele zooi ontploffen en net zoveel schade aanrichten aan de mensen eromheen als aan elk willekeurig doelwit. Dat soort dingen kunnen we niet gebruiken... en de Amerikanen zullen het voor ons opruimen. De Amerikanen hebben hún tijd en geld gespendeerd aan het blootleggen van het complot en daarbij zijn ze ook nog eens nerveus geworden. Het zal hun zorgen baren, ze zullen nog meer tijd en financiële middelen spenderen om hun eigen ambassades te beschermen. We slaan hier twee vliegen in één klap, mijn vriend. Speel je nog wel eens snooker?'

'*Da*.'

'Dan weet je dat je met één enkele bal weinig punten scoort, vooral niet in het begin van het spel, tenzij je jezelf in een goede positie manoeuvreert voor de volgende stoot.'

'Klopt.'

'Willen we winnen, dan moeten we dus met elk spel onze volgende positie overdenken.'

De Oekraïner boog licht, een militair gebaar dat vooral met het hoofd gemaakt werd.

'Je hebt gelijk, Vladimir, zoals gewoonlijk.' Hij keek op zijn horloge. 'Ik moet terug.'

Met een opgestoken hand gebaarde Plekhanov naar het pad. 'Ga je gang. Goed je weer eens te hebben gezien.'

'Ik bel later nog wel.'

'Dat is niet nodig, maar toch bedankt.'

Nadat de Oekraïner vertrokken was, keek Plekhanov nog een tijdje naar de mieren. Hij keek op zijn zakhorloge. Hij had nog wat tijd voordat hij terug moest. Misschien nog een korte wandeling over dat zijpad dat hij had willen verkennen? Ja. Waarom ook niet? De zaken ontvouwden zich gesmeerder dan zelfs zijn mooiste scenario's. Jazeker.

Maandag 20 september, 07:00 uur
Quantico

Alexander Michaels zat in de achtersteven van de woonboot en keek naar een bruine pelikaan die naar vis dook. Volgens hem waren pelikanen zoutwatervissen, maar hij vond ze mooi en daarom had hij ze in zijn scenario opgenomen. Hij bevond zich op een rivier in Zuid-Louisiana, op een grote, moerassige rivierarm eigenlijk, en het bruine water stroomde lui naar de verre en onzichtbare Golf van Mexico. Vanuit een zijriviertje naderde een groen-geanodiseerd, aluminium rivierbootje; het harde geronk van de buitenboordmotor was genoeg om de duikende pelikaan weg te jagen. Michaels kwam overeind, liep naar de reling, leunde ertegen en keek toe hoe het bootje dichterbij kwam.

Achter in de kleine platbodem zat Jay Gridley met één hand aan de stuurarm van de motor. Hij nam wat gas terug zodat de motor plofte en borrelde, zwenkte het bootje zijwaarts en liet het zacht tegen de achtersteven van de woonboot tot stilstand komen. Metaal bonkte tegen fiberglas. Gridley wierp een nylontouw naar Michaels, die het opving en het uiteinde rond een koperen kikker onder de reling slingerde. Gridley stapte op de korte ladder en klauterde op de woonboot.

'Permissie om aan boord te komen, kapitein?'

Licht geamuseerd schudde Michaels het hoofd. 'Toegestaan.'

Eenmaal aan boord keek de jongere man om zich heen. 'Grappig, ik zou gedacht hebben dat je met de Prowler zou zijn.'

Michaels haalde zijn schouders op. 'Als ik dat deed, zou het voor mij de EW-versie verknallen. Die wagen zal daar nooit zo goed lopen als hier.'

'Dat is waar. Nou ja, het is geen slecht scenario. Commerciële software?'

'Ja.' Michaels voelde zich er wat ongemakkelijk bij om dit toe te geven, maar de waarheid was dat hij, hoewel hij zijn eigen programma had kunnen schrijven – hij kon immers goed overweg met computers –, zich nooit zo verdiept had in VR als zodanig. Toegegeven, het was interessanter om op het dek van een grote woonboot te zitten, glijdend langs cipressen die behangen waren met Spaans mos, dan commando's in te voeren via een toetsenbord. Maar hij had er niets mee, zijn positie binnen Net Force ten spijt. Mensen zouden het waarschijnlijk maar raar vinden, deze graag-of-niet-houding jegens VR, maar Michaels vergeleek het graag met de houding van een timmerman ten aanzien van diens gereedschap: je híéld niet van je hamer of je zaag, je gebruikte ze om je werk te doen. Wanneer hij niet werkte, bracht Michaels niet veel tijd door op het net. Hij gebaarde naar een dekstoel. 'Ga zitten.'

'Dank je.'

Toen Jay eenmaal zat, vervolgde hij: 'Tot nu toe zijn we steeds doodlopende weggetjes ingeslagen. De sabotagelinks wijzen alle kanten op, en dat is echt interessant.'

'Ga verder.'

'Nou, dat betekent dus dat die schurken vanuit meer dan één punt werken, zoals we al dachten. Het stuk wordt door een orkest uitgevoerd, niet door een solist. Het punt is dat, hoewel we voor de initiatiefnemers verschillende punten hebben, alle brandschermen identiek zijn.'

Michaels wist genoeg van systemen om te begrijpen wat dat betekende. 'Dus we hebben het over één programmeur of team en een wijde verspreiding van software...'

'Ja.' Jay keek op nu ze een gigantische eik passeerden waarvan de takken laag over de oever van het moerassige water hingen. Op een grote tak koesterde een flinke, roodbruine koningsslang zich in de zon. 'Of is, gezien deze omgeving, een "zeker weten, mensen" misschien meer van toepassing?'

Michaels glimlachte. 'Herken je de stijl van de programmeur?'

'Nee. De brandschermen zijn bij Netsoft zo uit voorraad leverbaar en kogelbestendig; iedereen kan ze installeren. Maar de sporen die naar de schermen toe leiden, zijn allemaal verschillend, maar dan wel op een identieke manier. Er zit een... ritme in. We hebben het over één enkele dirigent die het orkest leidt, daar zou ik mijn salaris om verwedden.'

'Dat is weinig verrassend,' merkte Michaels op.

Aan beide oevers van de rivierarm dook een stadje op. De twee helften van het doormidden gesneden stadje werden met elkaar verbonden door een ophaalbrug die nu voor de stroomafwaarts drijvende platbodem opdoemde. Verderop voeren een paar verweerde garnalenboten tegen de trage stroom in naar de brug. Vanaf de ophaalbrug klonk een waarschuwingshoorn en het middelste brugdeel ging als een oesterschelp omhoog. Achter de rood-wit gestreepte slagbomen kwam het wegverkeer aan beide zijden tot stilstand.

Michaels liep naar het roer aan bakboordzijde en startte de motoren, wuifde naar de brugwachter, gaf wat gas en stuurde de boot met enige spoed naar de andere kant van de rivierarm, uit de weg van de tegemoetkomende boten.

Achter hem zei Jay: 'Ze hebben de bruggen in dit scenario een tikkie laag gebouwd, hè?'

'Hij gooit hem niet open voor ons, maar voor die garnalenboten,' was Michaels' reactie.

In werkelijkheid betrof het hier een omleiding van multigigabytes aan informatie van het ene knooppunt naar een andere server, een omschakeloperatie die noodzakelijk was wanneer grote hoeveelheden data zonder onderbreking in grote brokken verplaatst moesten worden. De virtuele ophaalbrug benaderde de werkelijkheid zo goed als maar kon.

Zodra ze de brug en de vissersschuiten voorbij waren, stuurde Michaels de woonboot weer naar het midden van de rivier, zette de motoren uit en liet de boot op de stroom meedrijven. Hij liep terug naar de achtersteven. Normaliter zou hij meer aandacht besteden aan de vaargeul om zich heen, maar hij had onder meer juist dit scenario gekozen omdat de rechte en brede stukken van de waterweg niet zijn volle aandacht opeisten.

'We lopen de signatuur langs en zoeken naar overeenkomsten, maar er zijn wel honderdduizenden programmeurs,' zei Gridley.

'Waarbij je ervan uitgaat dat hij inderdaad een beroeps is en niet de een of andere begaafde amateur,' voegde Michaels eraan toe.

Gridley schudde zijn hoofd. 'Die vent móét wel een speler zijn. Criminelen gaan te schoon te werk om gewoon een jochie of een sukkel te zijn.'

Michaels knikte. 'Oké. Blijf zoeken. Is er nog iets wat ik moet weten?'

'Niet echt. We komen overal rovers tegen, op zoek naar meer narigheid. Ken je Tyrone Howard?'

'De zoon van de kolonel?'

'Ja. Ik sprak hem via netmail. Hij doet navraag bij zijn vrienden. Die zitten de hele tijd in de lucht, misschien dat hun iets opvalt. Hij en zijn maatjes trekken zelfs CyberNation na.'

'CyberNation?'

'Een nieuw VR-domein. Schijnt een heel land on line te zijn.'

'Klinkt interessant. Is dit iets waar we ons zorgen over moeten maken?'

'In de toekomst misschien, maar met onze huidige problemen heeft het volgens mij niets te maken. CyberNation bracht onze commandant niet om en ik denk ook niet dat ze schurken op het net om zeep helpen.'

'Dus wat ons probleem betreft...?'

'Tja. Als deze vent dezelfde set-up gebruikt als voorheen, zijn wij er als de kippen bij.'

'Maar jij gelooft niet dat hij dezelfde set-up gebruikt?'

'Neuh. Zou ik ook niet doen... en deze vent is bijna net zo goed als ik ben.'

Michaels lachte.

'Hé, het is anders best moeilijk bescheiden te blijven als je zo goed bent,' zei Gridley. Hij keek op zijn horloge. 'Oeps. Ik kan maar beter ophoepelen, over een halfuur heb ik een VR-stafvergadering. En met dit ding doe ik er waarschijnlijk twee keer zo lang over.' Hij gebaarde naar het groene rivierscheepje en knikte vervolgens opzij naar het moerassige water. 'Gelukkig was ik zo bijdehand mijn auto vlak om die volgende bocht te parkeren.'

Michaels gooide het touw op terwijl Gridley in het bootje klom en de buitenboordmotor startte.

'De groetjes allemaal!' brulde Gridley.

Alex keek hoe het jonge computergenie op de dichtstbijzijnde oever afstevende. Bij een klein dok stond een rode Viper-cabriolet geparkeerd. Gridley trok het bootje naar het dok en bond het aan een paal vast. Hij klom uit het vaartuig, draaide zich om en zwaaide naar de woonboot om vervolgens in de richting van de auto te lopen.

De vergadering van de terroristen had om 11:30 uur moeten beginnen, maar Howard had rekening gehouden met een extra twintig minuten voor eventuele laatkomers. Die extra tijd was nu verstreken. Er bevonden zich achttien man en drie vrouwen in het pakhuis en hoewel geen van hen openlijk een wapen had gedragen, had een aantal van hen een lange jas aan en waren minstens drie figuren verschenen met wat leek op een instrumentenkoffer voor een cello, een contrabas en een of ander blaasinstrument met een gigantische toeter, aan de vorm te zien vermoedelijk een tuba.

Howard zou stomverbaasd zijn geweest als die koffers inderdaad iets verborgen wat een musicus op het toneel gebruikte. Het was aannemelijker dat er pistolen, geweren en een raketwerper in zouden zitten, misschien zelfs een handvol granaten of andere explosieven. Aangezien dit de verzamelplaats was voor de aanval op de ambassade, was het beslist mogelijk dat er voor de komst van de terroristen al ander wapentuig in het pand verborgen lag.

De terroristen bevonden zich in een kantoor op de eerste verdieping van een klein en zo op het oog verder leegstaand pakhuis van één hoog. De begane grond was verlaten, op een wacht bij de zuidingang na. Howards verkenningsteam, aangevoerd door Fernandez, had bij aankomst een snelle inspectie uitgevoerd en vlak achter de grote metalen schuifdeur aan de zuidzijde van het gebouw de wacht ontdekt. Hoewel de stilste binnensluiper van het team met gemak via een andere ingang het pakhuis kon zijn binnengeglipt en bewakingsapparatuur kon hebben geïnstalleerd, wilde Howard liever geen risico lopen. Misschien hadden die beesten zelf wel een alarmsysteem geplaatst en hij had geen zin hen af te schrikken.

In plaats daarvan had hij zijn teams buiten het gebouw camera's, bewegingssensors en richtmicrofoons laten plaatsen, alsmede digitale radio- en IR-scanners. Iedere intrigant was bij het betreden van het pakhuis gefotografeerd en elke video-opname moest duidelijk genoeg zijn om hem of haar te identificeren mochten ze er op een andere manier in slagen om te ontsnappen.

Niet dat dat laatste erg denkbaar was.

Het was verleidelijk om zijn troepen het bevel te geven de bovendeur in te trappen, een paar flitsgranaten naar binnen te gooien en vervolgens iedereen die niet blind was en uit zijn oren bloedde en wel stom genoeg was om naar een wapen te grijpen neer te maaien, maar nee... toch maar niet. In plaats daarvan had hij zijn mannen rond het pakhuis opgesteld om elke mogelijke uitgang in de gaten te houden. Hij gaf er de voorkeur aan buiten geen kogel te verspillen, mocht het tot een vuurgevecht komen; maar hij was wel voorbereid op die mogelijkheid.

Nog steeds was er die ene wacht bij de enige niet afgesloten ingang.

'Sergeant.'

'Kolonel?'

'Denkt u dat een van onze sluipschutters die wacht kan uitschakelen zonder slapende honden wakker te maken?' Het was een retorische vraag. Howard wist al wie deze opdracht ging uitvoeren.

'Maar natuurlijk, kolonel, ik geloof zeker dat dat mogelijk is.'

'Laat dan maar eens zien, sergeant Fernandez.'

'Ik ben al weg, kolonel.'

'Jij? Ga jij? Een versleten, vermoeide ouwe zak als jij?'

De twee mannen grijnsden naar elkaar.

Vanuit zijn strategische positie in het gebouw aan de overkant van het steegje langs de zuidingang keek Howard toe hoe Fernandez de gesloten schuifdeur naderde. De sergeant leek geen wapen op zak te hebben, maar droeg slechts een donkere en vettige overall en een gehavende gele helm. Onder zijn arm had hij een oude blikken lunchtrommel die hij ergens moest hebben gebietst.

De richtmicrofoons pikten het geluid op van Fernandez' gefluit, zo te horen iets uit het *Zwanenmeer*. Hoe toepasselijk.

Met zijn vrije hand bonsde Fernandez op de deur.

Even later beukte hij nog eens. De deur werd nu als een trekharmonica ongeveer twee meter omhoog getrokken. De wacht stapte ongewapend in beeld, raffelde iets af of wat Howard niet begreep, maar dan op een vragende en ietwat geërgerde toon.

Fernandez zei iets terug en het klonk bekend.

Howard grijnsde. Als hij zich niet vergiste, had Fernandez de wacht zojuist gevraagd waar het herentoilet was. Voordat de man kon antwoorden, zei Fernandez nog iets korts en wees achter de wacht. Verbaasd draaide de man zich om en keek.

Van hem uit bekeken tactisch gesproken niet zo slim, dat omkijken. Fernandez haalde uit met zijn lunchtrommel die hard tegen de rechterslaap van de wacht sloeg. De man zeeg ineen alsof zijn benen plotseling verlamd waren. Fernandez zette zijn lunchtrommel neer, greep de bewusteloze man en sleepte hem het pakhuis binnen. Even later verscheen hij weer en gebaarde: kom maar binnen.

'Teams A en B, eropaf!' commandeerde Howard in het LOSIR tacti-sche communicatiesysteem dat hij droeg. Hij greep zijn H&K-geweer en sprintte nu zelf in de richting van de deur.

14

Maandag 20 september, 11:53 uur
Kiev

Vanaf het moment dat Julio Fernandez de bewaker knock-out sloeg tot aan het ogenblik waarop de twee invalsteams het pakhuis hadden weten binnen te dringen, waren er hooguit vijfenveertig seconden verstreken. Alles liep op rolletjes.

Nu was het wachten geblazen.

Er was een lift, maar de stroomonderbreker was gesaboteerd. De enige manier om van de eerste verdieping omlaag te kunnen, was via twee trappen. De uitgang bij een van de trappen beneden was vanaf de buitenkant vergrendeld. Leuk voor als er brand uitbrak... Howard nam geen risico en liet twee man de plek bewaken, met nog eens twee man op straat om de ramen in de gaten te houden. Hij stond niet toe dat er ook maar iemand naar buiten zou glippen. De andere trap was breed en recht, en de deur stond open. Zo waren ze dus naar boven gegaan en zo zouden ze ook weer naar beneden komen.

Hij positioneerde zijn mannen op zo'n manier dat ze van onder aan de trap gezien onzichtbaar waren. Iedereen diende zich gedeisd te houden totdat hij het signaal zou geven.

Aanvankelijk wilde hij zich in de overall van de bewusteloze bewaker hullen om zich onopvallend bij de voordeur te kunnen posteren, maar de sergeant fluisterde hem in dat hij met deze vermomming hoe dan ook door de mand zou vallen, tenzij die jongens natuurlijk écht kleurenblind waren...

'Goed, goed, dan doe jij het toch. Trouwens, wat zat er eigenlijk in die lunchtrommel waarmee je die vent om zijn oren sloeg?'

'Zes kilo aan loden munitie, strak verpakt in een leren zakje, kolonel. Soms werken primitieve middelen nog altijd het best.'

En dus liet Fernandez zich in de overall glijden en hield hij zijn gezicht verborgen in de schaduw. Zodra het gezelschap zou opbreken en de terroristen aanstalten zouden maken om te vertrekken, zou het lijken alsof beneden alles nog steeds in orde was.

Howard vond een plek achter een stapel houten kratten waarachter hij zich mooi kon verbergen. De spleten tussen de kratten waren groot genoeg om de onderkant van de trap te kunnen zien. Hij rook de geur van hars die hoorde bij het ruwe hout en de smeerolie van de machineonderdelen die de inhoud vormden. Om van zijn eigen angstzweet maar te zwijgen.

Zodra de meeste samenzweerders beneden waren, zouden ze in actie komen. Voor getrokken wapens hoefden ze niet bang te zijn, zo beredeneerde hij: ze zouden immers op het punt staan naar buiten te gaan. Het betekende dat ze slechts enkele seconden hadden om hun wapens te trekken, tenzij ze supersnel waren, zonder de kans te lopen flink op hun donder te krijgen. Ze zouden inzien dat ze waren betrapt en dat een tegenaanval zinloos was. Zo beredeneerde hij het. Geen doden, dat zou het mooiste zijn. Daarna konden de jongens van de verhoorkamer het overnemen.

Boven aan de trap klonken Russische stemmen, het konden ook Oekraïense stemmen zijn. Dit was het moment. Hij haalde diep adem.

Verknal het nou niet, John...

Maandag 20 september, 01:53 uur
San Diego

Ruzhyó zat rechtop in bed. Zijn hart bonkte in zijn keel. Ondanks de airconditioning in dit motel baadde hij in het zweet. De dekens lagen om zijn voeten geknoedeld.

Hij trapte ze van zich af, zwaaide zijn benen buitenboord en stond op. De kamer was donker, op een klein straaltje licht na dat via de nog net op een kier staande badkamerdeur naar binnen scheen. Krabbend over zijn klamme borsthaar sjokte hij erheen. Het was geen angst voor de duistere nacht die hem ertoe bracht het licht te laten branden, maar zijn gezonde verstand: door zijn nachtmerrie werd hij vaak verschillende keren per nacht wakker, en vaak in een kamer waarin hij nog nooit eerder had vertoefd. Om nu een fel licht te laten branden om gedesoriënteerd en wel toch de weg naar het toilet te vinden, leek... overdreven. Maar al die jaren van goedkope hotelkamers en snelle acties hadden hem zijn lesje geleerd: laat vlak bij het toilet altijd een lamp branden en laat de deur op een kier. Op deze manier wist je dat waar het licht was, de verlossing je toelachte. Als hij gelovig was geweest, zou hij er misschien een metaforische boodschap in hebben gezien, maar het geloof in een almachtig wezen, daarin voorzag Ruzhyó's ziel niet, mocht hij al over een ziel beschikken.

Geen enkele god die zijn naam waardig was, zou zijn Anna zo jong tot zich hebben genomen.

Afgezien van de spiegel boven de wastafel waren er ook nog spiegels tegenover en naast het toilet. Merkwaardige plekken om zulke dingen op te hangen. Wie kijkt er nu graag naar zichzelf terwijl hij op de wc zit? Het glas weerspiegelde zijn uiterlijk, dat hem altijd min of meer verraste aangezien hij niet al te veel tijd doorbracht met naar zichzelf staren. Afgaande op het oordeel van de spiegels oogde hij fit, gespierd, maar niet overdreven, met bruin haar – nu kortgeknipt – en licht grijzend bij de slapen. In elk geval een jonge veertiger, iets ouder misschien. En zijn ogen, hoewel nog wat slaperig, waren kil en doorleefd. Het waren ogen die al velen hadden zien sterven, toebehorend aan een man die een groot deel van deze sterfgevallen op zijn geweten had. Maar zijn methode was in elk geval snel. Hij liet zijn gewonde slachtoffers tenminste geen langzame, pijnlijke dood sterven.

In de tijd dat Anna nog leefde, was hij eigenlijk nooit zo introspectief. Was ook niet nodig, toen. Zij was altijd degene geweest die met de diepzinnige vragen kwam, om ze vaak genoeg ook zelf te beantwoorden. Te luisteren, te glimlachen en te knikken en haar aan het woord te laten, was voor hem al genoeg. Na haar dood was hij een tijdlang compleet afgestompt geweest. Zijn dagelijkse leven was rudimentair, slechts gericht op overleven. Hij wilde niet meer denken, voelen, herinneren. Pas later, toen de wond niet langer vers was maar nog slechts nadruppelde, had hij wat tijd nagedacht. Hij had zijn oude stiel weer opgepakt en hij was er nog steeds een meester in, maar het werk bevredigde hem niet langer. De trots waarmee hij zijn slachtoffers op vaardige wijze de dood in joeg, was flink afgenomen. Het was werk, meer niet. En hij zou ermee doorgaan totdat iemand hem voor zou zijn en hij het slachtoffer werd.

Hij was klaar met plassen, klapte het toiletdeksel neer zonder door te trekken en liep weer naar zijn gehuurde bed. Daar bleef hij nog lange tijd in het donker liggen, maar van slapen leek weinig te komen. Ten slotte stond hij op en knipte een lamp aan. Hij rekte zich uit, ging op de vloer liggen en deed wat buikspieroefeningen. Honderd keer, dan push-ups, ook honderd, dan opnieuw de buikspieren, en weer push-ups, net zolang totdat zelfs één keer opdrukken of overeind komen niet meer ging. Soms hielp het. Dan was hij moe genoeg om achterover te ploffen en uitgeput in slaap te vallen.

Maar soms was hij alleen maar bekaf en nog steeds wakker. Dat waren niet de leukste momenten.

Maar helaas ook niet de naarste.

Maandag 20 september, 11:54 uur
Kiev

'Nu!' riep Howard in zijn walkietalkie. Terwijl hij het zei, dook hij op van achter zijn schuilplek en bracht zijn geweer in schietpositie langs zijn heup. 'Geen beweging!' schreeuwde hij, daarbij de Oekraïense uitdrukking gebruikend die Fernandez hem had geleerd. En gedurende een seconde was dit ook precies wat er gebeurde. De terroristen in het souterrain, plus nog een paar laatkomers op de trap, bleven stokstijf staan, ongetwijfeld verbijsterd over het meer dan tien man sterke legertje dat, gehuld in overalls, nu met de wapens in de aanslag uit alle hoeken en gaten tevoorschijn kwam.

Opeens schreeuwde een van de terroristen iets. Het was duidelijk een vloek, ook al verstond Howard de woorden niet. De schreeuwerd trok razendsnel uit zijn jaszak een klein verchroomd pistool tevoorschijn...

Opeens klonken er twee doffe knallen: *pop-pop!* en iemand velde de pistoolschutter.

Het liep volledig uit de hand. Ook de meeste andere terroristen probeerden nu snel hun wapen te trekken.

Een van hen besefte dat dit zinloos was en schreeuwde *'Njet, njet...!'* Maar het was al te laat.

Howards instructies aan zijn mannen waren duidelijk geweest: pak hen levend, maar als er toch iemand de kogel moet krijgen, laat het dan vooral een ander zijn.

De tijd stond stil, seconden leken eindeloos te duren en Howard aanschouwde wat zich als gevolg van zijn vernauwde blikveld plotseling voor zijn ogen presenteerde, als een film in slowmotion met hem op de eerste rij. Zijn blikveld vernauwde zich, maar aan zijn oren mankeerde niets: zelfs te midden van alle schoten, een hels kabaal hier in deze afgesloten ruimte van het pakhuis, ving hij haarscherp het geschreeuw van de mannen en de repeterende geluiden op: *kabang*! *kabung*!, gevolgd door het getinkel van lege hulzen op de betonnen vloer. *Tink, tink-tink...*

... Een forse man met een baard trok uit zijn riem een pistool dat een Luger uit de Eerste Wereldoorlog kon zijn en bracht het ding omhoog, waarop een salvo uit een kleine mitrailleur een keurige horizontale rij van punten over zijn middenrif trok...

... en de man, al 'Nee!' in het Russisch schreeuwend, op de grond ineenzakte, de handen naar zijn hoofd bracht, een foetushouding aannam en zijn paniekerige kreet bleef herhalen...

... waarna de mannen op de trap weer naar boven vluchtten, terug naar waar ze vandaan gekomen waren...

... en een magere, kalende man die een voortand miste, een riotgun met afgezaagde loop, waarschijnlijk een .22, omhoogbracht en deze op Howard richtte. Diens blik was zo scherp, dat hij de ring op 's mans wijsvinger kon zien toen deze zich om de trekker spande...

Geen tijd meer om zijn eigen wapen te richten. In gedachte maakte Howard de dunne figuur tot een silhouet, richtte zijn wapen op hem alsof het een bajonet was en haalde de trekker over. Een-, twee-, driemaal schokte de grote karabijn in zijn armen. De terugslag deed het uiteinde van de loop bij het tweede en derde schot opveren. De eerste kogel trof de maagstreek, de tweede het strottenhoofd en de derde de bovenkant van de wijkende haargrens. Howard zag hoe deze laatste kogel het hoofd weer verliet, alsof een ballon gevuld met donkerrode vloeistof uiteenspatte.

Eén kogel zou al genoeg zijn geweest. Dat is namelijk het mooie van een .30 karabijn. Met een goede voltreffer schakel je een tegenstander volledig uit. Geen handwapen dat daar aan kan tippen, behalve dan 7,62 mm-kaliber. Jazeker...

De dunne zakte levenloos ineen en leek bijna een eeuwigheid nodig te hebben om de vloer te bereiken, landmassa's groeiden aan en kalfden af, mensen leefden en stierven, de tijd deed bergen eroderen...

Toen de man eindelijk plat op de grond lag, was de strijd voorbij.

Howard merkte dat zijn oren piepten en de stank van verbrand kruit prikkelde zijn neusgaten. Jezus!

Zijn manschappen kwamen in beweging en doken op de overlevende terroristen. Twee van hen hadden de trap weten te bereiken, niet wetende dat ook de overige uitgangen bewaakt werden. Met de handen omhoog kwamen ze nu de treden weer afgedaald. De schreeuwerd van zonet had het overleefd. Nadat de kruitdampen waren opgetrokken en er werd geteld, bleken negen van de eenentwintig terroristen te zijn gedood en zes gewond, waarvan twee zo ernstig dat de verplegers in het team weinig hoop hadden. De ambulance van het team was inmiddels al ter plaatse en ambulancepersoneel was druk bezig de lichamen en gewonden af te voeren. Van Howards team had niemand ook maar een schrammetje opgelopen.

Hijzelf had oog in oog gestaan met een man die hem wilde vermoorden, maar was hem voor geweest.

'Kolonel.' Het was Fernandez. 'Tijd om af te taaien.'

'Begrepen, sergeant.' Hij wierp een blik op zijn horloge. Nog niet eens twaalf uur. Ongelofelijk.

Volgens Hunter hadden ze nog ongeveer tien minuten voordat de plaatselijke autoriteiten zich niet langer van de domme konden houden en wel in actie móésten komen. 'Inpakken,' beval Howard zijn manschappen. 'O, enne... goed werk.'

Het leverde hem een paar vette grijnzen op, maar zijn adrenalinegehalte liep inmiddels al flink terug. Hij voelde zich moe, oud en plotseling depressief. Hij en zijn manschappen waren beter getraind, beter bewapend en hadden het verrassingselement aan hun zijde. Maar dit was geen strijd geweest. Deze zogenaamde terroristen hadden van meet af aan geen schijn van kans gehad, dit was een totale vernedering.

Hoe trots mocht je zijn als je een debat won van een idioot, je een sprint won van iemand in het gips? Niet echt dus.

Maar toch, hij had het niet verknald. En dat was tenminste iets.

15

Toni Fiorella oefende zich in *sempok* en *depok*, twee bewegingen waarmee je als vechter snel van een staande houding in een zithouding kunt komen, terwijl je je verdediging instandhoudt. Om ze goed te kunnen uitvoeren had je een goede balans en veel beenkracht nodig, en Toni probeerde ze altijd in haar training op te nemen om ze niet te verleren. Bij silat kwam flink wat voetentechniek kijken, maar heel snel vanuit zitstand overeind kunnen springen, was ook een onderdeel van de training. Het was wel zwaar voor je knieën.

Ze ademde zwaar en begon al behoorlijk te zweten toen Jesse Russell de sportzaal binnen kwam gelopen. Dit keer geen stretch, maar een verschoten zwarte joggingbroek, een oversized zwart T-shirt en gymschoenen.

'Hallo,' groette hij.

'Meneer Russell.'

'Alsjeblieft. Rusty.'

'Oké. Rusty.'

'Hoe, eh, noem ik je tijdens de les? Als gebaar van respect? Sensei? Sifu?'

'De term die wij voor leermeester gebruiken is "goeroe",' zei ze.

Hij glimlachte. 'Meen je dat nou?'

'Veel van de Indonesische cultuur komt van het vasteland, een beetje hindoeïsme en een beetje islam.'

Hij lachte.

Ze keek vreemd op.

Hij zei: 'Ik dacht net, hoe vertel ik dit tegen mijn vriend Harold. "Ik ben vandaag bij mijn goeroe geweest." "O, ja? Leer je mediteren of zo?" "Nou, eigenlijk leert ze me hoe ik iemand vreselijk in de vernieling kan trappen." '

Toni moest lachen. 'Meen je het serieus, Rusty? Wil je het echt leren?'

'Jazeker, mevrouw. Ik heb vijf jaar taekwondo-training achter de rug en ik weet bijna zeker dat ik mezelf in de meeste situaties wel red, maar het is toch vooral vechten op afstand, op armslengte. Maar dit bam!-recht-in-je-plaat-gedoe was voor mij een volslagen verrassing. Ik zou het dolgraag leren.'

'Oké. Er zijn drie dingen die je in je oren moet knopen: basis, hoek en hefboomwerking. En een van de basisprincipes draait om het innemen van de middelste lijn... je wilt de ruimte voor jouw hoofd en lichaam en die voor je tegenstander beheersen. Ik ga nu de eerste djuru demonstreren. Kijk goed naar me, dan kunnen we het straks analyseren.'

Hij knikte. 'Ja, mevrouw.'

Dinsdag 21 september, 12:00 uur
Quantico

Wanneer Alex Michaels de moeite nam te lunchen, at hij doorgaans aan zijn bureau. Zijn secretaresse nam dan zijn bestelling op en faxte die door naar de man van de broodjeswinkel, die het voedsel vlak na twaalf uur liet afleveren bij de receptie. Voordat de winkel als huisleverancier goedkeuring had gekregen, had Net Force zowel de achtergrond van de eigenaar, zijn vrouw en volwassen kinderen als die van de koerier nagetrokken. Tijdens de na de moordzaak geldende protocollen was het bij bestellingen van buiten zelfs zo dat een agent persoonlijk naar de winkel ging, daar wachtte en toekeek hoe het eten werd bereid. De beveiliging was dus streng, en terecht... waarom zou je de moeite nemen iemand dood te schieten als je zijn lunch kon vergiftigen?

Michaels had een voorliefde voor de Reuben-sandwich met aardappelsalade en de knapperige zure bom, in de lengte in vieren gesneden. Meestal bestelde hij dat.

De dagen dat hij er even uit moest, weg van kantoor, sloeg hij de bestelling en de cafetaria van Net Force over en ging hij naar RR, de nieuwe straat met restaurantjes, een paar kilometer verderop. Bij mooi weer nam hij zijn driewieler, een ligfiets met zestien versnellingen die hij in de overdekte fietsenstalling had staan.

Vandaag was het iets frisser weer dan het geweest was, niet meer zo warm en broeierig, een mooie dag om wat te pedaleren. Wettelijk was het toegestaan met de ligfiets de weg op te gaan, maar vanaf de rand van het hek naar RR lag een jogging- annex fietspad en hoewel twee keer zo lang was deze route veel fraaier en veiliger. De moord op Day was nu twee weken geleden en aangezien er geen aanslagen waren geweest op andere federale functionarissen – de rechtersvrouw die haar man tijdens een ruzie over diens vermeende buitenechtelijke verhouding met een viskom op zijn hoofd had gemept, even niet meegerekend – waren de protocollen inzake moord versoepeld. Nu was het in wezen een kwestie van oren en ogen openhouden en gold er niet langer een staat van paraatheid met lijfwachten en al, niet op zijn niveau tenminste.

In zijn kantoor schoot hij in hardloopschoenen, een korte broek en een T-shirt, propte zijn kicktaser en ook zijn legitimatiebewijs en virgil in een heuptasje en zette zijn fietshelm op. Hij liep naar buiten, naar de fietsenstalling, deed zijn ligfiets van het slot en reed hem de parkeerplaats op. Het ding had hem een half maandsalaris gekost, ook al was het dan tweedehands, maar hij genoot er met volle teugen van. In de laagste versnelling kon hij de steilste hellingen in de omgeving bedwingen, wat weliswaar niet veel zei, en op een vlakke weg zonder verkeer haalde hij met het zwaarste verzet bijna 65 kilometer per uur. Goed, misschien iets minder, maar hij had het gevoel alsof hij vloog. Het was een goede manier om de conditie een beetje op peil te houden op dagen dat hij niet jogde, en dat had hij de laatste tijd niet veel gedaan. Zodra hij het echt druk kreeg, schoot het trainen er doorgaans als eerste bij in. Het was gemakkelijk dit verstandelijk te verklaren... hij kon altijd later nog gaan rennen of zich aan de boksbal vergrijpen, toch?

Hij nam plaats op het lage zadel, stopte zijn voeten in de toeclips en trok zijn wielrenhandschoenen aan. Hij pakte het stuur. Hij voelde zich wat slapjes en was van plan er vandaag eens flink aan te trekken. De lunch was eigenlijk meer een excuus om er even tussenuit te knijpen, want meer dan een frisdrankje zat er vermoedelijk niet in.

Hij meldde zich af bij de poort en reed naar het fietspad.

Hij bleef in een vrij hoge versnelling rijden, hoewel het met deze lage snelheid zwaar fietsen was. De versnelling zat op het frame naast zijn rechterheup gemonteerd en hij kon gemakkelijk terugschakelen als het te zwaar werd.

Hij passeerde een paar mensen die hij kende van de basis, ze waren aan het joggen tijdens hun lunchuurtje, en hij zwaaide of knikte naar hen. Nu reed hij achter een jonge vrouw in een rood topje van het merk Speedo en bijpassend, zeer nauwsluitend kort broekje waaraan een heuptasje hing; ze liep in een behoorlijk tempo in dezelfde richting als hij. Ze was geweldig in vorm. Hij bewonderde de bewegingen van haar strakke benen en achterwerk. In het voorbijgaan keek hij nog eens goed in zijn achteruitkijkspiegeltje, maar het gezicht herkende hij niet. Er waren hier zoveel mensen, ze kon marinier zijn, een van de nieuwe FBI-rekruten, misschien iemand van kantoor. Of misschien woonde ze in de stad en was ze alweer op weg naar huis.

De gevoelens voor zijn vrouw – éx-vrouw – ten spijt, had hij de laatste tijd een paar keer een gevoel van opwinding ervaren dat lichaamsbeweging en veel overwerken, of spelen met de Prowler, niet helemaal konden wegnemen.

Hij zuchtte, schakelde naar een hogere versnelling en begon harder te trappen. Vroeger of later moest hij toch weer eens een duik wagen. Voor de rest van zijn leven verdergaan als monnik, dat zag hij toch niet zo zitten. Maar het leek nog niet helemaal juist. Hij was de handigheid kwijt – en het idee een vrouw uit te vragen, enfin, zover was hij nog niet.

Het pad – mooi, glad asfalt – slingerde zich door een klein stuk loofbos. De bladeren verschoten van groene naar gele en gouden tinten, en het pad voerde vervolgens langs de achterkant van een nieuw bedrijventerrein, waar hoofdzakelijk kantoorgebouwen en pakhuizen van groothandelaren stonden. Een donkerrood geschilderde vorkheftruck met achterop een grote zilverkleurige propaangastank vervoerde toeterend een stapel houten pallets naar een grotere stapel naast het hekwerk van harmonicagaas. De motor van de heftruck ronkte nu de bestuurder zijn lading vakkundig liet zakken en achteruitreed.

Michaels glimlachte. Toen hij nog op de middelbare school zat, had hij ook eens een zomer op zo'n ding gezeten. Het was in een pakhuis waar aluminium opgeslagen lag. Hij moest platen en staven overhevelen naar grote diepladers. Het was in wezen een vrij eenvoudig klusje, als je er eenmaal handigheid in had. Híér pikte je het op en dáár zette je het neer, en het enige waar je op moest letten was dat je niet het hele zootje liet vallen. Wanneer je een paar duizend pond van dat aluminium van je vorken liet glijden, maakte dat een vreselijke klereherrie, en zodra je dat liet gebeuren, liet het gros van de kerels in het pakhuis hun werk liggen om je op een applaus te trakteren. Het was net alsof je in de schoolkantine een bord op de grond liet flikkeren.

Het was waar wat ze zeiden: het leven was als de middelbare school, alleen groter.

Hij kwam op het lange rechte stuk, een meter of achthonderd voor de volgende bocht, en schakelde naar zijn hoogste versnelling. Hij duwde en trok hard aan de pedalen, want de toeclips maakten het hem mogelijk in beide richtingen druk uit te oefenen. Zijn benen hadden slechts een paar honderd meter nodig om lekker warm te draaien, en halverwege het rechte eind begonnen zijn dijbenen en hamstrings goed op temperatuur te komen. Hij keek op zijn snelheidsmeter. Drieënvijftig. Niet slecht. Hij had het windschermpje geplaatst, maar zolang hij niet de hele racekuip had gemonteerd, zou hij in deze zithouding en met slechts een beetje achteroverleunen, door de luchtweerstand niet veel harder kunnen gaan.

Hij passeerde een wielrenner die een constante maar lagere snelheid aanhield. De jongen droeg een paars-met-gele wieleruitrusting, en zijn racefiets was zo'n Zwitsers ding met een frame van carbon dat zeker twee keer zo duur was als zijn ligfiets. Op het moment dat Michaels hem passeerde, zwaaide de jongen. Die was waarschijnlijk bezig aan een rit van vijfenzestig of tachtig kilometer en bewaarde het sprintje voor het laatst. En zelfs na die afstand wist Michaels dat hij hem niet zou kunnen bijhouden als hij een serieuze wielrenner was. Die gasten waren allemaal gek.

Zijn benen begonnen al behoorlijk te verzuren, maar hij bleef flink doortrappen en hield vol. Op ongeveer honderdvijftig meter voor de bocht nam hij gas terug, minderde vaart, remde een beetje bij en hing al in de bocht. Jammer, weinig verkanting hier. Een paar graden meer en hij had er met volle snelheid doorheen kunnen gaan, maar hij nam aan dat de projectontwikkelaars niet wilden dat wandelaars of hardlopers langs de helling naar beneden gleden als het pad nat werd. Van tijd tot tijd regende het hier namelijk.

Het was goed om er eens uit te zijn, om eens met zijn lichaam bezig te zijn. Hij besloot het wat vaker te gaan doen.

Dinsdag 21 september, 12:09 uur
Quantico

Zodra het doelwit op zijn ligfiets uit het zicht verdwenen was, vertraagde de Selkie haar pas tot wandeltempo. Hij had haar natuurlijk gezien en gegeven het feit dat hij een 'gezonde jongen' was, zou ze hem zeker zijn opgevallen in haar strakke, rode korte broekje. Ze was in buitengewoon goede vorm en hoewel hardlopen niet haar geliefde manier was om dat zo te houden, kon ze het indien nodig een paar kilometer volhouden zonder in elkaar te storten.

Dat het doelwit haar gezien had en zeer waarschijnlijk naar haar kont had gestaard, wilde niets zeggen. In deze outfit zou hij haar niet meer zien.

Ze had hem daarstraks zo kunnen vermoorden. Met gemak had ze de .38 S&W-revolver met korte loop uit haar heuptasje kunnen halen en alle vijf kogels in zijn rug kunnen jagen toen hij nietsvermoedend langs zoefde. Ze had hem van zijn ligfiets kunnen knallen, herladen, rustig wachten tot hij weer stillag om er vervolgens nog een paar in het hoofd te pompen. Zelfs met een getuige – en die was er dus niet – was het onwaarschijnlijk dat iemand in staat zou zijn geweest haar tegen te houden. Ze was bedreven met de Smith en ondanks de korte loop en het gebrekkige vizier kon ze er een NRA-Expert mee aan of gelijke tred houden met IPSC-gevechtsschutters en hun opgevoerde pistolen in hun gevechtsscenario's. Dit was haar gereedschap en zij kon er het best mee overweg.

Maar dergelijke moorden waren... onelegant. Iedereen kon wel een wapen richten en erop los knallen, maar voor een ervaren schutter was daar geen lol aan. Natuurlijk, de wensen van de klant gingen voor alles. Sommigen wilden dat iedereen wist dat het doelwit om zeep was gebracht, het liefst zo bloederig mogelijk, en een aantal onder hen wilde zelfs een aandenken, een vinger, een oor of een normaliter minder zichtbaar aanhangsel. Ze martelde niet en ze nam geen haastklussen aan, maar als de klant een anatomisch bewijs wenste dat het doelwit heengegaan was, zou zij daarvoor zorgen. Mensen die daarnaar vroegen, kwamen doorgaans niet nog eens bij haar terug, klanten die lichaamsdelen wilden om in een potje te stoppen, werden door anderen algauw met de nek aangekeken en kwamen zelf ook snel in noodlottige problemen.

Ze knikte naar een jogger die uit de andere richting kwam, maar maakte geen oogcontact.

Goede moordenaars schakelden hun doelwit uit en maakten dat ze wegkwamen.

De beste moordenaars konden hun doelwit uitschakelen en het zo regelen dat niemand zelfs het vermoeden koesterde dat zich een moord had vóórgedaan. Daar haalde je veel meer bevrediging uit. Hoe dit doelwit moest sterven, daarvoor had ze geen instructies gekregen. Ze speelde met de gedachte om het te doen voorkomen als een natuurlijke oorzaak of misschien zelfmoord. Zij was de baas, het was haar keus.

Altijd.

16

De zoemer ging en Tyrone Howard ging op in de meute leerlingen die nu de groezelige groene gangen van de Eisenhower middelbare school in stroomden. Voor hem zag hij hoe Sean Hughes zich van achteren op een medeleerling stortte en hem ruw opzij duwde. De jongen klapte hard tegen de metalen kastjes, herstelde zich, wilde iets zeggen, maar veranderde van gedachten toen hij zag wie de onverlaat was.

Heel tactisch.

Tyrone vertraagde zijn pas om vooral niet te dicht in de buurt te komen. Hughes was een beest van ruim negentig kilo, ruim een meter tachtig en met zijn vijftien jaar twee jaar ouder dan de meesten van zijn klasgenoten. Hughes was een dumbo, eentje die al minstens tweemaal was blijven zitten, zomercursussen en privé-lessen ten spijt, en genoot van het jennen van iedereen die meer hersens had dan hij, wat neerkwam op zo'n beetje alle leerlingen van de hele school, met uitzondering van de ZM'ers, de zwakke middenmoters. En ook daartussen konden best een paar figuren zitten die slimmer waren dan hijzelf. Hughes had een bijnaam, maar niemand had hem die ooit recht in zijn gezicht geuit.

'D.D.T. is weer lekker bezig, hè?'

Tyrone draaide zijn hoofd naar links, en staarde recht in het grijnzende gezicht van James Joseph Hatfield.

'D.D.T.' stond voor De Dikke Tiran, dat op zijn beurt weer van Tyrannosaurus Rex kwam, zoals de binaire binkjes van de school hem noemden. Hij wist niet wie de laatste versie had verzonnen, maar hij was helemaal raak. Die Hughes had inderdaad het verstand en de gratie van een grote dino onder invloed in een porseleinkast.

Jimmy-Joe was een heikneuter uit West-Virginia: klein en zó wit dat hij licht gaf in het donker, en met ogen die zo slecht waren dat hij alleen nog maar jampotglazen kon dragen in plaats van lenzen. Afgezien daarvan was hij een van de beste netsurfers van de hele school en hij was de eerste geweest die het snelst de eerste tien niveaus van de Zwarte Nevelen van de Totale Rampzaligheid had bereikt, en niet alleen op school maar overál. Bovendien was hij Tyrones beste vriend.

'Hé, Jimmy-Joe, hoe gaat ie zo?'

'Bé, vé, el, Tyrone.' Ofwel: de bytes vloeien lekker.

'Luister, ik heb met Jay Gee gesproken. Hij heeft onze hulp nodig,' begon Tyrone.

'Jay Gee heeft ónze hulp nodig? Ai, problemos.'

'Nee,' antwoordde Tyrone. 'Iemand is aan het zieken.'

'Ja, dat weet m'n grote teen al duizend jaar. Er is altíjd wel iemand aan het zieken.'

'*Roger*, maar dit is andere koek. Een of ander C1-programmeurtje is bezig het hele net te saboteren.'

'Geen fake?'

'Geen fake.'

Jimmy-Joe schudde zijn hoofd. 'Oogjes open, motorduivel. Als Jay Gee hem niet kan pakken, hoe kunnen wij dat dan?'

Daar zat wat in. Jay Gridleys reputatie onder het binaire binkenvolk was groot.

'Wij hebben links die hij niet scant,' opperde Tyrone. 'We kunnen backlinen, wat boemelen, dat soort dingetjes.'

'O, ja, tik ik zo in. Geen problemo. Ik kan die American On-liners wel even afknijpen, scheidslijntjes genereren en deduceren, wat gehuchtjes surfen, een filtertje bouwen. We kunnen wat dobbertjes uitzetten. Ik ken een paar gasten die in CyberNation rondhangen, daar hebben ze een paar aardige netten. Ooit wel eens gedacht je aan te melden, bij CyberNation bedoel ik?'

'Ik zie m'n ouweheer al een hartverlamming krijgen.'

'Inderdaad. Bij die van mij zouden de stoppen ook finaal door-slaan, maar het ziet er wel naar uit dat dát de plek wordt waar je moet wezen. Maar ja, dit wordt voor ons gewoon te heet onder de voetjes: wij, surfen met Jay Gee.'

'Ja...'

Tyrone botste opeens tegen een muur. Alleen was het geen muur, maar D.D.T.

'Uitkijken, slapjanus!'

Tyrone deinsde twee stappen achteruit. En snel. Hij had niet opge-let. D.D.T. was waarschijnlijk vergeten waar hij zich ook al weer bevond en was even gestopt met lopen om het uit te vogelen. Dom. Maar lang niet zo dom als tegen zijn rug aan knallen!

'Sorry,' zei Tyrone.

'Zal best,' begon D.D.T. 'Ik zal je tandjes eens je strot in laten mar-cheren, worstvinger...!'

Maar voordat hij zijn dreigement kon afmaken, werd hij gepasseerd door Belladonna Wright en kreeg hij een golf van haar zoete, sexy parfum in zijn neus.

Van verbaal gericht werd D.D.T. opeens pikgericht. Hij draaide zich om om – net als Tyrone – Bella na te staren. En wie kon hun ongelijk geven? Ze mocht immers gezien worden in haar groene microrokje en haltertopje, heupwiegend op haar kurken plateauzolen. Een klas hoger en de mooiste meid van Washington D.C. Zeker weten. Bij haar maakte D.D.T. net zoveel kans als dat hij de wiskundeolympiade won, wat hem er echter niet van weerhield zijn ogen de kost te geven. Bella zat inmiddels muurvast aan Herbie 'Bottenbreker' LeMott, de aanvoerder van het worstelteam van de school. Hij was een ouderejaars en naast hém was D.D.T. op zijn beurt weer een kleine jongen. Zo was Theo Hatcher ooit stiekem op Bella af geslopen om 'per ongeluk' zijn hand op haar achterste te leggen, en had daarna zes weken met zijn arm in het gips gelopen. Een actie van LeMott. Bella kon iedere jongen op school breken en zelfs D.D.T. wist dat: daarvoor hoefde ze maar twee woordjes in het oor van de Bottenbreker te fluisteren.

Jimmy-Joe greep Tyrone bij de arm en dirigeerde hem de tegengestelde richting in. 'Gassen! Gás, gás, bikertje! Zodra die z'n hersens weer on line heeft, moeten wij ergens anders aan het scannen zijn!'

Tyrone begreep de boodschap, dit kon hij wel degelijk processen. No problemo. Toch voelde hij zich pissig. Het was nog te vroeg om te sterven, maar op een goede dag moest hij toch iets aan het D.D.T.-probleem doen.

Maar wát dan en hóé? Kijk, dat waren de problemen.

Woensdag 22 september, 06:00 uur
San Diego

Ruzhyó had weinig met televisie, hoewel hij soms de internationale nieuwsuitzendingen volgde om te zien of er nog iets over zijn thuisland werd gemeld. CNN dreutelde op de achtergrond, terwijl hij koffiezette met het kleine apparaatje van het hotel. De koffie was muf en flauw, maar het was beter dan niets.

Ook dit was een zware nacht vol dromen geweest. Nadat het hem was gelukt een uurtje of twee de slaap te vatten, was hij opnieuw wakker geworden in de wetenschap dat het zinloos was om een nieuwe poging te doen. In het leger had hij ooit een man gekend die, zo ging het verhaal, kon slapen terwijl hij een kom hete soep at. Ruzhyó was er minder bedreven in, maar had als soldaat wel geleerd om met een minimum aan slaap te overleven door hier en daar een uiltje te knappen wanneer dat kon. Twee uur slaap was voldoende om een hele dag te kunnen doorkomen.

Hij pakte zijn koffie en liep naar de tv.

In Idaho had de een of andere sekte zich in een boerenschuur verschanst en deze in brand gestoken. Zo konden ze zich van hun vleselijke omhulling bevrijden en zich bij hun god voegen. Over hoe vrij ze nu zouden zijn, daarover kon hij niet oordelen, maar aan de foto's te zien zat het met dat 'vleselijke' wel snor, gebraden en al.

In Frankrijk hadden studentendemonstranten buiten voor een hotel waar de president een toespraak zou houden een politiekordon aangevallen. Negen demonstranten moesten met verwondingen, veroorzaakt door rubberen kogels, naar het ziekenhuis worden afgevoerd; twee anderen overleden als gevolg van dezelfde oorzaak.

In India had een overstroming aan tweehonderd mensen en ontelbare heilige koeien het leven gekost, en had verscheidene dorpen weggespoeld.

In Japan werden bij een aardbeving op het eiland Kyushu 89 mensen gedood door instortende gebouwen en liep de hoofdstad Kagoshima grote schade op. Tijdens de beving ontspoorde tevens de nieuwe bullet-trein toen het traject, dat het eiland doorkruiste, vlak voor de ogen van de machinist opeens zes meter omlaag zakte waardoor zestig mensen omkwamen en meer dan driehonderd gewond raakten.

Over Tsjetsjenië had CNN niets te melden.

Ruzhyó nipte aan zijn smakeloze koffie en schudde zijn hoofd. Met al deze ellende was het eigenlijk maar goed ook dat er geen nieuws van thuis was. De wereld was gevaarlijk. Vandaag zouden er over de hele wereld mensen treuren om het verlies van familie of vrienden als gevolg van ongelukken, ziekten of moorden. Op de zeldzame momenten dat hij bedenkingen kreeg over het soort werk dat hij deed, hoefde hij alleen maar even tv te kijken, een blik in de krant te werpen of gewoon een paar woorden met iemand te wisselen en hij was weer genezen. Stel dat hij iemand het leven benam, dat maakte dan uiteindelijk toch helemaal niets uit, of wel soms?

Zijn verbindingsapparaat piepte. Hij nam nog een teug van zijn koffie en staarde naar het apparaat. Nee, het maakte totaal geen verschil. En maar goed ook, want er zat duidelijk meer werk in de pijplijn.

Woensdag 22 september, 16:45 uur
Washington D.C.

Op een zweetband om het hoofd na, zat de Selkie naakt aan het kleine keukentafeltje en bestudeerde haar stok.

Ze controleerde het hout op deukjes en splinters. Om de paar maanden ging ze de stok te lijf met fijn schuurpapier en Watco satijnolie om het toch al gladde hickoryhout extra glad en glimmend te maken. Het hout mocht dan wel hard zijn, er zaten zo krasjes op en ze vond het mooi als het ding helemaal glom. De fabriek adviseerde minerale olie te gebruiken, maar Watco gaf een betere bescherming. Rook ook lekkerder, trouwens.

Wilde je het goed doen, dan was je wel een paar uurtjes bezig, vooral met dat schuren en zo, maar een van de eerste dingen die ze van haar vader had geleerd, was om goed voor haar gereedschap te zorgen zodat het haar niet in de steek zou laten. De vervaardigers van deze houten wapens hadden prachtwerk verricht. Ze bezat vijf van deze stokken, in drie verschillende uitvoeringen, plus nog twee paar escrima-stokken en twee speciaal vervaardigde jawara-stokken van achttien centimeter.

Haar lievelingsstok voor situaties waarin ze geen wapen op zak had, was het Custom Combat-model. Deze was van blank hickoryhout, vierennegentig centimeter lang, met een rond middenstuk van iets meer dan tweeënhalve centimeter dik; verder bovenaan een grote kromming die eindigde in een soort flamingosnavel. Voor straatgebruik ging er niets boven hickoryhout. Het was zwaarder dan de wedstrijdmodellen van walnotenhout, robuuster dan eikenhout.

Het eind van de kromme – het heft – was scherp en venijnig genoeg om flink wat leed mee te veroorzaken. De stok eindigde van onderen in een stompe ronde punt, totaal niet opvallend en met de rubberen dop op zijn plek perfect te gebruiken als een wandelstok. Vlak onder de kromming waren wat decoratieve inkepingen gemaakt om als handgreep te dienen.

Maar die stok stond thuis. Het exemplaar dat ze nu inspecteerde, het Instructors-model, was bijna identiek aan het Combat-model, met dezelfde lengte en diameter, alleen de kromming was iets breder en het heft iets ronder in plaats van platter. Deze leek veel meer op het soort stok dat een oude vrouw gebruikt om mee rond te hobbelen. Je had er immers niets aan als de een of andere gretige agent het puntige heft zou zien en zou denken: maar omaatje, wat hebt u toch een scherpe stok...?

Het wapen zag er goed uit zo en dus verliet de Selkie de keuken en slenterde ze naakt naar de woonkamer van haar gehuurde appartement waar ze haar oefendoelwit had opgesteld. Dit bestond uit een aluminiumstaaf van ongeveer vier centimeter dik met aan één uiteinde een ringbout. De staaf was omwikkeld met biogel, hetzelfde spul als waarmee je zadels van racefietsen en de instap van joggingschoenen kon verzachten. Deze gel was weer omwikkeld met zeemleer dat met gaffatape stevig op zijn plaats werd gehouden. Niet echt hetzelfde als vlees en botten, maar voor haar doel goed genoeg. Thuis had ze een *wing chun*-oefendummy staan, met hetzelfde omhulsel zodat ze alle aanvalshoeken kon oefenen, met wapens, voeten of handen. Maar onderweg moest je nu eenmaal improviseren.

Plotseling zag ze zich in gedachten met haar bagage bij een incheckbalie bezig een wing chun-dummy in te checken en ze grijnsde toen ze de reacties al voor zich zag.

Vanuit de oogbout liep een dunne nylondraad naar een tweede oog dat ze in het plafond had geschroefd. Het andere uiteinde was bevestigd aan de deurknop. Op deze manier kon ze haar doelwit op elke gewenste hoogte takelen. Nu bevond dit zich op kniehoogte. Voor een stok vormden knieën een dankbaar doelwit. Met een gebroken knie bleef er van de vechtstijl van een tegenstander weinig meer over.

Ze manoeuvreerde zich binnen bereik van haar doelwit, zuiverde haar longen met verse lucht en nam haar beginpositie aan: de stok vóór haar, met de punt op de grond en beide handen om het kromme handvat. Ze wist dat ze zo flink de aandacht zou trekken, ware het niet dat de gordijnen dicht waren: een naakte vrouw met een stok voor haar kruis in het midden van een kamer waarin alleen een vreemd voorwerp was dat aan het plafond hing... Ze grijnsde. Zo deed ze het het liefst, naakt, het gaf haar zo'n oergevoel.

Ze zuiverde haar geest. Wacht. Wacht...

Met een korte zwiep bracht ze de stok omhoog, ze liet haar rechterhand naar het midden van de stok glijden om de stok naar zijn doel te leiden en greep met haar linkerhand het geribbelde handvat om de stok meer vaart te geven.

De solide tik van het hout op het beklede metaal voelde zeer goed aan. Een mooie treffer.

Ze zwaaide nu met haar stok, trof het doelwit met de kromming, trok het doelwit naar zich toe, liet de stok rondzwiepen zodat de beklede staaf van de andere kant werd geraakt.

De volgende treffer: het doelwit bleef plotseling doodstil hangen. Doodstil.

Yes!

Ze trok de stok terug, hield hem vast als een biljartkeu en stootte de punt naar voren. Ze raakte het doelwit hoog waardoor het naar achteren sloeg.

Gelukt.

Het was gewoon een kwestie van oefenen, maar toch. De Selkie ging helemaal op in haar spel, een dodelijk spel.

Een opwindender spel bestond niet.

17

Maandag 27 september, 15:00 uur
Maintenon (Frankrijk)

Plekhanov zat in een oude, stenen Franse klokkentoren met een Mauser geweer, model 1898, dwars over de knieën. Het wapen woog ongeveer vierenhalve kilo, was accuraat, vuurde de 7,92 mm patronen in rap tempo af en was afgemonteerd met een M73B1 telescoopvizier dat hoorde bij een geweer uit die tijd. Hoewel het vizier van Amerikaanse makelij was en vooral op de Springfield 1903 gebruikt werd, had een deel van de optiek zijn weg naar Duitsland gevonden. Dit was ietwat ironisch, gezien het doel waarvoor ze gebruikt waren. De lange grendel maakte het mechaniek van het geweer eigenlijk traag om te bedienen en er gingen slechts vijf patronen in het trommelmagazijn, maar het bereik zou voldoende zijn om genoeg tijd te geven voor een ontsnapping.

De spitse kerktoren was het hoogste punt in het pittoreske en naamloze gehucht iets ten zuidwesten van Maintenon en bood een goed zicht op de naderende legertroepen. Het AEF – het Amerikaanse expeditieleger – had zich pas laat bij de Grote Oorlog gevoegd, maar ze waren er nu en zouden het tij helpen keren. De laatste paar stormen waren heuse stortregens geweest.

Plekhanov keek toe hoe een van hun brigades door de modderige velden ploeterde.

De Amerikanen werden vergezeld door een veeltalige, gecombineerde eenheid bestaande uit Russische, Servische, Tsjechische, Koreaanse, Japanse, Thaise, Chinese en Indiase manschappen.

Hij zette zijn gedeukte helm af, streek met een hand door zijn bezwete haar en grijnsde. De historische nauwkeurigheid schoot een beetje tekort in dit scenario, want in de Eerste Wereldoorlog had niet één oosters land in dit gebied soldaten rondlopen, dit ondanks het feit dat Japan en China beschouwd werden als bondgenoten van de westerse Europeanen die tegen Duitsland streden. Er waren beslist geen Koreanen of Thailanders – destijds nog Siamezen – bij geweest, Indiërs evenmin, tenzij de Britten misschien een paar Gurka's of Bengaalse lansiers tussen hun troepen hadden gestrooid. De Britten waren vreemde vogels, dus hij nam aan dat

dat wel eens heel goed mogelijk kon zijn geweest. Zijn research was minder doorwrocht dan het had kunnen zijn, gewoon omdat het niet echt nodig was. Wel had hij tijdens het schrijven van de software een stuk gelezen over hoe diep beledigd de Britten waren geweest toen de nabob van Bengalen, ene Suraj-ud-Dowlah, in 1757 Calcutta plunderde. Na de veldslag had de inheemse vorst 146 gevangengenomen Britten in een kleine, bloedhete ruimte bij Fort William samengedreven. Toen ze de volgende dag vrij werden gelaten, leefden er nog maar 23; de rest was gestorven, de meesten bevangen door de hitte. Zo was het beruchte 'Zwarte Gat van Calcutta' ontstaan...

Voorzichtig, ouwe jongen, je dwaalt af. Hou je hoofd er nu even goed bij.

Plekhanov zette zijn helm weer op, ging even verzitten op het lege wijnvat en plaatste het geweer op de richel onder de torenopening. Hij had voor het wandelscenario kunnen kiezen, maar aangezien hij hier zelf het heft in handen nam – hij kon deze klus aan niemand toevertrouwen – vond hij dat actievere beelden toepasselijker waren. Een Duitse sluipschutter die van lange afstand vijandelijke troepen afknalde, leek bijzonder gepast. Poëtisch zelfs.

Hij laadde een patroon, bracht een tamelijk dikke Amerikaanse officier voor zijn vizier die, ondanks zijn uniform, een karikatuur leek van een effectenmakelaar op Wall Street. Zelfs met dit optische hulpmiddel was het doelwit op bijna tweehonderd meter in de verte nog altijd behoorlijk klein. Het vizier was ingesteld op honderd meter, dus hij richtte iets hoger, op het hoofd, om de lichte daling van de kogel te compenseren. Hij hield de adem in, spande zijn vinger om de trekker en...

---

in New York stuurde een aan de centrale bank gelieerde valutacomputer kopieën van alle gebruikerscodes naar elke verbonden terminal...

Al op het moment dat de dikke Amerikaan met een kogel diep in zijn borstkas ineenzakte, herlaadde Plekhanov zijn wapen en koos een nieuw doelwit.

Kijk, daar had je die Wit-Rus, met de sabel in de hand, zijn manschappen aanvoerend. Plekhanov nam de keel van de man op de korrel, hield zijn adem weer even in, vuurde...

---

in Moskou vond een storing plaats in het computersysteem dat verantwoordelijk was voor het evenwicht van

handelsstatistieken met het Europese gemenebest waarna het hele systeem uitviel...

En daar had je de Koreaanse officier die zijn best deed zijn troepen
dekking te laten zoeken. Plekhanov haalde de grendel van zijn
geweer over, wierp weer een gebruikte huls uit en laadde de volgende patroon. Vaarwel, meneer Kim...

bij fabrikant Kim Electronics in seoel werd een kleine
instelling gewijzigd in de machine die de computerchips
voor het nieuwe powerextreme mainframe aanmaakt,
niet opvallend genoeg om te worden opgemerkt door de
operateurs maar wel genoeg om bepaalde paden in de
elektronica van de siliciumchips te veranderen. Het
virus had een tijdslimiet, dus de oude instellingen zouden later terugkeren, maar intussen zouden een dui-
zendtal chips zijn aangetast waardoor de zeer dure
aansturingssystemen veranderd zouden zijn in elektronische tijdbommen die elk moment af konden gaan...

En hier op de modderige Franse bodem zocht een Indiër naar een
schuilplek. Het spijt me, Punjabi, bruinjoekel die je d'r bent, maar
daar vind je geen dekking...

in het onlangs geïnstalleerde computerverkeerssys-
teem in Bombay zijn de drievoudig beveiligde stroomre-
lais doorgeslagen. alle tweehonderd van hieruit
gestuurde verkeerslichten sprongen op groen, alsmede
alle seinen voor zowel passagiers- als vrachttreinen en
alle signalen bij spoorwegovergangen...

Hij had nu nog één kogel over. Die moest hij gebruiken voordat ze
te dichtbij kwamen. Zijn doelwit had hij al uitgekozen. Plekhanov
zwaaide de loop naar rechts. De Siamese commandant had een pistool en vuurde er wild mee om zich heen. Van die afstand zou hij
Plekhanov nooit kunnen raken, of misschien per ongeluk als hij
hem zág, wat niet het geval was. Maar toch, het loonde de moeite
om voorzichtig te zijn; Plekhanov herinnerde zich de laatste woorden van de Amerikaanse generaal John Sedgwick toen deze sprak
over de scherpschutters van de geconfedereerden tijdens de Slag
van Spotsylvania gedurende de Burgeroorlog: 'Ze konden van die
afstand nog niet eens een olifant raken...'

Plekhanov grijnsde.
Richten. Overhalen...

---

op de een of andere manier werd de persoonlijke por-
noverzameling van de Thaise minister-president, waarvan de meeste opnamen hem herkenbaar lieten zien in
seksueel samenzijn met vrouwen die niet zijn echtgenote zijn – plus enkele met háár in een soortgelijk samenzijn –, van zijn huiscomputer doorverzonden naar het
mainframe van de Zuidoost-Aziatische nieuwsdienst.
Vervolgens verschenen om het uur twee van deze
foto's in de uitzending van SEANS netnews, in plaats van
de normaal geprogrammeerde beelden.

Plekhanov richtte zich op van de Mauser. Een olieachtige rooksliert
kringelde uit de mond van het geweer, vergezeld van de geur van
kruitdamp. Daarbeneden en nog altijd honderd meter ver liepen de
vijandelijke soldaten in paniek rond om zich vervolgens op de
grond te werpen en naar doelwitten te zoeken. Een aantal van hen
beantwoordde het vuur, maar niet één kogel kwam ook maar bij
hem in de buurt.
Genoeg schade voor vandaag. Hij zwaaide het geweer bij de riem
om zijn schouder en liep naar de trappen van de klokkentoren.

Maandag 27 september, 08:11 uur
Quantico

Waar Jay Gridley zich ook op het net bevond, overal hoorde hij gillende sirenes. De virtuele snelwegen waren bezaaid met brand-
weerwagens, ambulances, politiewagens, het was één grote klere-
zooi van bedrijvigheid nu mensen zich opmaakten om de schade te
herstellen en om metaforische lichamen af te voeren. Binnen enkele minuten hadden zich in ten minste drie of vier, misschien wel
meer, veilig geachte internationale systemen enorme ravages voorgedaan.
Jay trapte de Viper op zijn staart en bereikte de plekken zo goed als
hij kon, legaal wanneer ze het hem toelieten, illegaal wanneer ze dat
niet deden; en wat hij zag, was niet zo best. Het was dezelfde vent

die scherpe draadnagels op de wegen strooide. Het patroon was duidelijk: dezelfde vervaagde en onherkenbare voetafdrukken als voorheen die wegvoerden en al snel doodliepen. Misschien dat de lokale operateurs het niet zagen, maar Jay was zeker van zijn zaak. Hij kon de terrorist niet identificeren, maar hij wist wel dat het één vent moest zijn.

Op een lang en betrekkelijk recht stuk van de nieuwe snelweg tussen Thailand en Birma bracht hij de Viper tot stilstand. Naast een smeulende limo sprak een verslaggever met een stel smerissen en maakte aantekeningen op een kleine laptop. Jay kende de man vaag, hij was een verre achter-achterneef of zoiets.

'Hé, Chuan, hoe gaat ie?'

'Jay? Wat doe jíj hier? Iets wat ik moet weten?'

'Neuh, ik scheur gewoon wat rond.'

De andere man keek om zich heen en bij elke knippering van zijn ogen leek zijn blik zich te verplaatsen. 'Ah, je meta-spel voor op de snelweg. Ik zie dat je nog steeds in die raket op wielen rijdt. Ik ben alleen even het merk vergeten.'

'Viper. Hij brengt me waar ik heen wil.' Hij wierp een blik op de limo. 'En wie is die vent in dit draagbare bakoventje?'

'Wat een zooi, hè? Zie hier, onze geliefde minister-president Sukho. Althans, wat er van zijn carrière over is. Iemand wist de OS-beveiliging op zijn persoonlijke systeem te omzeilen en ging vervolgens heel bijdehand doen met de daarop opgeslagen vieze plaatjes. Gaf ze aan mijn superieuren. Mijn nieuwsdienst slaagde er op de een of andere manier in om er per ongeluk een paar door te sturen, tenminste, dat beweren de redacteuren. Ik ken er een paar die het maar al te graag met opzet gedaan zouden hebben.

'Dus in plaats van een foto van het voetbalteam uit Jakarta dat in Brazilië de Wereldbeker heeft veroverd, toont het sportprogramma onze geliefde minister-president die zijn minder-dan-overweldigende aanhangsel oraal laat verwennen door een enthousiaste vakmeid die in Bangkok bekendstaat als Mona de schoonmaakster. En in plaats van even later de Maleisische minister-president Mohamad, vergezeld van een stel hoogwaardigheidsbekleders, te laten zien terwijl hij voor een nieuwe opnamefaciliteit bij Cyberjaya een mooi lintje staat door te knippen, trakteren we onze kijkers op beelden van Sukho, liggend op een groot rond bed met twee andere, overigens bijzonder blote, meisjes uit Bangkok. Ik durf te wedden dat die plaatjes tijdens het lunchuurtje tot heel wat verbaasde gezichten zullen leiden.' Hij glimlachte. 'Hé, ooit in Cyberjaya geweest? In EW, bedoel ik dan.'

Zijn neef had het over een zone in Maleisië, een gebied van vijftien bij vijfenveertig kilometer, die de Multimedia Super Corridor werd genoemd. De MSC, opgestart in 1997, strekte zich vanaf Kuala Lumpur uit in zuidelijke richting en omvatte in het uiterste zuiden een nieuwe internationale luchthaven en een nieuwe federale hoofdstad, Putrajaya. 'Eén keer maar,' antwoordde Jay. 'Enkele jaren geleden was ik er een paar dagen, voor een realtime-seminar over het nieuwe grafische platform. Ongelofelijke plek.'

'Ze zeggen dat de programmeurs van CyberNation daarvandaan kwamen.'

'O, ja? Dat wist ik niet. Ik hoorde dat niemand wist waar ze vandaan kwamen.'

'Geruchten.' Hij haalde zijn schouders op. 'Goed, tot zover het smerige verhaal van een politieke carrière die volledig mislukte. Ik moet nu terug om verslag te doen.'

'Geen gelukkig man, die minister-president van jullie.'

'Nee, eigenlijk hartstikke óngelukkig. Weet je, dit is niet de VS, waar politici zoiets ongestraft kunnen flikken. Hier zal zoiets het stemgedrag van paps en mams niet beïnvloeden. Bovendien is het algemeen bekend dat Sukho's zwager voor diens overlijden een van de Secret Bandit Warlords was. Het gerucht gaat dat vrouwlief nog steeds een paar SBW-neefjes in de rimboe heeft rondlopen die je om niks zo in tweeën snijden. De echtgenote van de minister-president schaamt zich dood voor deze affaire. Ze stond zelf op een paar foto's, geschoten met een verborgen camera, en ik wed dat ze niet van hun bestaan af wist.' Hij gebaarde naar de uitgebrande limo. 'Als ik Sukho was, zou ik mijn Zwitserse bankrekeningen leegplunderen en naar een of ander melkwegstelsel verkassen, heel ver hiervandaan. En als ik dan toch bezig was, zou ik dat onder een nieuwe naam doen, met vijftig mille aan valse tanden, haarspoelinkjes en plastische chirurgie.'

'Als je ziet wat hij te verbergen had en gezien het feit dat hij de MP was en zo, zou je toch denken dat zijn computerbeveiliging beter zou zijn dan bij andere mensen.'

'Zou je wel denken, ja. Ik durf te wedden dat de volgende verkoper die daar met een waterdicht besturingssysteem komt leuren een fortuin gaat maken.'

'Hier en waar dan ook.'

'Dat scan ik. Xieje, Jay.'

'Doei, Chuanny.'

Nadat zijn neef verdwenen was, overdacht Jay de situatie. Thailand zou dus een nieuwe premier krijgen. Voor de rest van de wereld kon dat veel of weinig gevolgen hebben, maar hij moest onderkennen dat degene die deze viespeuk te grazen had genomen zijn doelwitten zorgvuldig wist uit te kiezen. Waarvóór, dat wist Jay niet, maar zijn intuïtie fluisterde hem in dat het niet zo mooi was.

Hij kon zelf ook maar beter teruggaan. De baas zou willen weten van de laatste ontwikkelingen.

Maar onderweg werd zijn aandacht getrokken door iets anders.

Grote hemel...

'Alex? Ik denk dat je dit even moet zien.'

Michaels keek op en zag Toni in zijn deuropening staan.

'In de vergaderkamer.'

Hij volgde haar. De grote viewer stond aan. CNN.

Beelden flitsten over het grote scherm, ondersteund door een commentaarstem.

'... Bombay in India – onder de bevolking bekend als Mumbai – is de hoofdstad van Maharashtra en hét economische speerpunt van West-India. Gelegen aan de kust van de Arabische Zee is dit een stad die is ondergedompeld in culturele rijkdom. Van de Victoriaanse façades van de Britse radja tot het toeristische getto van Colaba tot het fort in het hart van de stad: achttien miljoen mensen noemen Mumbai hun thuis. De meesten zijn straatarm.'

Nu volgde een luchtfoto van de stad. Archiefmateriaal.

Michaels keek Toni verbaasd aan. Waarom wilde ze dat hij naar een documentaire over India keek?

'Dit is even een zijsprongetje,' zei ze. 'Nog even wachten en ze komen weer bij het hoofditem terug.' Ze klonk grimmig.

'De modernisering heeft in elk geval een deel van Bombay tot in de eenentwintigste eeuw gebracht,' ging de commentaarstem verder. 'En de modernisering heeft zich vandaag van haar slechtste kant laten zien.'

Het beeld veranderde. Op een kruispunt waren twee bussen tegen elkaar geknald. Een van de rode dubbeldekkers lag op zijn kant, de andere stond gekanteld tegen de achterkant van een vrachtwagen met fruit. Geeloranje meloenen lagen verspreid en in stukken gereten over het wegdek. Langs de smalle straat werden lichamen op de nog smallere trottoirs neergelegd. Indiërs renden naar de bussen om nog meer doden of gewonden uit de wrakken te trekken. Een bebloede man zwalkte voor de camera en schreeuwde steeds hetzelfde. Op de stoeprand zat een jongetje te staren naar een vrouw die naast hem lag en duidelijk dood was.

'Nog maar enkele minuten geleden sprongen alle computergestuurde verkeerslichten van de stad kennelijk allemaal tegelijk op groen.'

Een ander beeld: een grote kruising met ten minste tien auto's die door botsingen tot één grote puinhoop waren samengesmolten. De auto's stonden in brand en een explosie deed het beeld trillen, waardoor de cameraman omvergeblazen werd. Iemand vloekte in het Engels: 'Shit, shit, shít!'

Vervolgens een shot vanuit een helikopter, hoog boven de plaats des onheils: tientallen auto's, trucks, scooters en fietsen, samengeperst tot één grillige massa. De commentaarstem klonk beheerst opgewonden: 'Minstens vijftig doden in een gigantische verkeersravage hier op Marine Drive, met nog eens honderden gewonden, en meer dodelijke slachtoffers elders in de stad waarvan de schattingen oplopen tot wel zeshonderd...'

Opnieuw veranderde het beeld: dit keer een treinstation. Naast het spoor lag een passagierstrein op zijn kant, verfomfaaid als een stuk speelgoed. Goederenwagons, een paar op hun kant, lagen her en der tussen de wagons van de passagierstrein.

'Bij het spoorwegstation Churchgate zijn defecte treinsignalen kennelijk de oorzaak geweest van de botsing die plaatsvond tussen een passagierstrein van Central Railways die vanuit Goa in noordelijke richting reed en een goederentrein die op weg was naar het zuiden. Voorlopig zijn zestig doden bevestigd en nog eens meer dan driehonderd gewonden. Verder zijn er onbevestigde berichten van slachtoffers bij botsingen tussen elektrische forensentreinen in de voorsteden, maar het verkeer in de stad staat vast en daarom kunnen we niet op die plaatsen komen, behalve door de lucht.'

Weer een andere plek: een tweemotorig vliegtuig, verzwolgen in een vlammenzee. Rondom lagen lichamen – en lichaamsdélen – er als gebroken poppen bij.

'Storingen bij de luchtverkeersleiding hebben naar verluidt minstens vier vliegtuigongelukken veroorzaakt. Dit vliegtuig, dat een rondvlucht maakte met Japanse toeristen, stortte neer op het gele basalten monument dat bekendstaat als de Poort naar India, hier in het noordoostelijke puntje van het toeristische district Colaba. Alle vierentwintig passagiers kwamen om het leven, evenals ten minste vijftien anderen op de grond, en er vielen tientallen gewonden. We hebben onbevestigde berichten dat een vliegtuig van Air India met tweehonderdachtenzestig passagiers aan boord is neergestort in Back Bay iets ten zuiden van Beach.'

'Mijn god,' zei Michaels. 'Wat is er in godsnaam gebeurd?'

'Onze computerprogrammeur.' Toni klonk nog steeds grimmig.

'Iemand deed dit met ópzet?'

'Daar ziet het wel naar uit. Jay zit erbovenop, maar hij heeft het te druk om er nu over te praten.'

Michaels zag hoe een ambulancewagen met zwaaiend flitslicht zich helemaal vast reed in het verkeer. Jezus. Dit was het werk van een gek. Een moordzuchtige gek. Totdat die vent gepakt was, zou niemand veilig zijn.

18

Maandag 27 september, 08:41 uur
Quantico

De zaak rond de dood van Steve Day sleepte zich voort, zonder echte resultaten.

O, ja, de forensische dienst had voldoende haar- en vezelmonsters en lege hulzen gecatalogiseerd, maar zonder de mensen, kleding en wapens waartoe deze monsters behoorden, kwam je nergens. En die drie laatste zaken ontbraken ten enenmale.

Alex Michaels maakte zich meer dan zorgen. Gezeten achter zijn bureau staarde hij naar de muur, wetend dat hij machteloos stond. De pienterste koppen van de FBI waren naarstig op zoek naar zelfs maar de kleinste aanwijzing. Ook al zou hij tieren en schreeuwen: 'Kom op, resultaten wil ik zien!' het hielp toch niet.

Niet dat hij geen andere zaken aan zijn hoofd had. Als leider van Net Force had hij van de ene op de andere dag kennis kunnen maken met hoe het was nu hij in de positie verkeerde waarin verantwoordelijkheden niet langer konden worden afgeschoven. Het toewijzen van gecompliceerde zaken aan de juiste mensen op de juiste plek was op zich al lastig, en daarnaast kwam ook nog eens alle politieke onzin om de hoek kijken. Hij moest de acties van zijn organisatie immers kunnen verantwoorden: de reden waarom, de kosten. Eerst voor baas Walt Carver, en daarna voor het Congres als ze daar weer eens in een bemoeizieke bui waren, en dat waren ze daar constant. Op donderdag diende hij voor de Commissie voor Staatsveiligheid van senator Byrd te verschijnen om vragen te beantwoorden over een actie van Day van een jaar geleden die destijds binnen de regering voor flink wat opschudding had gezorgd. Byrd, die binnen de inlichtingendienst sarcastisch 'Tweety Byrd' werd genoemd naar het bekende gele cartoonvogeltje, zag voortdurend samenzweringen, waar hij ook keek. Byrd was iemand die dacht dat het leger plannen beraamde om met geweld de macht te grijpen; dat de Duitsers zich in het geheim aan het herbewapenen waren om Oost-Europa in te lijven; en dat padvindsters geheime communisten waren. Hij was Steve Days kwelgeest geweest en het leek erop dat ook Michaels niet aan zijn kwellingen zou ontkomen.

Alsof dat nog niet genoeg was, vereiste de politieke kant van zijn post nog iets anders wat hij flink haatte: het opereren in de wandelgangen. Nu hij de zaak had overgenomen, had hij al vier soirees achter de rug waarbij hij zich een weg had moeten slaan door in motorolie gebraden kip of zalmmoten die droog genoeg waren om als schoolbordwisser te gebruiken. Al deze samenkomsten werden afgesloten met 'after dinner'-sprekers die saai genoeg waren om een hele zaal vol pillen slikkende hakkers en housers collectief in een staat van tijdelijke bewusteloosheid te brengen en waarbij Doornroosje last van slapeloosheid leek te hebben.

Nee, dit alles behoorde duidelijk niet tot de leuke kanten van zijn werk.

Gelukkig ging hij niet over het financiële plaatje. Dat was de taak van Walt Carver. En gegeven de nieuwe structuren die door Net Force waren opgezet of nog in de pijplijn zaten, zou dat op zich al een hele kluif zijn. J. Edgar Hoover zou het huidige FBI-departement nooit hebben herkend, zo groot was het de laatste vijf, zes jaar geworden. Het was gewoon een kleine stad op zichzelf.

Hij staarde naar de stapel dossiers en het knipperende takenlijstje op zijn computerscherm: een flinke stapel leeswerk, dingen die ondertekend moesten worden, kortom, allemaal kleine, afdelingschefachtige zaken die afgehandeld dienden te worden terwijl belangrijkere dingen moesten wachten. En zolang hij ernaar bleef staren, kwam het werk nooit af.

Het zou een lange dag worden. En vanavond zou hij weer in zijn lege appartement zitten, in zijn eentje een maaltijd nuttigen, naar het journaal kijken, zijn post doornemen en op zijn laptop door stapels dossiers baggeren. En ondertussen waarschijnlijk in slaap vallen, want dat was bijna vaste prik. Of dat, of worden uitgenodigd voor de zoveelste nacht van slaapverwekkende politici.

Hij miste Megan. Hij miste zijn dochter. Hij miste iemand met wie hij zijn dag kon bespreken, die het wat kon schelen of hij thuiskwam, leefde of stierf...

Hij schudde zijn hoofd. Arme donder, je hebt toch zo'n verdriet, hè?

Hij grinnikte. Het eiland van zelfmeelij: pure tijdverspilling, een plek waar hij het nooit lang uithield. Hij had werk te doen. Hij maakte juist deel uit van de oplossing, en niet van het probleem, ja toch? Laat de rest het heen-en-weer krijgen.

Hij reikte naar de stapel dossiers.

'Ja, ik kom zo!' antwoordde Genaloni. Het klonk kortaf en geïrriteerd, maar ook nu weer probeerde hij zijn kalmte te bewaren. 'Dag.'

Voorzichtig legde hij de hoorn weer op de haak, en dat terwijl hij het ding het liefst dwars door het bureau wilde rammen. Vrouwen, Christus nog aan toe.

En wat vrouwen betrof vormde Maria waarschijnlijk geen uitzondering. Ze bleef thuis, zorgde voor de kinderen, regelde de taken voor het dienstmeisje, de butler, de kok en de tuinman en was actief in liefdadigheidskringen. Hij had haar op de universiteit leren kennen. Ze had een goed stel hersens en toen hij haar trouwde, was ze in één woord verrukkelijk om te zien. Ze deed aan fitness en was onder het mes geweest. Kortom, voor een vrouw van haar leeftijd, zeg maar gerust élke leeftijd, zag ze er nog steeds verdomd aantrekkelijk uit. En bovendien was ze nog een stuk pienterder geworden ook. Aan zijn zijde oogde ze fantastisch en waar ze ook heen gingen, ze was altijd een stuk beter gekleed dan de andere vrouwen. Maar soms kon ze ook puur onverdraaglijk zijn. Omdat ze slim was en knap en afkomstig uit een rijke familie, was ze gewend haar zin te krijgen. Ze wilde dat hij tijd voor haar vrijmaakte, en dat vooral op momenten waarop hem dat totaal niet uitkwam. Hij moest nu een afspraakje met Brigette, zijn maîtresse, afzeggen om naar een of ander stop-de-cholera-gala te gaan met zijn vrouw, waar hij totaal niet blij mee was.

Ook de mogelijkheid dat Maria van Brigette af wist, en dit een doelbewust plan was, sloot hij niet uit.

Er werd tegen de deurpost geklopt. Genaloni keek op en zag Johnny Benetti, 'Jaws', in de deuropening staan. 'Jaws' was een goede bijnaam voor Johnny. Hij was jong, snel en kon je met zijn mes dat korter was dan een vinger volledig aan reepjes rijten. Bovendien had Jaws nog eens een businessgraad van de Cornell-universiteit op zak. Mensen uit Genaloni's organisatie die met pensioen gingen of zich anderszins terugtrokken, verving hij door net zulke gehaaide, maar beter opgeleide jongens. Natuurlijk, slimme types hadden zo hun nadelen – te veel ambitie bijvoorbeeld – maar dat kon je sturen. Laat hen zwemmen in het geld en ze zijn wel wijzer dan zich aan de kip met de gouden eieren te vergrijpen. Op de lange duur waren het juist de domme jongens die de meeste problemen veroorzaakten. En hoe dan ook, je waakte voortdurend over je eigen hachje, iemand écht vertrouwen deed je natuurlijk nooit.

Johnny bezette voorlopig Sampsons plek totdat die weer terug was. Als hij überhaupt terugkwam. Hoe die vork ook in de steel zat, er zat een luchtje aan en dat zinde Genaloni totaal niet.

'Ja?!'

'Luister, Ray, iedereen die we tegenkomen, zegt niets over Luigi te hebben gehoord. We hebben een leuke som op tafel gelegd en iedereen benaderd van wie we nog iets te goed hadden. Niks. Hij is onzichtbaar.'

'Blijf zoeken.' Eén FBI'er zou dit gedoe in elk geval gaan betreuren, ook al viel er nu niets te zeggen over wanneer het fatale moment zich zou aandienen. De Selkie nam zijn tijd en het werkte alleen maar averechts hem achter zijn broek te zitten.

De intercom piepte.

'Wat?'

'Het is uw vrouw weer.'

'Jezus. Ik ben er niet, oké? En ik heb ook mijn GSM vergeten.'

'Ja, meneer.'

Genaloni schudde zijn hoofd en keek Johnny aan. Die glimlachte. Glimlachte. Christus nogantoe. 'Hoe lang ben je nou getrouwd,' vroeg Genaloni, 'anderhalf jaar?'

'Op 14 december aanstaande twee jaar,' antwoordde Johnny.

'Jochie, jij zit nog in je wittebroodsweken. Kom over vijftien jaar maar eens terug en dan zullen wij het eens over vrouwen gaan hebben.'

Wat bij Johnny een tweede grijns opwekte.

Genaloni schudde het hoofd. Johnny was vierentwintig, wat betekende dat je hem nog steeds niets hoefde wijs te maken. Hijzelf was inmiddels oud genoeg om te beseffen dat hoe meer jaren er voorbij vlogen, hoe minder hij wist. 'Ooit wel eens een geschiedenisboekje gelezen?'

'Was een bijvak van me.'

Dat wist hij zelf ook wel, maar het kon geen kwaad bij je helpertje een wat slomere indruk te wekken. Zelf bladerde hij graag door de geschiedenis, als hij de tijd had. 'Weet je wie Mary Katherine Horony was?'

Johnny tastte zijn geheugen af en fronste zijn voorhoofd. 'Nee, zegt me niets.'

'Ze was Hongaarse, een hoer. Ze noemden haar Big Nose Kate.'

'O, u bedoelt de vriendin van Doc Holliday?'

'Kijk, zo'n graad werpt toch zijn vruchten af. Ja, Kate was een hoer, een dronkelap en een ruziezoekster. Ze naaide, dronk en vocht zich een weg door het oude Wilde Westen, ging ervandoor met Holliday, de gebroeders Earp en andere zeer gevaarlijke jongens.'

'Hm-hm.'

'Toen ze met Doc was, had ze voor een ander leven kunnen kiezen, maar ze kwam niet tot rust en bleef haar oude leventje maar opzoeken, zelfs toen zij en Holliday bij elkaar waren, en zelfs thuis was ze niet bepaald een bedeesd en verlegen typetje. Toen hij ooit een vent met een jachtmes overhoop had gestoken, bevrijdde zij hem uit de bajes. Daarvoor knuppelde ze eerst een bewaker halfdood. Ergens tussen 1880 en 1890 bezat ze een hoerenkot in Tombstone. De eerste hoerenkast, een grote tent midden in het dorp. Ze trok een blik meiden open en verkocht kratten vol goedkope whisky. Schiet-en vechtpartijen waren aan de orde van de dag, plus dat zij en Doc elkaar regelmatig de hersens insloegen, waarbij hij niet altijd won.

Toen Holliday definitief door tbc was geveld, hoereerde ouwe Kate er jarenlang nog lustig op los. Ze trouwde, ging ervandoor, reisde wat rond, bleef op de vlucht totdat ze in een verpleeghuis belandde. Ze stierf in 1940. Ze was negentig.'

'Fascinerend,' reageerde Johnny met een opgetrokken wenkbrauw. 'Dus dit was een vrouw, een hoer – wat in die tijd nog als een levensgevaarlijk beroep gold –, omringd door foute figuren die jou liever eerst neerknallen voordat ze je een blik waardig gunnen. Een vrouw die het lef had Doc Holliday knock-out te meppen, een van de kilste moordenaars ooit, en dat in buurten waar je verkracht en vermoord kon worden zonder dat ook maar iemand met zijn ogen knipperde.'

'En wat wilt u hiermee zeggen...?'

'Kate overleefde het allemaal, haar werk, Holliday, moordenaars, de drank, de gehuchten, alles.' Genaloni glimlachte. 'Ze stierf van ouderdom.' Hij zweeg, en vervolgde: 'Weet je wat de cavaleriesoldaten in Dakota altijd zeiden toen ze bezig waren de Sioux uit te roeien? "Zorg dat als die indianen je te pakken krijgen je niet aan hun vrouwen wordt uitgeleverd."

Een vrouw is namelijk in staat je van je ballen te beroven, ze te koken met wat uitjes en het als een lekker hapje voor je neus te zetten, en dat allemaal met een glimlach. Onthoud dat. Wat je bruidje je ook vertelt, ook al is ze nog zo goed in bed, jij houdt je zaken voor jezelf. De gevangenissen zitten vol jongens die ooit van bla-bla gingen tegen hun vrouwtjes en hen vervolgens op hun teentjes trapten. Vrouwen zijn goed voor een hoop dingen, maar ze zijn van hun levensdagen niet te vertrouwen. Nooit.'

'Ik zal het onthouden.'

'Mooi. Dan mag je nu gaan uitzoeken waarom de FBI Luigi verborgen houdt.'

Toen de jongen verdwenen was, glimlachte Genaloni in zichzelf. Dat was niet eens zo'n gekke lezing geweest. Hij had altijd al gedacht dat hij best een goede professor zou zijn geweest.

19

In haar vermomming als Phyllis Markham hobbelde de Selkie in de richting van het huis van het doelwit; intussen gaf de kleine poedel op elke struik en boom langs het pad zijn imitatie van een gieter ten beste.

De veiligheidsagenten in de wagens waren verdwenen. Ze was teleurgesteld toen ze hen zag vertrekken. Ze was wel eens op een maffiafiguur of wapensmokkelaar of politicus gezet terwijl er tientallen lijfwachten omheen krioelden en dat had de klus lastiger gemaakt. Maar dit? Eén vent, die geen idee had dat hij een doelwit was, die geen bescherming genoot behalve dan misschien een huisalarm? Dat maakte het een stuk minder leuk.

Op haar niveau zorgde ze doorgaans voor haar eigen uitdagingen. Ze had zich inmiddels meer dan een week hierop voorbereid en ze was er nu klaar voor. Ze kende de gewoonten van het doelwit. Wanneer hij Chinees bestelde, wist ze dat hij voor de pikante kip met tarwenoedels zou kiezen. Als hij 's ochtends ging rennen, zou ze een half huizenblok voor hem uit kunnen rennen en hem geen moment uit het oog verliezen. Ze wist wanneer hij een benefietavond bezocht, waar hij probeerde te gaan zitten als hem geen tafeltje werd aangeboden en hoe laat hij zich zou verontschuldigen om te kunnen vertrekken. Ze was op de hoogte van zijn ex-vrouw en kind in Idaho, de auto waar hij in zijn garage aan sleutelde, en ze wist dat zijn assistente, te oordelen naar haar blikken, op hem geilde. En dat hij daar geen flauw benul van had. Ze wist hoe lang hij was, hoeveel hij woog, waar hij zijn haar liet knippen en dat hij zijn huidige baan eigenlijk niet had geambieerd. Ze wist veel van het doelwit, alleen niet waarom hij was uitgekozen.

Scout hoorde links iets in een van de bosjes. Hij kefte ernaar. Vermoedelijk een kat. Ze liet hem een paar keer blaffen en maande hem vervolgens tot stilte. Dat lukte, maar zijn getril maakte duidelijk dat hij maar wat graag achter het ding in de bosjes aan wilde gaan. De hond wist niet dat hij slechts een speeltje was, hij dacht dat hij een wolvenkind was en hij wilde die prooi. Ze glimlachte.

De ergste hondenbeet die ze ooit gehad had, was niet van een groot bakbeest zoals een herder geweest, maar van een tekkel die ook gedacht moet hebben dat hij de grote boze wolf was. Misschien hadden die kleintjes iets te bewijzen.

Het doelwit leek een keurig heerschap. Hij was vrij aantrekkelijk, glimlachte aardig en deed zijn werk goed. Voor een bureaucraat was hij beter dan de meesten. Hij was gek op zijn kleine meid daar in Idaho, was sinds zijn echtscheiding seksueel weinig actief, dus waarschijnlijk was hij nog steeds verliefd op zijn ex. Hij was iemand die zich, meer dan anderen, inzette voor de samenleving: een ethische, morele, betrouwbare man.

Ze zat er absoluut niet mee dat ze hem ging vermoorden.

Sommige beroepslieden zorgden er expres voor dat ze niets van hun doelwit af wisten, er niet meer dan noodzakelijk bij betrokken raakten om hem uit te schakelen. Ze bleven afstandelijk, zochten geen contact, lieten zichzelf niet toe hun doelwit als een mens van vlees en bloed te zien. Zij had ze altijd maar bangeschijters gevonden. Als je iemand opzettelijk gaat doden, dan dien je hem juist te leren kennen. Dat leek wel zo eerlijk en zoveel beter dan om zeep te worden gebracht door een vreemde: haar manier gaf aan dat ze tenminste enig respect had voor mensen die dat verdienden. Het had ook iets van je doelwit eren.

Ze wist nu meer dan genoeg. Hij was niet zo kwaad, maar ook weer niet zo interessant. Verrassingen zouden zich dus niet voordoen.

'Doorlopen, jongen. Kom op.'

Vol tegenzin liep de hond verder, om nog even om te kijken naar het ding in de bosjes voor het geval dat het probeerde zijn schuilplaats te verlaten en ervandoor te gaan.

Die kleine Scout toch, hij hoorde de roep van de wildernis. Grappig.

Wanneer zou ze toeslaan? Zodra je alle tijd had om je moment te kiezen en je jezelf op alle fronten had ingedekt, deed je het pas zodra het goed vóélde. Geen moment eerder. Niet als je wilde dat het perfect verliep. De dood van deze meneer zou een legertje FBI-mensen op de been brengen. Het moest perfect gebeuren.

Ze naderde het appartement van het doelwit en keek op haar horloge, een analoge Lady Bulova met een batterijtje, zo eentje dat Phyllis Markham zou dragen omdat het vermoedelijk aan haar lieve overleden moeder had toebehoord. Ze vertraagde haar pas en liet de hond nog even snuffelen bij het geurmerk van een ander mannetje.

Morgen werd de vuilnis opgehaald – die minitrucks kwamen hier twee keer per week langs – en de huizen en appartementen in deze straat hadden aan de achterzijde geen steeg.

Het hek naar het appartement van het doelwit ging open en hij kwam naar buiten met een dichtgebonden vuilniszak van recyclebaar papier. Precies op schema. Op de avonden voor vuilnisophaaldag verkleedde hij zich na thuiskomst eerst om vervolgens het vuil buiten te zetten.

Op het moment dat hij de zak op straat zette, belandde ze voor zijn woning.

Hij glimlachte naar haar. 'Hallo,' zei hij.

'Goedenavond, jongeman,' zei de Selkie op haar oudedametjestoon. 'Een mooie avond voor een wandelingetje...'

'Inderdaad, mevrouw.' Hij hurkte en hield de rug van zijn hand voor de hond die eraan rook en vervolgens begon te kwispelen. Het doelwit krabbelde de hond achter de oren. 'Brave hond.'

De Selkie glimlachte. Met één zwiep van de stok kon ze hem hier ter plekke vellen en hij zou nooit geweten hebben waardoor hij was geraakt. Ze kon zijn schedel kraken, terwijl hij op zijn hurken zat om het hondje aan te halen, ze kon zich voorover bukken en met het nagelschaartje uit haar damestas zijn halsslagader openknippen. Binnen enkele minuten zou hij zijn leeggebloed.

Of ze kon hem vragen of hij misschien een glaasje water voor haar had, en natuurlijk zou hij haar binnen uitnodigen. Hij was veel te aardig om een oude dame aan haar dorstige lot over te laten. Binnen kon ze hem doden en geen haan zou ernaar kraaien. Het was te gemakkelijk.

Ze glimlachte naar het doelwit. Nu? Moest ze hem in de woning zien te krijgen?

Het moment strekte zich uit. Het leven van de man lag in haar handen. Wat een macht. Wat een beheersing.

Nee. Vanavond maar niet. Het was niet helemaal goed. Morgen misschien.

'Loop eens door, Scout, deze aardige meneer wil helemaal niet met je dollen.'

Het doelwit kwam overeind en de vrouw die hem binnenkort zou doden, trekkebeende weg.

'Voorzichtig hoor, mevrouw,' zei hij.

'Dank je, jongeman. Daar zorg ik zeker voor. Jij ook.'

Het geronk van de grote motoren van de 747 was een gestaag, hypnotisch gebrom en de meeste passagiers waren in het donker onderuitgezakt en sliepen. Het leeslampje boven John Howards hoofd brandde, maar het rapport op zijn laptopscherm was al een tijdje niet beroerd waardoor de schermbeveiliging in werking was getreden en het scherm nu blanco was.

'Kolonel, wilt u soms wat warme melk en een slaappil?' vroeg Fernandez.

Howard keek op naar de sergeant die net van de cockpit naar achteren liep. 'Ik werk even aan een rapport, sergeant.'

'Ik zie het, kolonel. Een diepgaande studie naar Zen en de kunst van het lege scherm?'

Howard grijnsde en gebaarde Fernandez plaats te nemen aan de andere kant van het middenpad. Tijdens een paar tussenlandingen in Europa hadden hun eigen troepen gezelschap gekregen van nog een paar passagiers, maar het vliegtuig was nog niet eens halfvol. Er waren zat lege plaatsen.

'Die operatie stelde eigenlijk maar bar weinig voor, hè Julio?'

'Neemt u me niet kwalijk, maar wat kletst de kolonel nu? We lokaliseerden een terroristische cel, schakelden een stuk of twintig gewapende, granaten gooiende radicalen uit terwijl ze ons onder vuur namen en dat zonder één gewonde aan onze kant. Voor mij komt dat neer op een kans van één op duizend.'

'Je weet best wat ik bedoel.'

Fernandez keek om zich heen. Ze zaten redelijk afgezonderd; de dichtstbijzijnden lagen te slapen. Hij liet het formele toontje varen: 'Luister, John, als je bedoelt dat het niet bepaald het strand bij Iwo Jima was, oké, dan heb je gelijk. Maar de opdracht luidde: vind die belhamels en hou hen tegen. Dat hebben we gedaan, we beschermden onze ambassade, schopten geen stennis onder de autochtone bevolking en we brengen nu al onze jongens weer terug naar de basis zonder dat iemand ook maar een schrammetje heeft opgelopen. Beter kun je niet krijgen.'

Howard knikte. Natuurlijk, Fernandez had gelijk. Erheen, opdracht uitvoeren en weer naar huis, alles in een poep en een scheet. Hij had zijn missie naar opdracht volbracht, precies wat verwacht werd van een militair. Bij Net Force liepen ze met hem weg.

Een paar van zijn oude militaire kornuiten die op de hoogte waren, hadden hem al een gecodeerde e-mail met felicitaties gestuurd. Het plan was voor de volle honderd procent geslaagd.

Dus waarom had hij er zo'n rotgevoel aan overgehouden?

Omdat het te gemakkelijk was geweest. Oké, de wet van de vier p's had gewerkt: perfect plannen = puik presteren. Maar toen het erop-aan kwam, had hij ook geen moment getwijfeld dat ze zouden winnen. Zijn manschappen vormden het neusje van de zalm, ex-SEAL's, groene baretten, Rangers. Dropte je hen met slechts een zakmes achter de linies in de rimboe, dan bouwden ze van de botten van hun vijand een kasteel. Die terroristen waren een zootje tuig van de richel geweest, slecht in vorm bovendien, met grootse ideeën en bijna geen strategische of tactische ervaring. Hoe konden ze über-haupt van die bende ongeregeld hebben verloren?

Dat zei hij ook tegen Fernandez.

Die lachte.

'Wat?'

'O, ik stelde me even voor wat de commandant van het Britse leger aan het eind van de Amerikaanse revolutie gezegd moet hebben: "Wat? Een zootje tuig van de richel, slecht in vorm bovendien, met grootse ideeën en bijna geen strategische of tactische ervaring heeft zojuist *His Majesty's finest* op hun lazer gegeven? Hoe konden we überhaupt van die bende ongeregeld hebben verloren?"'

Howard gniffelde. Fernandez kon dingen een draai geven op een manier die je niet zou verwachten van een onderofficier die een har-de leerschool had gehad. En het chique Britse toontje waarop hij het zei, versterkte het alleen maar. En hij had gelijk. De terroristen hadden veel bedrevener kunnen zijn. Het bloed op de vloer in het pakhuis had net zo goed dat van zíjn troepen kunnen zijn geweest. Die mogelijkheid bestond altijd.

'John, het punt is dat de glorie aan deze operatie misschien een beetje aan de magere kant is, maar een overwinning blijft een over-winning. Daarom zijn we in actie gekomen, ja toch?'

'Ja. Je hebt gelijk.'

'Verdomme, waarom heb ik nu mijn cassetterecorder niet bij me?! Kolonel, staat u mij toe even wat getuigen wakker te maken zodat u dat even kunt herhalen? Dat ik gelijk heb, bedoel ik?'

'Sergeant, waar hebt u het over? Ik kan me niet herinneren zoiets gezegd te hebben.'

'Dat dacht ik al, kolonel.' Hij grijnsde. 'Ik denk dat ik maar even een dutje probeer te doen.'

'Welterusten, Julio. En bedankt, hè?'

'Kolonel. En als het enige troost biedt, ik heb het gevoel dat dit niet de laatste episode in deze oorlog zal zijn. Een volgende keer kan er wel eens heel anders uitzien.'

Howard keek hoe zijn beste man naar een rij lege stoelen kuierde. Inderdaad. Dat had je altijd. Een kleine veldslag maakte nog geen oorlog.

Woensdag 29 september, 22:54 uur
Portland (Oregon)

Ruzhyó hield de voordeur van McCormick's in de gaten. Het restaurant lag buiten het centrum van de stad, meer in de richting van de slaapstadjes aan de westkant. De specialiteit was vis. Naar verluidt was het eten voortreffelijk en afgaande op zijn verkennende bliksembezoek eerder op de avond leek dit wel te kloppen. Het was het beste restaurant in de directe omgeving van het bedrijf dat een van de snelste computerchips voor thuisgebruik vervaardigde, een bedrijf iets verder op de weg in Beaverton, een stadje genoemd naar het dammen bouwende zoogdiertje.

Ruzhyó bevond zich aan de overkant in een huurauto, geparkeerd in de schaduw van een uithangbord voor een Koreaans reisbureau en op tweeënzestig meter van de deur, volgens zijn optische afstandsmeter een gemakkelijke afstand. Het was een grote auto met een flinke motor, maar voor zijn ontsnapping verwachtte hij al die power niet nodig te hebben. Met beide ogen tuurde hij door de grote opening van het Bushnell HOLO-vizier en zag een onvergroot beeld van de deur met daarbovenop geplaatst een oplichtend rood dradenkruis. Het vizier was een ultramoderne uitvoering, bedoeld voor geweren; anders dan een laser straalde het aan de voorkant geen licht uit en dus verraadde je jezelf niet. Het ding had meer gekost dan het wapen waarop het gemonteerd was, een 30-06 Winchester-jachtgeweer met grendel, op zich een uitstekend wapen. Het vizier had hij gekocht van een wapenhandelaar in San Diego; het geweer in Sacramento, tweedehands, uit een advertentie in de krant. Hij had het geweer en het vizier in elkaar gezet, en bij een steengroeve langs een oude weg ten westen van Forest Grove in Oregon stelde hij het wapen in.

Met het ingestelde geweer had hij een constant schootsveld van een rondje ter grootte van zijn duim en wijsvinger, maar dan honderd meter ver. Meer dan toereikend.

Hij had overwogen een geluiddemper te gebruiken, maar het projectiel zou na het verlaten van de geweerloop toch de geluidsbarrière doorbreken en een harde klap veroorzaken, dus het had echt geen zin. Bovendien zou de knal, onder deze omstandigheden, weerkaatsen en schijnbaar overal vandaan komen. En ook al wisten ze exact waar hij zat, het zou weinig uitmaken. De directieleden van het plaatselijke computerbedrijf liepen niet met wapens rond, noch met lijfwachten. Daar was nooit behoefte aan geweest. En dat zou na deze avond ook niet veranderen, hoewel ze daar waarschijnlijk zelf anders over zouden denken.

Tegen de tijd dat de politie arriveerde, zou Ruzhyó al kilometers uit de buurt zijn. Hij had drie ontsnappingsroutes in zijn hoofd geprent, elk met inlassing van een korte stop waar hij niet gezien zou worden en waar hij het geweer kon droppen. Hij droeg waterdichte handschoenen die zo dun waren als de huid en waren gemaakt van synthetische zijde: op het vizier, het geweer of de kogels in het wapen zouden geen afdrukken of lichaamsvocht achterblijven.

Hij keek op zijn horloge. Even over elven, plaatselijke tijd. Het gezelschap was nu bijna twee uur in het restaurant. Hun wagens stonden voor de deur. De eters zouden lang genoeg in zicht zijn.

Hij bracht het wapen omlaag.

Acht minuten later ging de deur van het restaurant open.

Ruzhyó stopte de siliconen oordopjes in zijn oren. Het geluid van een zwaar wapen in een auto kon onbeschermde oortrommels met gemak aan flarden scheuren.

Zes man stapten naar buiten, pratend, lachend, ze hadden alle tijd.

Ruzhyó bracht het geweer omhoog. Hij haalde diep adem, blies de helft uit en hield vervolgens zijn adem in. Hij ontgrendelde de veiligheidspal, bracht het oplichtende dradenkruis in lijn met de tweede man in het groepje en plaatste de korrel op diens voorhoofd, precies tussen zijn ogen...

Hij vuurde.

Bij een geweer hoor je als slachtoffer het fatale schot niet eens.

Voordat het geluid van de kogel de man kon bereiken, was hij al dood.

Ruzhyó legde het geweer op de bodem van de auto en startte de motor. Hij verliet het parkeerterreintje bij het reisbureau en draaide de weg op. Rond dit uur op de avond was er weinig verkeer. Tegen de tijd dat hij de verhoogde snelweg had bereikt, had hij er al bijna een kilometer op zitten en toen pas vloog de eerste politiewagen met zwaailicht en gillende sirene hem voorbij, in de richting van het restaurant.

Hij keek niet achterom. Dat was niet nodig. Niemand volgde hem.

20

Donderdag 30 september, 08:01 uur
Grozny

'Er is nog een telefoontje voor u, doctor Plekhanov,' meldde Sasha van de receptie. De intercom werkte nog altijd sporadisch, maar dat maakte op dit moment weinig uit. 'Het is meneer Sikes, hoofd openbaar vervoer van Bombay.'

Plekhanov glimlachte. De telefoon had de afgelopen dagen niet stilgestaan, precies zoals hij had verwacht.

De sabotageacties begonnen nu hun vruchten af te werpen. Nadat de computerstoringen in Bombay tot honderden doden hadden geleid, was Bertrand, de tweederangs programmeur die hun beveiligingssysteem had geïnstalleerd, in allerijl door de autoriteiten opgetrommeld. En ook al beschikte zelfs Bertrand over voldoende kennis om te achterhalen wat er was gebeurd, hij kon niet garanderen dat iets dergelijks geen tweede keer meer zou gebeuren. En dus belden ze Plekhanov, wat ze natuurlijk al veel eerder hadden moeten doen, want uiteraard kon hij wél de absolute zekerheid bieden dat als ze hém een nieuw systeem lieten installeren een dergelijke ondermijning van de veiligheid definitief tot het verleden zou behoren. Natuurlijk kon hij die garantie bieden: slechts een handjevol programmeurs zou in staat zijn een tip van de sluier op te lichten, slechts één daarvan zou zich die moeite echt getroosten. Diens belang – Plekhanovs belang – zou het best gediend zijn als het systeem gepatenteerd bleef.

Gezien de grote angst onder de mensen voor dergelijke incidenten zou het niet lang duren voordat bijna alle grote steden, zo niet alle, wanhopig aan de lijn zouden hangen. Het enige wat daar nog voor nodig was, waren hooguit nog één of twee van zulke sabotageacties op verkeerslichten en bussen in grote steden. Rond de tijd dat alle grote bazen van de gemeentelijke vervoersbedrijven van alle grote steden in Azië later dat jaar zich in het Chinese Guangzhou zouden vervoegen voor hun jaarlijkse bijeenkomst, zou hij de meesten van hen zijn kamp hebben binnengelokt. Immers, hij zou inmiddels uitstekend werk hebben verricht, en tegen een meer dan redelijk tarief. Allemaal zouden ze bij hem in het krijt staan. Allemaal zouden ze hem te vriend willen houden om zich het lot van andere onfortuinlijken te besparen, een lot dat enkel het resultaat kon zijn van terroristische acties. Immers, wie anders zou de moeite nemen een logistieke computer van het gemeentelijk vervoersbedrijf te saboteren dan een stel terroristen? Verder leverde het toch niets op?

'Hallo?'

'Vladimir? Bill Sikes, openbaar vervoer Bombay.'

'Ha, Bill, alles goed?'

'Niet echt. Je hebt van onze problemen gehoord?'

'Ben bang van wel, ja. Ziet er niet best uit. Ik ben behoorlijk geschrokken.'

'Tja, gedane zaken nemen geen keer, maar we willen graag dat het geen tweede keer gebeurt. Kun jij ons helpen?'

'Maar natuurlijk, Bill. Natuurlijk wil ik helpen.'

'Er is nog een telefoontje voor u,' meldde Sasha van achter de receptiebalie. 'Helemaal uit Korea!'

Plekhanov leunde comfortabel achterover in zijn stoel. Hij kon waarlijk zijn geluk niet op.

Donderdag 30 september, 08:15 uur
Washington D.C.

Tyrone Howard trof zijn vriend Jimmy-Joe in een striptent genaamd Big Boobs. Eigenlijk hadden jongens van hun leeftijd geen toegang. Allebei waren ze veel te jong om naar binnen te mogen. Maar ze kwamen volwassen genoeg over en konden een terloopse scan doorstaan. Een virtuele ruimte in een openbare nieuwsgroep binnenglippen waar een R-rating gold, was eigenlijk kinderspel. Het enige wat je hier zag, waren naakte vrouwen. De xxx-ruimten waren moeilijker penetreerbaar en bovendien wilde Tyrone geen risico lopen. Als zijn ouders erachter kwamen, zwaaide er wat en aangezien zijn vader samenwerkte met een speler als Jay Gee, kon hij er zo achter komen als hij dat wilde.

'Ha, Jimmy-Joe, nog wat gescand?'

'Weinig, Ty. Maar op het FEN wordt anders flink geziekt.'

Tyrone knikte. Op het Far East Net was het BVS: de Bytes Vloeien Slecht. De laatste dagen had hij dat met eigen ogen kunnen zien. De gestoorde programmeur hield daar behoorlijk huis.

Op het podium onder een flitsende lichtshow bewees een blauw-ogige brunette ten overstaan van het publiek dat haar haren echt niet geverfd waren. *Boem-bap Boem-bap*! Hij staarde naar haar, zij glimlachte terug, niet wetend dat zijn verschijning nep was. Uiter-aard kon datzelfde ook voor háár gelden. Wie weet was ze wel een dikke vent van in de zestig.

Voor wie naar waarheid zocht, bestonden er betere plekken dan de virtuele wereld.

'Ik ga wat gehuchten langssurfen om te kijken of ik wat feedback kan krijgen. Wie weet is er wel een of andere eenzame Willie Wortel met een digitaal netje stekelbaarsjes aan het vangen. Misschien leidt het naar grotere vangsten, je weet maar nooit.'

'Scannen en downloaden die hap,' vulde Tyrone aan. De brunette had het podium verlaten om plaats te maken voor de volgende stripper. Nou nou, kijk eens aan: het was Belladonna Wright in hoogsteigen persoon. Dit was duidelijk het werk van Jimmy-Joe. Die had het override- en image-craft-programma zo aangepast dat de nieuwe vrouw Belladonna's gezicht en lichaam had. Zoiets zou Tyrone nooit riskeren, zelfs niet in virtual reality. Als Bottenbreker erachter kwam... ja, dat zou heel vervelend uitpakken.

'Ik taai af,' zei Tyrone.

Jimmy-Joe grijnsde van oor tot oor en zei: 'Schijterd!'

'Precies. Ik ben er nog niet klaar voor om zes weken met een beurs geslagen achterwerk rond te lopen, malloot. En zeker niet voor een overlay die zelfs niet eens echt is.'

'Is jouw probleem,' reageerde Jimmy-Joe. 'Wie zal daar nou achter komen?'

'Twee woordjes in Bottenbrekers oor en je bent een bouwdoos.'

Jimmy-Joe haalde zijn schouders op. 'Geniet nu, betaal later.' Hij draaide zich om om te genieten van hoe de nep-Bella zich van haar outfit ontdeed.

'Nou, ik taai af,' zei Tyrone, maar hij keek nog even stiekem achter-om voordat hij zich naar de deur begaf.

Misschien dat hij toch eens bij CyberNation moest gaan rondkij-ken.

Donderdag 30 september, 08:15 uur
Quantico

Vanuit de Viper die aan de overkant geparkeerd stond, zag Jay Gridley dat Tyrone Howard de striptent verliet. De jongen had hem niet in de gaten. Jay glimlachte. De kolonel had hem verzocht zijn zoon zo nu en dan een beetje in de gaten te houden en daar had Gridley geen bezwaar tegen, maar dit zou hij buiten de boeken houden. Tienerjongens waren nu eenmaal nieuwsgierig en een virtuele stripper was lang niet zo gevaarlijk als enkele andere zaken waarmee een jongen on of off line zoal mee in aanraking kon komen. Stel dat zo'n jongen zich juist helemaal niét interesseerde voor naakt vrouwelijk schoon, kijk dán pas diende zijn vader zich zorgen te gaan maken.

Schaadt het niet, dan baat het niet.

Tyrone besteeg zijn Harley en daverde weg.

Gridley keek hem na en startte zijn Viper. Hij had genoeg andere dingen aan zijn hoofd.

Donderdag 30 september, 11:55 uur
Quantico

In de sportzaal was Toni Fiorella bezig met haar strekoefeningen en haar knieën op te warmen. Ze keek op en zag Rusty binnenkomen. Hij zwaaide naar haar en was helemaal klaar voor zijn les.

Hij was een behoorlijk goede leerling. Heel flexibel, hoewel misschien nog iets te veel verslaafd aan kracht en snelheid. Bij bukti negara waren geen van beide echt vereist. Zodra hij klaar was voor serak, ja dan wel misschien, maar dat zou nog jaren duren, gesteld dat hij het zou volhouden. Tot nu toe had hij in elk geval geen les verzuimd en uit zijn bewegingen kon ze afleiden dat hij thuis geoefend had. Hij was alleen nog wat huiverig voor lichamelijk contact, betrachtte voortdurend enige afstand, nog te veel om zijn techniek volledig te oefenen. Maar dat zou wel veranderen.

'Goeroe.'

'Rusty. Laten we beginnen.'

Hij knikte en nam zijn basishouding aan: de voeten iets uit elkaar, de handen langs zijn zij met de palmen naar voren gericht en de vingers naar de grond.

In tegenstelling tot de traditionele Japanse vechtkunst kende de Indonesische slechts een handjevol termen die je moest kennen om haar versie van silat te kunnen beoefenen. Een daarvan was het woord voor 'op uw plaats'. 'Jagah,' sprak ze.

Ze nam nu Rusty's houding aan. Haar goeroe had gelijk. Lesgeven hielp je bij het verbeteren van je eigen techniek. Je werd nu gedwongen eerst na te denken, de zaak goed in je hoofd te hebben, voordat je de stof overbracht. Voor haar was de ceremoniële buiging, iets waar ze al jarenlang mee vertrouwd was, één lange soepele beweging. Maar voor een beginner was het een reeks korte bewegingkjes waarbij elke afzonderlijke component een eigen betekenis had.

Ik presenteer mijzelf voor de Schepper...

Nu bewoog de linkervoet zich naar binnen om iets voor de rechtervoet te belanden. De knieën bogen zich, de handen zwaaiden naar de linkerheup, met de handpalmen naar beneden en de linker boven de rechter.

Ik presenteer mijzelf naar beste kunnen volgens de regels van de kunst...

De handen kwamen omhoog en bewogen zich uiteen als bij een smeekbede en met de handpalmen omhoog, alsof ze een boek geheven hielden. De rechterhand balde zich nu tot een vuist, de linkerhand wikkelde zich om de rechter waarna beide naar borsthoogte afdaalden.

Ik verzoek de Schepper nederig mij al datgene te schenken waar ik zelf blind voor ben...

Opnieuw een leesgebaar waarna geopende handen de ogen bedekten.

... en om deze in mijn ziel te kerven...

De handen drukten zich tezamen in *namaste*, het klassieke bidgebaar, om daarna even het borstbeen vlak bij het hart te raken.

... tot mijn laatste adem.

Gevolgd door het afsluitende gebaar, een herhaling van het tweede gebaar: de zwaai naar de linkerheup met de palmen omlaag.

'Doe je djuru, alsjeblieft,' zei ze.

Rusty knikte en begon aan djuru één.

Dit was de eenvoudigste van alle dansen, maar het was een dans van waaruit complexere bewegingen ontstonden. Het was een metafoor voor het leven zelf, zo was ze geleidelijk aan gaan beseffen.

De Selkie bestelde een flesje cola, zoetzure kip en kleefrijst. Het was bij dezelfde Chinees waar het doelwit soms per ligfiets arriveerde voor een lunch. Het was warm die dag en een klein briesje maakte het plakkerige weer nog net draaglijk. Ze had buiten aan een van de witte smeedijzeren tafeltjes plaatsgenomen en was gekleed in een grijs, ruimvallend T-shirt, een ruimvallende katoenen broek, een honkbalpetje en een donkere zonnebril. Met deze pruik wekte ze de indruk een brunette te zijn, en ook al bevond het meeste ervan zich onder de pet, het was voldoende om haar uiterlijk zo te veranderen dat ze voor het doelwit niet zou opvallen.

Daar had je hem al op zijn lage driewieler; het zweet stond op zijn voorhoofd en zijn hals glom dof in het vale zonlicht.

Ze opende haar eetkartonnetjes, gooide de kip en de rijst samen op haar papieren bordje, husselde ze met de wegwerpstokjes door elkaar en liet de saus even intrekken. Om haar heen genoten nog een stuk of vijf gasten van hun lunch en het weer, maar ze maakte met niemand oogcontact, ook niet met haar doelwit.

Het doelwit stalde zijn ligfiets, deed zijn helm af, trok zijn handschoenen uit en hing ze aan het stuur. Daarna liep hij het restaurant binnen. Zijn benen oogden hard van de rit. Zijn stretch shorts verhulden bar weinig van datgene waar een geïnteresseerde kijker misschien belangstelling voor koesterde. En die aanblik was inderdaad interessant te noemen. Ze was heus geen non, hoewel seks onder het werk voor haar taboe was. Mora Sullivan mocht dan bedbeuken wanneer het haar beliefde; de Selkie kon zich dat risico echter niet veroorloven.

Maar zo was het niet altijd geweest. Ooit, ergens aan het begin van haar loopbaan, had ze een doelwit in een bar opgepikt. Het was een knappe vent en zij was met hem meegegaan naar zijn hotel en had daar de nacht met hem doorgebracht. Het was een 'atletisch treffen' geweest.

Toen hij tevreden in een diepe slaap viel, had ze haar .22 pistool met demper uit haar handtas gepakt en hem tweemaal in het achterhoofd geschoten.

Hij had er niets van gemerkt en ze was trots op haar werk geweest. Ze had ervoor gezorgd dat zijn laatste momenten mooie momenten waren geweest. Als je dan toch moest sterven, waren er wel onaangenamere manieren te bedenken dan de liefde te bedrijven met een hartstochtelijke vrouw en vervolgens in slaap te vallen om nooit meer te ontwaken.

Maar wat ze gedaan had, was dom geweest. Ze had immers sporen nagelaten: stukjes haar, lichaamsvocht. Het hotelpersoneel had haar gezien, ook al was ze vermomd geweest. Niet dat het iets had opgeleverd; het was al jaren geleden, het dossier was allang gesloten. Ze was alleen egoïstisch geweest. Gegeven een andere plek, een ander tijdstip, en ze zou met haar huidige doelwit best eens willen rollebollen, maar ze was niet van plan haar sentimenten haar eigen leven in gevaar te laten brengen.

Ze at de kip. Ze had ze wel eens lekkerder gegeten, maar ook slechter.

Zou dit de grote dag worden? Ze wierp een blik op het doelwit, dat in de rij stond te wachten.

De Selkie glimlachte.

21

Kiev beschikte weliswaar over een paar aardige restaurants, maar
het ontbijt werd toch geserveerd in een privé-suite van het nieuwe
Hilton, niet ver van de oevers van de prachtige Dnipro, op een plek
die voorheen ingenomen werd door een theater en winkels. In
tegenstelling tot een openbaar restaurant kon een dergelijke suite
worden doorzocht op elektronische afluisterapparatuur, en dat was
dan ook gebeurd. De ramen op deze vijfde verdieping waren voorzien van eenvoudige trilapparaatjes die een verborgen laserlezer,
een half huizenblok verderop, konden aftroeven. De serveerders
waren weggestuurd, de deuren zaten op slot en dus bleven de
geheimen onder de aanwezigen. Het was overigens niet waarschijnlijk dat ze bespied zouden worden. Niemand buiten deze kamer
had immers enig idee wat zich hier binnen afspeelde. Maar je nam
nu eenmaal het zekere voor het onzekere, altijd.

Op Plekhanovs gezicht prijkte zijn bekende minzame glimlach; deze
gaf niets prijs van zijn gedachten. Deze bijeenkomst was er een uit
vele. De aanwezigen waren inmiddels bekende grootheden, hun fortuin lag in zijn hand. Vandaag waren het de politici; morgen zou het
het leger zijn. Over een paar dagen zou hij zich in een andere hotelka-
mer bevinden, in een ander land en gelijksoortige gesprekken voeren
met politici en generaals. Hij dekte zich op alle fronten in.

Ze waren net klaar met hun roerei en zalmhachee en zaten aan het
vruchtensap en de koffie. Plekhanov genoot van de scherpe en bittere geur van het brouwsel dat zo donker was dat het op espresso
leek. In een dergelijke gelegenheid zou hij niet zulke koffie hebben
verwacht.

'Jullie hebben ieder je nieuwe overstapnummer?' vroeg Plekhanov.

Er waren drie anderen aanwezig, twee mannen en een vrouw, allen
terecht gekozen leden van het Verkhonvna Rada, het Oekraïense
parlement.

'Ja,' antwoordden ze gelijktijdig.

Plekhanov knikte. Het elektronische geld waarover deze drie dankzij hem beschikten, was onbelangrijk, voor ieder was er ongeveer

een half miljoen in de plaatselijke munteenheid. Natuurlijk, voor een aardappelboer, een parttime hoogleraar en een ex-legerofficier was het een hoop geld. Het bedrag diende als olie op piepende radertjes, om de stroeve plekjes te smeren, voor steekpenningen, cadeautjes, politieke bijdragen, alles wat maar nodig was. En later konden ze nog veel meer verwachten, plus de bijbehorende macht. Voor dit trio waren na de volgende verkiezingen belangrijke rollen weggelegd: die van de nieuwe president en zijn twee meest invloedrijke ministers. Hij moest alleen nog beslissen wie welke job zou krijgen, maar omdat de verkiezingen voor de deur stonden, kon hij maar beter zijn keuzen gaan bepalen.

Morgen zou hij praten met zijn twee kneedbare Oekraïense generaals, die ook voor een promotie, zowel in rang als prestige, in aanmerking kwamen. Er leidden vele wegen naar Rome, maar wilde je de absolute macht, dan kon je niet zonder de munitiekisten van het leger en de aktetassen van de wetgevers. Zodra je die twee dingen eenmaal in je zak had, was je praktisch onoverwinnelijk. Nog slechts een derde erbij en je was onaantastbaar.

Jammer dat de Kerken hier niet meer zo machtig waren als vroeger...

'Kameraad Plekhanov?' zei de vrouw.

'Ja?' Het was Ludmilla Khomyakov, wier ouders oorspronkelijk uit Moskou kwamen en ooit bijzonder actief waren binnen de communistische partij. Het was lang geleden dat iemand hem met 'kameraad' aansprak, althans, zoals zij het bedoelde.

'Er is enige... hinder ondervonden vanuit de vakbondsbeweging. Igor Bulavin dreigt zijn leden een staking af te laten roepen als de nieuwe hervormingen worden aangenomen.'

'Bulavin is een kozak en een dwaas.' Het kwam uit de mond van Razin, de ex-legerofficier. Voordat hij de politiek in ging, was hij als majoor met pensioen gegaan.

'Jij bent óók een kozak, Yemelyan,' wierp Khomyakov tegen.

'Juist, en dáárom weet ik het ook,' zei Razin. 'Maak je over Bulavin maar geen zorgen. Die mag wel uitkijken dat hij geen dodelijk ongeluk krijgt in die oude wagen waar hij zo trots op is. Is zo geregeld namelijk.'

Plekhanov keek naar de vrouw. 'Heb jij het gevoel dat deze Bulavin een dusdanige bedreiging vormt dat een dergelijk... ongeluk gerechtvaardigd is, Ludmilla?'

Ze schudde haar hoofd. Ze was veertig, maar nog altijd een knappe vrouw. 'Hij vormt een bedreiging, maar hem vermoorden is misschien niet echt nodig.'

'De dood is definitief,' zei Razin.

'*Da*, dat is zo, maar Bulavin is een duivel die we kennen. Levend en vastgebonden aan een paal in onze tent kan hij nog van nut zijn.'

'En hoe had je gedacht hem daar te krijgen? Hij is te stom om bang te zijn voor dreigementen, steekpenningen zal hij niet aannemen en hij verbergt geen onplezierige geheimpjes die we tegen hem kunnen gebruiken. Ik zeg tot moes maken die vent.'

De derde man, Demitrius Skotinos, een etnische Griek die in de provincie nog steeds een kleine aardappelboerderij beheerde, zweeg.

'Misschien kunnen we zelf voor een onthulling zorgen?' vroeg Plekhanov zich hardop af.

Razin haalde zijn neus op.

Plekhanov sloeg de ogen op naar de vrouw.

'Bulavin is dol op drank en vrouwen,' zei Khomyakov. 'Hij is discreet geweest, heeft zijn activiteiten op die gebieden angstvallig beperkt gehouden tot mensen die zijn vakbondsleden niet zouden ergeren als ze erachter kwamen. Niet te veel drinken in het openbaar, zo nu en dan een verzetje met een secretaresse. Een man blijft een man, die maakt zich niet druk om dergelijke dingen. Misschien dat we voor hem een vrouw kunnen vinden die bereid is om... met zijn drank te knoeien en zich inlaat met bezigheden die zijn leden, én zijn echtgenote, minder dan... smaakvol zouden vinden? Mogelijkheden te over en onze dame zou, uiteraard, over een uitstekende holografische camera beschikken.'

'Poeh!' zei Razin. 'Wil je hem soms in bed stoppen met een jongen? Een schaap? Typisch weer zo'n vrouwenoplossing! Als het beweegt, naaien die hap!'

'Misschien beter dan een typische mannenoplossing: als het beweegt, dóden die hap,' reageerde ze met een glimlach.

Zowel haar reactie als haar oplossing stond Plekhanov wel aan. Een bruut kon je overal wel vandaan halen; subtiliteit was lonender. Een levende vijand die je in je zak had, was soms beter dan een dode in de grond. Soms.

Enfin, hij wist nu tenminste wie de nieuwe president van Oekraïne zou zijn.

'Ik durf te wedden dat je nooit een moord hebt gezien, hè, Scout?'
Het hondje kwispelde, was even afgeleid van zijn gesnuffel en
gepies. Toen het erop leek dat de opmerking niet tot een bevel zou
leiden, hervatte hij zijn werk.
In haar vermomming van oud vrouwtje begaf de Selkie zich naar
het appartement van het doelwit. Ze had de knoop doorgehakt:
deze avond ging het gebeuren. Het doelwit was nog wakker, een
beetje aan de late kant voor hem, maar zijn leeslampje brandde
nog; het zou van een leien dakje gaan, soepeltjes naar binnen en
hup, weer naar buiten. Tegen de tijd dat iemand hem dood aantrof,
zat zij al thuis en was Phyllis Markham voorgoed van de aardbol
verdwenen.
De Selkie bukte zich om de hond aan te halen. Ze maakte zijn riem
los, maar commandeerde: 'Scout, achter lopen.'
Ze deed haar dunne, witte katoenen handschoenen goed, zocht
steun bij de wandelstok en kwam langzaam en pijnlijk overeind.
Toen ze haar hobbelgang voortzette, bleef de hond vlak achter
haar. Zag je ze van een meter of wat lopen, dan zou je denken dat
het schattige poedeltje nog steeds aan de riem liep, vooral als je ze
al eens eerder samen gezien had. De mensen zagen wat je wilde dat
ze zagen.
Toen ze het appartement bereikte, dwong ze zichzelf een paar keer
diep adem te halen. Hoe vaak ze ook een opdracht uitvoerde, die
stoot adrenaline kwam altijd. Haar hart sloeg op hol, haar ademhaling versnelde, ze voelde zich gespannen, jeukerig, bang om zich te
verroeren. Het was iets wat ze kon aanwenden, die adrenalinestoot,
en maakte deel uit van de verlokking. Mocht het ooit zover komen
dat ze deze 'podiumvrees', die fladderende vlinders in haar buik
niet langer voelde, dan zou ze ermee kappen, ongeacht hoeveel geld
ze nog van haar doel verwijderd was. Als ze zo blasé werd, zou het
te gevaarlijk zijn.
De duisternis was bezwangerd van herfstgeuren: gebladerte, gras,
maar ook het parfum van een wasverzachter uit de afvoer van
iemands wasdroger. De avondlucht voelde sensueel op haar huid
waar deze niet door make-up bedekt werd. Vanachter de stads-
gloed schitterden de sterren, als harde juwelen in een doorgaans
heldere hemel. Er fladderde een motje voorbij en zijn vlucht liet

spookachtige, psychedelische sliertjes in de lucht achter. Zodra het spel van leven en dood zijn eindfase bereikte, werden je zintuiglijke gewaarwordingen altijd psychedelisch scherp. Ook dit maakte deel uit van de verlokkingen van haar vak.

Je voelde je nooit zo levend als wanneer je danste met de dood.

Ze keek om zich heen en zag dat ze alleen was. Ze dreef Scout links van de voordeur de bosjes in, waar hij niet gezien zou worden. 'Af, Scout, blijf,' commandeerde ze.

Gehoorzaam ging het hondje zitten om zich vervolgens uit te strekken. Al eerder had ze hem op de proef gesteld en hij had die houding minstens een uur volgehouden. Ze zou hooguit vijf minuten nodig hebben.

De Selkie liep op de deur af en belde aan.

Met het technische rapport op zijn knieën lag Alex Michaels al aardig in te dutten. Hij werd wakker door het geluid van de deurbel en keek op de wekkerradio naast zijn bed. Wie kon dat zo laat nog zijn? Hij stond op, schoot naakt in een ochtendjas en knoopte deze dicht.

Hij fronste zijn voorhoofd, nog altijd half slapend. Vermoedelijk iemand van zijn werk.

O, ja? Waarom hebben ze dan niet even gebeld? Ze hebben je nummers toch?

Hij opende de la van zijn nachtkastje, pakte zijn weefsel-taser eruit en liet deze in de zak van zijn ochtendjas glijden. Niet dat hij zich echt ongerust maakte, maar er had zich in Washington een aantal overvallen voorgedaan waarbij een paar hardhandige figuren op deuren hadden geklopt en vervolgens met geweld waren binnengedrongen. Een gewaarschuwd mens telt voor twee.

Turend door het kijkgaatje viel zijn oog op het oude dametje van die poedel. Hij ontspande zich en deed de deur open.

Ze leek van streek. 'Het spijt me zo u te moeten lastigvallen,' zei ze, 'maar Scout is ontsnapt.' Ze zwaaide met het kleine plastic oprolgeval waar de haak aan bungelde. 'Ik denk dat hij zich achter door uw hek heeft gewurmd. Als u het voor mij zou kunnen opendoen? Ik wilde niet midden in de nacht staan roepen naar hem, anders zou ik mensen wakker maken en zo.'

'Natuurlijk,' zei Michaels. 'Komt u toch binnen, dan kunt u zo doorlopen naar achteren.'

'O, ik wil u niet tot last zijn. Ik kan wel omlopen, hoor.'

'Het is geen probleem.' Hij glimlachte, liet haar binnen en sloot de deur. 'Volgt u mij maar.' Hij ging haar voor door de woonkamer.

'Ik weet niet wat hem bezielde. Dit doet hij anders nooit,' sprak de oude dame achter hem. 'Volgens mij hoorde hij iets in de bosjes.'

'Al mijn buren hebben een kat,' zei hij. 'Maar de meeste zijn groter dan uw hond. Als hij er een pakt, ziet het er waarschijnlijk slecht voor hem uit.'

Ze bevonden zich inmiddels in de kleine keuken en bijna bij de schuifdeur toen Michaels het hondje opeens hoorde blaffen. Het geluid leek van de voorkant te komen. Het beestje was de kat waarschijnlijk kwijtgeraakt en zocht nu naar zijn bazinnetje.

'O, daar is hij,' zei hij en hij draaide zich om...

... en zag de oude dame die nu haar wandelstok als een honkbalknuppel boven haar schouder geheven hield.

Haar gezichtsuitdrukking was ijskoud maar vastberaden.

Ze zwaaide de stok in zijn richting alsof ze er een homerun mee wilde meppen...

... Shit!

Michaels probeerde twee dingen tegelijk te doen. Hij greep naar de weefsel-taser in zijn ochtendjas en sprong achteruit. Geen van beide ging hem echt goed af. Hij sloeg tegen de rand van de ontbijttafel, zijn ochtendjas raakte verstrikt rond een van de stoelen en trok deze omver. De stoel viel tussen hem en de oude dame... en dat redde zijn leven.

De stok floot terwijl ze ermee heen en weer zwiepte, maar op het moment dat ze in zijn richting stapte, stuitte ze met haar scheenbenen op de omgetuimelde stoel en kon ze niet verder.

'Fuck!' riep ze uit. Het woord hoorde niet bepaald bij een dame en haar stem klonk bovendien dieper, gladder en jonger.

Michaels struikelde nog steeds achteruit en bonkte met de kruin van zijn hoofd hard tegen de schuifdeur. Het klonk bijna metaalachtig, als van een gong, maar het glas hield het...

De oude dame schopte de omgevallen stoel uit de weg en stond op het punt dichterbij te komen om hem met de opgeheven stok de hersens in te slaan. Maar inmiddels had hij de taser tevoorschijn gehaald, richtte het ding op haar en drukte de vuurknop in...

Nee, niet de vuurknop, hij had per ongeluk het laservizier ingeschakeld! Verdomme!

Een klein rood stipje verscheen... echter, op de múúr en niet op de oude dame. Hij bewoog de taser, en richtte de ronddraaiende stip op de borst van het dametje...

Ze gromde en wierp de stok...

Deze raakte Michaels laag, onder zijn uitgestoken arm, in de buik. Pijn voelde hij niet, maar de klap was hard genoeg om zijn arm even te verlammen. Het laserstipje sprong opzij, weg van de oude dame...

Ze draaide zich om en rende weg. Tegen de tijd dat hij zich herstelde, was zij al grotendeels uit zijn blikveld verdwenen en bijna bij de voordeur. Jezus, wat was ze snel! Taser-naalden hadden alleen binnen vijf of zes meter enig nut, ook al kon hij haar van deze afstand raken...

Hij zette de achtervolging in. Hij wist bij god niet wie ze was of wat ze hier deed, maar dit was verdomme zíjn huis en zijn aanvankelijke verbijstering maakte nu plaats voor woede.

Wie dacht dat mens verdomme wel dat ze wás? Hoe dúrfde ze?

Hij hoorde haar iets schreeuwen wat hij niet kon verstaan, maar tegen de tijd dat hij bij de voordeur was, was zij al twintig meter verder en won ze voorsprong. Ergens kwam de aanblik van een pakweg zeventig jaar oude dame die als een olympische atlete de sprint aantrok behoorlijk onwerkelijk over, ook al wist hij dat het een jongere vrouw in vermomming was.

Hij rende achter haar aan, maar ze had al een te grote voorsprong. En ze was snel. Met zijn ochtendjas en slippers kon hij haar met geen mogelijkheid in de kraag vatten.

Het gevaar was geweken, hij had haar weggejaagd. Wat hij nu moest doen, was de politie bellen. Die moesten de jacht maar voortzetten.

Michaels stond op het punt weer naar binnen te gaan, maar hoorde iets in de bosjes en hield de pas in. Hij bracht zijn taser omhoog, zwaaide de rode stip heen en weer op zoek naar een doelwit. 'Wie is daar? Niet bewegen of ik schiet!'

Hij stond klaar om te vuren, op ongeacht wie hij hier op zijn pad tegenkwam.

Niets.

Voorzichtig deed hij een stap naar de bosjes.

Het was het poedeltje van de oude dame, liggend op de grond, de voorpootjes uitgestrekt en naar hem opkijkend. Hij kefte een keer. Kwispelde met zijn staart.

Michaels schudde zijn hoofd. Jezus Christus!

Hij boog zich. 'Kom hier, jongen. Kom dan, Scout.'

Het hondje kwam overeind en repte zich met de kop omlaag en druk kwispelend op hem af. Hij pakte het beestje van de grond en het likte zijn hand.

Hij fronste het voorhoofd en besefte dat hij veel te snel ademde. Hij zuchtte eens diep en probeerde te kalmeren.

Wat was hier in godsnaam aan de hand?

22

Godsámme!
Rijdend in haar wagen onder de avondhemel van Maryland laaide de zinderende woede in de Selkie voor de zoveelste keer op. Haar rechterhandpalm beukte tegen het stuur. 'Shit, shit, shit!'
Allemaal energieverspilling, dat was haar ook wel duidelijk, en ook dat het niets zou helpen. Gedane zaken nemen geen keer en niemand trof blaam behalve zij. Ze had de hond weliswaar met 'zit' gecommandeerd, maar niet met 'koest'. Een van die rotkatten moest hem aan het schrikken hebben gemaakt waarna hij natuurlijk had geblaft: ze had hem immers niet gezegd dat hij dat niet mocht! Stom. Een beginnersfout was het en zo voor de hand liggend dat ze er geen moment bij had stilgestaan. Maar ook al was het energieverspilling, het maakte haar wel degelijk pissig. Opnieuw beukte ze tegen het stuur.
Het was ongelofelijk, maar zo ging het dus altijd als het geluk haar in de steek liet. Het kleinste dingetje dat fout kon gaan, ging ook fout en op precies het verkeerde moment zodat de hele zaak in het honderd liep. Die blaf, precies op het moment dat ze klaarstond om toe te slaan, had alles verziekt. Was het een seconde eerder gebeurd, dan zou ze gewoon een glimlachend oud dametje zijn geweest dat haar doelwit achternaschuifelde. Een seconde later en het doelwit zou uitgeteld op de grond liggen, wachtend op de genadeslag, als een prooi, schaakmat.
Als die hond maar niet geblaft had. Als het doelwit maar geen taser op zak had gehad. Als die stoel haar maar niet in de weg had gestaan.
Als, als, áls.
Shit!
Dus nu hadden ze haar hond en haar stok, en wisten ze dat Alexander Michaels het doelwit van een aanslag was, tenzij ze een heel stuk dommer waren dan ze dacht. Het zou niet lang duren voordat ze haar gehuurde appartement in deze buurt zouden ontdekken, ook al zou dat haar identiteit niet verraden. Ze zouden weten dat ze

hem al die tijd had bespied. Het leek haar niet waarschijnlijk dat ze veel konden aanvangen, maar één ding stond vast: het zou nu een stuk moeilijker worden om haar doelwit te belagen.

Maar ondanks de woede toverde die gedachte een glimlach op haar gezicht. O, ja, ze zou het doelwit elimineren, zeker weten. De obstakels zouden alleen hoger zijn, de risico's groter. Maar wel een contract tekenen en vervolgens niet leveren? Dat nooit.

Goed. Ze had naar een uitdaging verlangd. En die had ze nu.

Vrijdag 1 oktober, 00:34 uur
Washington D.C.

Alex probeerde te doen alsof het allemaal weinig had voorgesteld, maar Toni wist wel beter. Hij was afgedraaid. Zoals hij daar stond, in zijn bruine pantalon en een T-shirt, zonder schoenen en met de dwergpoedel die deel had uitgemaakt van de vermomming van de zogenaamde moordenaar in zijn hand, leek hij de kalmte zelve. Afwezig aaide hij het dier, terwijl de agenten als groet even de hand naar de pet brachten. Ze hadden de plaatselijke politie ervan kunnen weerhouden met hun zwaailichten de hele buurt in rep en roer te brengen, maar desondanks was het op dit uur van de nacht een flinke drukte rondom zijn appartement. Buren gluurden door de ramen of stonden in de deuropening en vroegen zich af wat er toch allemaal aan de hand was.

Toni was opgelucht dat Alex niets mankeerde, dat de moordaanslag was mislukt. En dankbaar dat hij haar als eerste had gebeld. Dat betekende iets.

Toni had geen moment verspeeld in het overnemen van zijn onderzoekstaak. Het was gewoon een Net Force-onderzoek, onderdeel van de zaak Steve Day. De lokale politie was slechts geroepen om de buurt uit te kammen, en zelfs daar was het waarschijnlijk al te laat voor. Die vrouw zou zich heus niet achter een struik of zo verborgen houden. Als het tenminste een vrouw was. Wie weet was het een kleine man in vermomming.

'Alex?'

'Hm?'

'We hebben die hond nodig.'

Even staarde hij naar de poedel, en toen weer naar haar.

'De hond? Waarom?'

'We willen hem scannen, wie weet vinden we een geïmplanteerde ID-chip of zo.'

'Nee, ik vind eigenlijk dat hij gewoon bij mij moet blijven. Laat iemand van het lab maar langskomen, dan kunnen ze hem hier onderzoeken.'

'Alex, die hond is een bewijsstuk.'

'Nee, dankzij hem hoeft er naast Steve Day geen tweede gat te worden gegraven.' Hij keek weer naar het dier en kriebelde hem achter zijn oren. 'Ja, je bent een brave hond, hè, Scout?'

Toni knikte. Een vreemde zou denken dat Alex wel gewend was aan bezoekjes van huurmoordenaars in zijn eigen huis. Komt u binnen, gaat u zitten. Maar zij kende hem. En misschien wel beter dan dat hij zichzelf kende. 'Nou, hier zijn we in elk geval wel een tijdje zoet mee,' zei ze en ze hield de stok omhoog die inmiddels met speciaal plastic was omwikkeld om vingerafdrukken te beschermen.

'Ze droeg handschoenen. Van witte zijde of katoen waarschijnlijk. Durf te wedden dat ze die stok eerst heeft schoongeveegd toen ze haar handschoenen aanhad.'

'Even checken kan geen kwaad,' was haar opmerking.

Hij haalde zijn schouders op.

Inmiddels was de stadspolitie vertrokken, alleen vier Net Force-agenten waren nog aanwezig; een bij elke buitendeur, een in een wagen aan de overkant van de straat, een bij de glazen schuifdeur. Ze zouden hier blijven totdat de zaak was opgelost.

Toni voelde een vlaag van woede opkomen en had de behoefte zich eraan vast te klampen. Wie deze persoon mocht zijn, als het haar zou lukken de dader in de kraag te vatten, zou hij of zij dat enorm gaan betreuren.

'Alles goed?'

'Ja. Het was alleen nogal een verrassing om zo'n aardig oud dametje uit de buurt opeens klaar te zien staan om mijn hoofd als honkbal te gebruiken.'

'Kan ik me voorstellen.'

'Ik heb haar al minstens een week hier in de buurt gezien.'

'De agenten die voor je deur postten ook. Dit was geen spontane actie. Je werd bespied.'

Hij schudde zijn hoofd. 'Omdat ik op Steve Days stoel zit. Deze aanslag had daar mogelijk iets mee te maken.'

'Ja. Die gedachte bekroop mij ook al.'

'Nou, breng die stok maar naar het lab.'

'Ik kan wel even blijven als je dat wilt.'

'Nee, ga maar weer aan het werk. Ik red me wel.'

Ze vertrok, zij het met tegenzin. Terugrijdend naar het hoofdkwartier bleef de aanblik van Alex die de kleine hond aaide, door haar hoofd spelen.

Vrijdag 1 oktober, 07:37 uur
New York

Johnny 'Jaws' stond voor Ray Genaloni's bureau, met een vel papier in zijn hand.

'Goed, zeg het maar.'

'Dit kwam net binnen van onze man bij het politiebureau van Washington. Ik dacht dat u dit wel direct wilde lezen.'

Genaloni nam het vel aan, zette zijn leesbril op en begon te lezen.

Nog voordat hij ook maar zes woorden gelezen had, zei Johnny: 'Het lijkt erop dat de een of andere vrouw de commandant van Net Force om zeep probeerde te brengen.'

Van over de rand van zijn leesbril keek Genaloni de jongeman aan. 'Probeerde? Probéérde te...?' Vervolgens drong ook de rest van de informatie tot hem door. 'Een vrouw? Je wilt dus zeggen dat de Selkie verdomme een vrouw is?'

Johnny spreidde zijn armen in een hulpeloos gebaar. 'Nou, volgens onze man in Washington wel dus.'

Genaloni las het bericht. Het was een kopie van een politierapport maar er viel weinig uit te halen. Ook leek het er niet op dat de politie er veel aandacht aan zou besteden. De FBI had de zaak overgenomen.

Hij schudde zijn hoofd. Een vrouw. Hij kon het niet geloven. Drie, vier keer had hij de Selkie aan de telefoon gehad en hij had niet beter geweten of ze klonk als een vent. Het zat hem meer dwars dan dat ze de boel versjteerd had. En niet zo'n klein beetje ook. Stel dat ze haar te pakken kregen. Stel dat ze over bepaalde bestanden beschikte die weer naar hem verwezen.

Uiteraard had die gedachte hem al eerder bekropen, maar daar was het bij gebleven. De Selkie had altijd waar voor haar geld geleverd, er was een hoop poen mee te verdienen en hij – of nee, zíj – zou er geen baat bij hebben hem te verlinken. Maar dit? Dit was slecht nieuws. Vooral als ze een vrouw bleek. Op vrouwen kon je immers niet vertrouwen.

'We hebben toch een stel van die computerfanaatjes op de loonlijst?'

'Een paar van de besten.'

'Zet ze aan het werk. Ik wil dat ze de Selkie opsporen. Vind haar, als het inderdaad een "zij" is.'

'En dan?'

'Niets. Vind haar gewoon. En als jullie daarmee klaar zijn, dan bepaal ik wel wat er gebeurt.'

Johnny knikte en verdween. Genaloni keek nog eens naar het faxbericht. Die hele ellende met Luigi en de FBI was doorgestoken kaart. Het zinde hem totaal niet en het werd alleen maar erger. Misschien was nu het moment gekomen om eieren voor zijn geld te kiezen en zijn acties toe te spitsen: Luigi opsporen en hem uit de weg ruimen, stel dat hij zijn mond voorbij zou hebben gepraat; dan de Selkie opsporen en uit de weg ruimen. En ten slotte ook de vent elimineren die haar koud maakte. Alle sporen uitwissen.

Jezus, op deze ellende zat hij niet te wachten. Die godvergeten weg naar de legitimiteit lag bezaaid met lijken, tenminste, daar zag het wel naar uit.

Jezus.

Vrijdag 1 oktober, 09:12 uur
New Orleans

Jay Gridley schakelde terug van zijn vier naar zijn drie en genoot van het machtige gegrom en gesnork van de Viper nu deze de uitvoegstrook naderde en vaart minderde. Aan het eind gekomen wachtte hij voor het verkeerslicht, liet enkele vrachtwagens passeren en sloeg rechtsaf.

Welkom in New Orleans. *Laissez les bons temps rouler, let the good times roll...*

Hij had een gerucht opgevangen dat hij wilde natrekken over een of andere schurk die bezig was een som geld door te sluizen waar geen speld tussen te krijgen was. Wie weet was het degene die hij zocht.

Opnieuw wachtte hij voor een verkeerslicht en ondertussen wierp hij een blik op een krantenkiosk op de hoek. De kranten en tijdschriften kwijnden weg in de felle zon en de vochtige lucht, en de omslagen hingen lusteloos omlaag. Op de kiosk zelf was een van die kleurige kaartjes opgeplakt: CyberNation! Hij moest daar toch eens in duiken. Een man in zijn positie moest van dergelijke dingen af weten.

Een krantenkop trok zijn aandacht. Hij zwaaide naar de verkoper, hield een dollar omhoog en wees naar de krant die hij wilde. De kioskhouder stak de straat over, nam Jays geld aan en overhandigde hem de krant.

De kop luidde: PREMIER THAILAND GEDOOD BIJ ONGELUK.

De kioskhouder gaf geen wisselgeld.

Gridley had nog tijd om de eerste alinea vluchtig door te lezen voordat het licht op groen sprong.

Klaarblijkelijk had premier Sukho zijn auto van een brug gereden. Hij was de enige inzittende geweest. Een merkwaardig ongeluk. De kersverse weduwe had geen commentaar.

Gridley slaakte een zucht. Wel heb je ooit.

Het verkeer in de stad was een ramp. Wegen en straten stonden bomvol met bewoners en toeristen, hierheen gekomen voor de rivier en de pittige gerechten, misschien een stripteaseshowtje op Bourbon Street in het French Quarter. Ook al bezocht je een officieel gesponsorde stadssite in VR, je kreeg hoe dan ook te maken met lokale EW-omstandigheden. Zelfs in oktober was de vochtige hitte nog drukkend te noemen.

Hij was op weg naar Algiers, niet een van de beste buurten, ondanks de jaren van renovaties en nieuwe impulsen. Hij had wat voorwerk verricht, genoeg om te weten dat hij zich ook weer snel uit de voeten kon maken. Zijn Viper zou rap genoeg zijn om problemen te snel af te zijn, maar het was geen tank. Hij vertrouwde op zijn reactievermogen en vaardigheden en tot dusver was het hem gelukt allerhande VR-geboefte het nakijken te geven. Maar zelfs een expert kon wel eens in een doodlopende straat belanden.

Hij zocht zich een weg door de smalle straten en hield het overige verkeer nauwlettend in de gaten. Dat deden ook de voetgangers, hangend op straathoeken, lurkend aan ranke flesjes bier of andere onbekende vloeistoffen uit blikjes die verpakt zaten in kleine bruine papieren zakken. Hier waren de meeste gezichten bruin van kleur, of in elk geval getint. Nergens was een vriendelijk gezicht te bekennen.

Hij zag hoe geld werd aangeboden in ruil voor kleine zakjes of flesjes, zag vrouwen met korte rokjes en temeierlaarsjes die tegen bushokjes of in de schaduw van cafédeuren leunden, azend op klanten.

Zelfs in VR wenste hij niets met dergelijke vrouwen te maken te hebben.

Hij keek even op het briefje met aanwijzingen dat hij had gekregen. Nog een bocht, dan naar rechts, en hij zou zich in een straat bevinden die net aan breed genoeg was voor twee auto's. Voor hem zag hij de Bank of Louisiana, zijn bestemming. Het gebouw leek op een trailer zonder wielen, gesitueerd tegenover een veldje vol bouwpuin.

Voor de ingang van de bank stond een nieuwe, metallic-blauwe Corvette cabriolet klaar met draaiende motor. Een man haastte zich naar buiten. Hij zag er jong uit, maar bewoog zich op een 'oude' manier, droeg een keurig pak en hield een koffertje in zijn ene hand. Hij zou een klant, een zakenman kunnen zijn, ware het niet dat hij een masker droeg.

Hij keek op, zag Gridley en rende naar de Corvette. Vervolgens opende hij het bestuurdersportier, wierp het koffertje op de stoel ernaast en sprong de wagen in.

Op de een of andere manier, het was in een flits, wist Gridley het: dit was hem! De programmeur! Hij wist het zeker!

Gridley grijnsde en gaf plankgas. Hij zou die zak afsnijden zodat hij niet meer kon ontsnappen.

Maar de gemaskerde man was hem voor. Hij scheurde weg van het trottoir en trok, al schakelend, zwarte strepen over het wegdek.

Goed, goed, gaf allemaal niks! De Corvette was snel, maar haalde het niet bij de Viper, zowel wat acceleratie als topsnelheid betrof. De Corvette had minder in het vat. Veel minder!

Gridley stampte op het gaspedaal en voelde hoe hij in zijn stoel werd gedrukt. Al snel liep hij op de Corvette in. 'Zet dat ding maar aan de kant, maat. Jij gaat helemaal nergens heen,' sprak hij hardop.

De smalle straat was echter niet bedoeld voor een stel auto's die daar wilden racen. Een bocht naar rechts zorgde bij beide voertuigen voor nog meer bandenslijtage, maar Gridley hield de Viper op de weg, schakelend, dansend op het gaspedaal, nog altijd inlopend. Zijn achterstand bedroeg nu ongeveer nog dertig meter. Nog maar vijf seconden en dan...

Opeens wierp de bestuurder van de Corvette een handvol zilveren munten uit het raam.

Tenminste, zo leek het. Pas toen ze op straat kletterden, zag Gridley dat het helemaal geen munten waren, maar een soort spijkerachtige voorwerpen.

Kraaienpoten!

Hij stond boven op de rem. De remzuigers grepen zich vast, de wagen slipte en remde, maar niet voldoende. De linkervoorband was het eerst aan de beurt, alsof er een rotje ontplofte. De Viper schoot naar links. Hij gaf een ruk aan het stuur waardoor de wagen gedeeltelijk weer recht kwam. Bijna had hij de Viper weer onder controle of daar ging de rechtervoorband. De wagen raakte in een haakse slip, verloor zijn greep op de weg, botste tegen de trottoirband op waardoor de achterwielen opsprongen en de wagen een etalage ramde. Het regende glasscherven nu de Viper dwars door de ruit in een kleine bakkerij belandde, daarbij een kleine vitrine verwoestend. Vervolgens gleed de wagen iets terug, ramde een tafel omver en kwam tegen een toonbank tot stilstand. Door de botsing tuimelde de oude metalen kassa boven op de kofferbak.

Er wachtte hem flink wat reparatiewerk.

Gridley, bedolven onder glas en taart, keek de verbijsterde bakker aan die in zijn witte schort en muts vlak naast het portier stond.

Hij schudde zijn hoofd. Die gast had hem beetgenomen, zijn rit verziekt en was mooi de dans ontsprongen. Hij keek naar de bakker die hem met grote ogen aanstaarde.

'Goedemorgen. Zeg, verkoopt u toevallig... eh, verse donuts?'

23

Vrijdag 1 oktober, 13:32 uur
Washington D.C.

Tyrone Howard stond bij zijn kluisje en wachtte tot de duimaf-drukklezer de deur opendeed toen hij opeens de stem des onder-gangs hoorde. Het klonk anders dan hij had verwacht. Dit klonk zacht, hees, sexy en zonder ook maar een zweempje rampspoed.
'Hoi. Ben jij Tyrone?'
Hij draaide zich om en keek recht in het gezicht van Belladonna Wright, met haar volle veertien jaar het mooiste meisje op de mid-delbare school Eisenhower, vermoedelijk het allermooiste meisje van heel Washington. Ze glimlachte naar hem.
Ze glimlachte naar hém.
Hij was ten dode opgeschreven.
Wat moest ze van hém? Als iemand iets gezegd had tegen Botten-breker LeMott kon hij net zo goed nu meteen harakiri plegen en de aanval later vermijden. Jee-zus!
'Eh, eh, ja?' Tot zijn afgrijzen sloeg zijn stem over. Het was voor eeuwig in zijn geheugen gebrand.
'Sarah Peterson zei dat je vrij goed bent met computers, dat je het zo simpel kunt uitleggen dat zelfs een doos als ik het zou kunnen begrijpen. Ik moet voor mijn basis-C minstens tachtig procent halen, anders kom ik in de problemen. Zou jij me misschien kun-nen helpen?'
Nu hij besefte wie er tegen hem praatte, sloeg de stem van het zelf-behoud vanuit de krochten van zijn brein groot alarm: nee!! Gevaar! Gevaar, Will Robinson! Alarm, alarm, wegwezen, vluch-ten, overstromingsgevaar, de vulkaan staat op uitbarsten, een bui-tenaardse invasie! Nee, sorry, nee, dat trek ik nooit, eh eh, never nooit niet, no way, ik ben er niet!
Als vanzelf gleden de woorden uit zijn mond: 'Eh, oké, tuurlijk.'
Wie zei dat? Ben je helemaal gek geworden? Dood! Verminking! Vernietiging! Aaaaah! gilde de stem van het zelfbehoud terwijl hij zich dieper in een hersenkwab probeerde in te graven.
'O, dank je. Kijk, dit is mijn nummer,' zei Bella. 'Bel me om een afspraak te maken. Afgesproken?'

Nou en of, hartstikke afgesproken! Bottenbreker LeMott rijt ons uiteen als een overgare kip, wat je afgesproken noemt!

Tyrone nam het papiertje van haar aan en glimlachte terug. 'A-af-ge-sproken.'

Ze glimlachte, draaide zich om en liep weg. Of beter, ze schrééd weg, als een Polynesische prinses op een wit zandstrand in de warme zonneschijn... Heerseres over alles wat ze in ogenschouw nam.

Tyrones hoofd sloeg op hol door opgewekte lustgevoelens. Tegelijkertijd droogde de angst zijn mond dusdanig uit dat deze ruwweg de consistentie kreeg van een stapel botten die een eeuw lang hebben liggen bleken in het zonlicht van de Gobiwoestijn.

Dat is onze toekomst, idioot! Ga ervandoor, verstop je, verander je naam, verlaat de stad!

'Ty-róne! Stond jij net met Bélla te praten?'

Tyrone staarde Jimmy-Joe in het gezicht. Hij kon slechts dom knikken.

'Man! Ty-róne, plusje! Ouwe dekhengst! O, ja, en gefeliciteerd met je zwarte band, hè.'

Tyrone wierp een fronsende blik naar Jimmy-Joe. 'Wat? Welke zwarte band?'

'Die je nodig zult hebben zodra Bottenbreker erachter komt dat je een heet relais naar Bella probeert aan te leggen. Het is óf die zwarte band óf een pistool. Ik zou persoonlijk voor het laatste kiezen.'

'Ik probeerde helemaal niets aan te leggen! Ze sprak me gewoon aan om me iets te vragen! Om haar met haar basis-C te helpen!'

'Ja, ja...'

'Nee, echt! Ze gaf me haar nummer, ik moet haar terugbellen en dan komen we een keertje bij elkaar om te, om... eh...'

'Zeker ergens onder vier ogen, hè, zoals bij háár thuis?' was Jimmy-Joe hem voor.

'O, man. O, nee.'

'O, jawel. Ik zie het al voor me: Bottenbreker wipt binnen, ziet jou over Bella's sexy schouder heen leunen terwijl je je hand op haar... muis houdt, en dan is het sayonara, Tyrone-san.'

'Ach!'

'Nou ja, misschien ook niet. Je zou het natuurlijk te druk kunnen krijgen om haar te helpen, snap je?'

'Juist. En dan is zíj over de zeik, zegt tegen Bottenbreker dat ik haar beledigde en dán maakt hij me alsnog af.'

'Het ziet ernaar uit dat je dit absoluut niet kunt winnen.'

'Wat sta je nou te láchen?! Dit is helemaal niet leuk, Jimmy-Joe!'

'Hangt ervan af in wiens schoenen je staat, hè? Luister, als je dan toch de pijp uit gaat, kun je maar beter lol hebben, ja toch? Zorg ervoor dat je met een blij gevoel de stekker eruit trekt.'

'Ik geloof dat ik naar de wc moet,' zei Tyrone. Plotseling moest hij heel erg nodig naar de wc.

Jimmy-Joes nauwelijks onderdrukte gegniffel volgde hem door de gang.

Vrijdag 1 oktober, 19:30 uur
Grozny

Met zijn VR-uitrusting inmiddels weer afgezet zat Plekhanov zwaar ademend in zijn stoel. Hoe had die Amerikaanse agent van Net Force zo snel zo dichtbij kunnen komen? Oké, hij had hem wel weten tegen te houden en had zijn programma geruïneerd, maar al met al was het toch bijna een mislukking geworden. Het had niet mogen gebeuren.

Hij zuchtte eens diep en bracht zichzelf tot bedaren. Nou ja. Hij was de beste, maar je moest ook een op één of op twee of op negen na de beste hebben. De reden voor de aanvallen op de commandant en de operaties van Net Force was geweest om hun respectabele programma's elders druk aan het werk te houden. Hun beste krachten konden uiteraard niet tippen aan zijn klasse, maar op het hoogste niveau verschilden de vaardigheden niet hemelsbreed. Nee, de topspelers waren gevaarlijk. Als een van hen toevallig op het juiste moment op de juiste plaats was, kon dat een serieus probleem worden.

Hij wreef zich de ogen. De oppositie had hem in het vizier gekregen. Natuurlijk was er van echt gevaar geen sprake geweest, hij had zijn ontsnappingsroute gepland en diverse manieren bedacht om een achtervolging te ontmoedigen mocht de eerste mislukken, wat dus níet was gebeurd. De reden waarom die beveiliging was ingebouwd, was slechts voor het geval zich een dergelijke onwaarschijnlijkheid zou voordoen. Hij had toch zeker weten te ontkomen? Die knul, die tot Amerikaan genaturaliseerde Thaise wees, hoe heette die ook alweer? Groly? Gridley? Dat was een kei, maar hoe snel hij ook met zijn handen was, de ervaring had hij niet. Met hun tweeën in een VR-ring met handschoenen aan zou die jongen een voorsprong hebben, maar in deze arena ging het officiële boksreglement niet op. Zodra ze niet langer door richtlijnen gehinderd werden, konden de ouwe schurken keer op keer hun jonge en snelle tegenstanders verslaan...

Maar toch, hij zou nog voorzichtiger zijn. De perfecte misdaad school niet in het wegkomen zodra je gezien was. Een misdaad was pas perfect wanneer niemand zelfs maar in de gaten had dat hij gepleegd was. Voor deze onderneming was daarin geen moment voorzien, maar het ontlopen van een achtervolger was lang zo knap niet als het uit diens zicht blijven. Daar zou hij nog wat aan moeten schaven.

Intussen stonden nu de reisjes naar Wit-Rusland en Kirgizië op de agenda. Hij zou voortgaan met zaaien en binnenkort zou hij oogsten.

Vrijdag 1 oktober, 16:02 uur
Quantico

Michaels' baas was on line en wat hij had mede te delen, stemde hem niet blij.

'De president maakt zich ongerust, Alex. Het is inmiddels meer dan drie weken geleden.'

'Daar ben ik me van bewust.' Hij was zich er ook van bewust dat hij stug klonk.

Walt Carver was niet tot FBI-directeur opgeklommen door nuances te missen.

'Word nou niet meteen nijdig. Ik attendeer je slechts op iets wat je al weet. De kneep zit hem hier in de politieke lading.'

'Ik begrijp het,' zei Michaels.

'We hebben een overwinning nodig,' vervolgde Carver. 'Het hoeft geen grote te zijn, als het maar iets is waarmee we de roedel kunnen afleiden zodat ze niet naar ons beginnen te happen. Hoe eerder je met iets komt, hoe beter, en wanneer ik zeg eerder, dan heb ik het over een paar dagen.'

'Ja, meneer.'

'Ik zal de senaatscommissie uit je buurt houden, maar vóór maandag, uiterlijk dinsdag, wil ik iets meer horen over het onderzoek naar de moord op Day.'

'Ja, meneer.'

Nadat Carver de verbinding had verbroken, kwam Michaels over-eind. Hij had behoefte aan wat beweging om iets van zijn nerveuze spanning kwijt te raken. Alsof het nog niet genoeg was dat hij afge-lopen nacht bijna om zeep was gebracht, zat nu de president van de Verenigde Staten hem verdomme op de huid. Als hij niet snel met iets kwam, zou hij het in deze stad wel kunnen schudden; als de overheid dacht dat hij een slapjanus was, kon hij zijn loopbaan wel vaarwel zeggen.

Mooi, fijn. Hij hield van zijn werk, het gaf bevrediging, maar alleje-zus zeg, hij kon zo een andere baan krijgen, dat was het probleem niet. Zolang hij maar de moordenaar van Steve Day in de kraag kon vatten voordat ze hem wipten, kon hij ermee leven. Hij had deze vervloekte functie sowieso niet geambieerd, zeker niet gezien de tol die het van je eiste.

Hij kreeg opeens behoefte om zijn dochter te bellen. Hij keek hoe laat het was. Iets na vier uur in de middag hier, maar in Idaho was het een paar uur vroeger. Zou ze al uit school zijn? Hij wist het niet, behoorde het wel te weten, maar nee hoor. Had ze een pieper? Hij schudde zijn hoofd. Ook dat wist hij niet. En al had ze er een, hij zou haar niet van streek willen maken door haar in de klas op te pie-pen. Ze zou zich maar ongerust maken en wat zou hij haar moeten zeggen als zij belde? Hallo, schatje. Raad eens... papa werd gister-avond bijna vermoord en verliest nu misschien zijn baan wel.

Leuk, hoor. Dit kon hij niemand vertellen, ook al deed hij dat nog zo graag. Dus niet. Hij ging niet zitten zeuren over hoe hard het leven was... dat loste nooit iets op en er was toch al niemand die het wilde horen.

Hij was te gespannen om stil te zitten. Misschien dat hij in de sport-zaal eens lekker moest gaan uitzweten. Het zou geen kwaad kunnen en wie weet zou hij zich beter gaan voelen. Soms maakte lichaams-beweging zijn geest weer helder genoeg om nieuwe ideeën te krij-gen. Ja, een training op het multiplexapparaat zou wel eens goed kunnen zijn. Wat kon hem het schelen, met hier op zijn krent zitten kwam hij ook geen steek verder.

De functie van bestuurder, zo had hij gemerkt, was niet echt grap-pig.

Jay Gridley betrad de VR Cane Masters-winkel in Incline Village in Nevada. Als het aan hem lag, zou hij liever in New Orleans op jacht gaan naar de overvaller, maar die programmeur zou moeten wachten. Hij had het voertuig van de man goed kunnen bekijken, voelde aan hoe de verdachte zich verplaatste, en na de bankoverval te zijn nagelopen, had hij diens werkwijze in de smiezen gekregen. Sommige dingen kon je verbergen en sommige dingen vielen in het oog. Het was vooral de stijl waarin de ene goede programmeur zich van de andere onderscheidde, en Gridley wist één ding: als hij die vent weer op het spoor kwam, zou hij hem herkennen zodra hij hem tegenkwam. Dat was een groot voordeel en hij was van plan erbovenop te springen zodra het kon.

Maar gisteravond had iemand geprobeerd zijn baas te vermoorden en dat ging nu voor.

In de winkel stonden rekken vol glimmende stokken, van gepolitoerd eiken- en noten- tot walnotenhout, netjes langs de muren opgesteld. Ook andere houten wapens voor oosterse vechtsporten vond je hier: knuppels, escrimastokken, plus rubberen trainingsbanden, video's, boeken, jasjes en T-shirts.

Achter de toonbank stond een aantrekkelijke Chinese winkelbediende naar Jay te glimlachen, die het bij de aanval op Alex Michaels gebruikte wapen onder zijn arm geklemd hield.

'Kan ik u helpen?' vroeg de bediende.

Gridley overhandigde haar de stok. 'Komt deze van hier?' Hij wist allang dat dat zo was, want van alle stokfabrikanten in Noord-Amerika had hij productomschrijvingen en GIF-bestanden doorgespit, totdat hij op een identiek exemplaar was gestuit.

De vrouw bekeek de stok aandachtig. 'Ja, dit is ons Instructor-model, van notenhout. Is er iets mee?'

'Nee, hij voldoet prima, voorzover ik weet. Maar ik heb wat informatie nodig. Houdt u aantekeningen bij van uw verkopen?'

'Natuurlijk.'

'Is er op de een of andere manier achter te komen wie deze stok kocht?'

Haar glimlach verflauwde. 'Ik ben bang dat onze klantengegevens vertrouwelijk zijn, meneer.'

'Is er een manager die ik kan spreken?'

'Een momentje, alstublieft.'

Binnen enkele seconden verscheen er achter haar een nors kijkende, lange man. 'Waarmee kan ik u van dienst zijn, meneer?'

Gridley trok zijn identiteitspasje van Net Force tevoorschijn en hield het omhoog. Hij gebaarde naar de stok die hij had meegenomen. 'Deze stok werd gebruikt bij een moordaanslag op een federale regeringsfunctionaris,' zei hij. 'Ik heb uw verkoopgegevens nodig.'

'Ik ben bang dat we daar niet aan kunnen voldoen,' reageerde de man.

'O, dat kunt u zeker wel. U kunt ze uit vrije wil verstrekken, waarmee we ons beiden een hoop tijd en gedoe besparen en u mijn dankbaarheid verdient. Of ik kan een dagvaarding regelen en binnen een uur terug zijn met een stel programmeurs van de belastingdienst plus een accountantsbureau om alles wat uw bedrijf de afgelopen tien jaar heeft uitgevoerd volledig door te spitten. Ik weet bijna zéker dat die jongens hier en daar wel een paar onregelmatigheden zullen ontdekken in uw manier van zakendoen. Ik bedoel, gezien al die gecompliceerde belastingregeltjes en al die jaren kun je toch niet honderd procent eerlijk zijn, ook al zou je willen.'

De man nam Gridleys pasje aan, legde het even onder een scanner en wachtte op de verificatie. Toen die kwam, zei hij: 'We helpen de overheid graag een handje. Denise, wil jij alsjeblieft voor deze agent de gegevens overhevelen?'

Gridley knikte, maar gunde de man geen glimlach. Jammer dat hij dit soort invloed ontbeerde wanneer hij probeerde een fatsoenlijk restaurant binnen te komen.

Buiten de winkel liep Gridley naar zijn nieuwe Viper. Nou ja, nieuw... Aangezien het programma dat hij gebruikte een back-up was van dat wat in New Orleans gecrasht was, was deze wagen eigenlijk even oud als zijn óúde Viper. En vergeleken met dat wrak ontbraken aan deze ook een paar toeters en bellen. Aan het in puin gereden ding had hij flink wat versleuteld, maar hij had niet de moeite genomen de updates te bewaren. Op zich geen man overboord, alleen zou het wel enig werk vergen om deze net zo nauwkeurig af te stellen als de vorige.

In de auto bekeek hij de uitdraai. Cane Masters ging al minstens vijftien jaar mee en in die tijd hadden ze duizenden stokken verkocht. In de afgelopen tien jaar hadden ze een paar honderd exemplaren verkocht van het model waar Net Force belangstelling voor had. Toch was het nalopen van een paar honderd mogelijkheden altijd nog beter dan het nalopen van helemaal géén mogelijkheden.

Hij startte de wagen en bij het stugge geluid van de motor verscheen een frons op zijn voorhoofd. Dat ding moest echt worden
afgesteld. Hij zette de Viper in zijn versnelling en reed weg van de
winkel.

24

Vrijdag 1 oktober, 23:14 uur
Las Vegas

Maar liefst driehonderd dollar had Grigory de Slang gewonnen aan de blackjacktafels, inleg vijf dollar. Hij bevond zich in het grote, piramidevormige casino, begon al aardig beneveld te raken en zwetste over dat hij aanstonds op hoerenjacht ging. Zolang hij maar speelde, waren de drankjes gratis. Waarschijnlijk zou het de prostituee zijn die uiteindelijk het grootste deel van zijn winst toucheerde, in ruil voor een paar minuten liefdeloos genot, plus het risico een dodelijke ziekte op te lopen.

Ruzhyó was niet op de hoogte van hoe wijdverspreid het HIV-virus onder Amerikaanse hoeren was. In delen van Afrika en Zuidoost-Azië waren acht van de tien hoeren geïnfecteerd. Natuurlijk waren er vaccins voor de meer algemeen voorkomende varianten, maar het leek erop dat elke week een nieuwe zich ontwikkelde. En dat terwijl de Slang meer dan eens had opgeschept dat hij onder geen beding van een condoom gebruik wenste te maken. Die kon dus iets van het een of ander oplopen en langzaam en pijnlijk wegrotten. Niet dat het Ruzhyó iets kon schelen. Hij had echter wel medelijden met diens vrouw, want wie weet liep zij ook de kans besmet te raken voordat haar echtgenoot zo beleefd was te sterven. En ook medelijden, omdat ze überhaupt met zo'n achterlijke boer getrouwd was...

Staand naast een elektronische eenarmige bandiet luisterde Ruzhyó naar het gejengel en de irritante akkoordjes die uit de machines blèrden, terwijl overal om hem heen mechanisch en vreugdeloos op knoppen werd gedrukt en aan hendels werd gerukt. Niemand leek het echt naar zijn zin te hebben. Nergens viel er een glimlach te bekennen, nergens werd eens jolig een schouderklop uitgedeeld. Er heerste slechts een soort manische concentratie, alsof daarmee de winnende plaatjes op magische wijze in het gelid zouden verschijnen en het munten zou regenen. Zo nu en dan gebeurde dat ook en liet een kakofonie van klanken en knipperende lampen het desbetreffende apparaat weten dat de gouden inhoud opgehoest diende te worden, wat nog eens een schepje boven op de algehele herrie betekende. Ziet u wel! leek het ding dan te zeggen, u kúnt heus winnen. Gooi er nog maar een dollar in en misschien bent ú de volgende winnaar!

Hebzucht scheen lekker te zijn, maar kennelijk alleen als je aan de winnende hand was.

Hij kon niet zeggen waarom hij met de Slang was gaan stappen. Ruzhyó was geen gokker. Kaarten, dobbelen, roulette, hij had er geen greep op. Dergelijke risico's boeiden hem niet. Je kon alleen maar geld winnen, en voor hem was dat net zo vervelend als verliezen.

Misschien probeerde hij zichzelf te bewijzen dat hij nog altijd ontspannen kon genieten; als dat zo was, dan was dit in elk geval niet de manier. Het was nog geen middernacht en hij was nu al moe, moe van de herrie, het kabaal van de machines en de ontevreden stemmen van de bezoekers. Maar vooral van Grigory de Slang. Nu al had deze man de andere vier spelers aan de tafel duidelijk gemaakt dat hij een Russische oorlogsheld was. Nog even en hij zou over zijn onderscheidingen beginnen. Die verhalen wenste Ruzhyó niet langer aan te horen. Nooit meer.

De tijd dat Ruzhyó nog nachten lang kon doorfeesten en de volgende dag zonder een minuut slaap weer fris aan het werk kon, was allang voorbij. Het decadente leven was voor jonge mensen en de dommen.

Winters kwam nu bij hem staan. De Amerikaan droeg een zwart T-shirt met op de rug het logo van een ander casino, in de vorm van een leeuw. Hij droeg ook een Levi-spijkerbroek met een brede riem en een grote glimmende gesp en zwarte cowboylaarzen. In zijn hand hield hij een glas met een bruinig, waterig drankje. Hij zag eruit alsof hij hier helemaal thuishoorde. 'Hagedissenpis,' zei hij, maar hij nam nog eens een slokje. 'Welkom in Disneyland voor boven de achttien, jongen. Heb je die rivier des doods en die boottoestand nog gezien toen we kwamen aangereden? Die godjes met hondenkoppen, Ra, en al die andere zooi? Christus, alsof je in een kleuterpark bent. Mummie mag ik overvaren...?'

Ruzhyó wierp een blik op zijn horloge.

'Haalt onze jongen nog wat centjes binnen?'

'Het vlot aardig, ja. Nog drie potjes en dan wil meneer graag op zoek naar professioneel vrouwelijk gezelschap.'

'Kijk, da's nog eens een idee; dan kun je je geld beter verschieten aan een orgasme, heb je tenminste nog iets leuks om aan terug te denken, in plaats van te gokken en verliezen.'

'Grigory heeft zo zijn methode.'

Winters lachte, nam nog een laatste slok en zette het glas met ijsklontjes op de grond naast zich. 'Een methode? Hou op, man. Als dat zo is, regelt het casino zelfs een vliegtuig om je op te halen, en een gratis kamer, gratis eten en gratis drank. Het enige waarmee je met eenentwintigen kunt scoren, behalve met valsspelen dan, is door de kaarten te tellen. Maar word je betrapt, dan schoppen ze je eruit. Alleen, onze Griggy hier heeft totaal niet de hersens om verder te tellen dan de drie of vier kaartjes in zijn eigen handjes, laat staan de veelheid van kaarten in de schoen. Ik groeide op boven een bar met pokertafels en eenarmige bandieten. Echt, bij kansspelen heb je altíjd het nakijken.'

Ruzhyó keek hem aan, en staarde vervolgens naar de Slang. 'Ik ga terug naar mijn kamer.'

'Ik hou Griggy nog wel even in de gaten. Voor hij zich in de nesten werkt...'

Buiten was het koel, zelfs na een dag waarop de buitentemperatuur die van je lichaam benaderde. Een stevige woestijnwind bracht de droge stoffige lucht in beweging. De varenachtige bladeren van de palmbomen rondom de parkeerterreinen voor de enorme zwarte piramide wapperden als levende vlaggen. Boven op het gebouw priemde een felle lichtbundel loodrecht naar de hemel. Het licht was zo fel en heet dat het het stof in de lucht naar zich toe zoog en recht omhoog de nachtelijke hemel in schoot. Vergeleken met deze laserachtige straal vormde een zoeklicht maar een bleek dwaallichtje.

Disneyland voor boven de achttien. Nou en of. De decadentie ten top.

En hoe zat het met zijn plannen voor als hij zijn opdracht voltooid zou hebben? Waar zou hij heen gaan? Niet naar huis, naar de verstikkende herinneringen die hem daar overal zouden omringen, waar hij ook keek. Misschien wel naar een woestijn, net zoals deze hier die dit gekunstelde stukje groen omzoomde. Weg van iedereen, leven als een kluizenaar, slechts gezelschap gehouden door schorpioenen en spinnen en échte slangen. Overdag een perkamenten huid oplopen, om in de kille nacht op je brits te luisteren naar hoe de wind het zand geselt, met misschien in de verte het gehuil van een coyote...?

Hij glimlachte bij de gedachte. Nee, hij zou niet naar de woestijn verhuizen. Hij zou gewoon een volgende opdracht van Plekhanov accepteren – want bij een man als Plekhanov kon je altijd op nieuwe opdrachten rekenen – en hij zou ze aanvaarden. En ze uitvoeren, net zolang tot hij op een jongere, snellere en hongeriger tegenstander zou stuiten. En dan zou alles voorbij zijn.

Nee, hij zou niet van een brug springen, de loop van zijn pistool in zijn mond stoppen, of wegrennen en zich verborgen houden. Hij zou datgene blijven doen waarvan hij altijd al had geweten dat hij het kon, en zo goed mogelijk. Het was het enige wat hij had. Afgezien van Anna was dit het enige wat hij had gehad. Het was zijn levenspad en hij zou het blijven volgen totdat het doodliep.

De droge wind blies hem achterna terwijl hij naar zijn hotel liep.

Zaterdag 2 oktober, 12:00 uur
Quantico

Toni boog zich voorover, raakte haar tenen aan en liet zich plotseling in een diepe hurkzit vallen. Haar knieën knapten. Ze stond op en schudde haar benen los. Ze was een van de slechts drie aanwezigen in de Net Force-sportzaal. De meesten werkten niet op zaterdag en normaliter zou dat voor haar ook hebben gegolden, maar zolang er nog geen nieuwe feiten omtrent de moord op Day aan het licht waren, en die nieuwe toestand rond Alex, zou ze geen vrijaf nemen. Bijna niemand deed dat.

Ze keek op en zag Rusty uit de kleedkamer verschijnen. Ze had niet verwacht hem vandaag hier te treffen. FBI-rekruten hadden in deze fase van hun opleiding de weekends meestal vrij.

'Goeroe...' sprak hij en hij maakte een korte buiging.

'Rusty. Niet gedacht dat je hier vandaag zou zijn.'

'Ach, ik wist dat u hier vandaag zou zijn en ik had toch niets anders te doen. Tenminste, als u het niet erg vindt?'

'Nee, hoor.'

Ze had gemerkt dat lesgeven haar wel aanstond. Het dwong haar na te denken over haar eigen vorm, ervoor te zorgen dat daar niets aan mankeerde alvorens die door te geven. Haar eigen goeroe had gelijk: de leermeester leerde net zoveel als de leerling.

Ze deden een warming-up van vijf minuten: stretchen, gewrichten opwarmen. 'Goed, laten we beginnen,' zei ze.

Hij stelde zich op tegenover haar. Ze maakten een buiging waarna ze hem zijn eerste djuru liet doen.

Terwijl Rusty zijn eenvoudige elleboogblokkeer-stootcombinatie oefende, bracht Toni correcties aan, demonstreerde het voetenwerk en draaide zijn handen ietsjes bij. Ze was gewend aan het tientallen, honderden malen voordoen, maar Rusty bleek een vlugge leerling en pikte de lessen behoorlijk snel op.

Na tien minuten djuru's te hebben geoefend, vond Toni het welletjes. 'Goed, dan gaan we nu de *sapu*- en *beset*-bewegingen doen.'

'Hm-hm,' mompelde hij knikkend, maar hij keek haar vragend aan. Ze glimlachte. 'Met een sapu haal je uit met de binnenkant voet of been. Het betekent letterlijk "bezem". Met een beset maak je een trekkende beweging naar je toe, meestal met je hiel of je kuit. Daarna stap je met je rechterbeen naar voren en haal je rechts uit.'

Rusty knikte en gehoorzaamde. Met zijn rechtervuist haalde hij hard uit, want minder hard betekende: overnieuw. Met open handen blokkeerde ze zijn aanval en met haar rechtervoet deed ze vervolgens een stap naar voren en zette hem naast zijn linkervoet.

'Goed. Zie je nu hoe onze voeten staan? Ik sta dus aan de buitenkant van jouw aanvalsbeen. Dit heet *luar*. Oké, nog eens, en op dezelfde manier.'

Hij gehoorzaamde.

Ditmaal blokkeerde ze en deed opnieuw een stap naar voren. 'Nu sta ik aan de binnenzijde van jouw voet. Dit heet *dalam*.'

Hij keek omlaag. 'Luar betekent dus buitenkant voet en dalam binnenkant voet?'

'Klopt. Bij silat ga je eigenlijk uit van vier basisposities in relatie tot de voethouding van je tegenstander. In relatie tot jou kan ik dus allebei mijn voeten naar voren plaatsen, links- of rechtsbuiten dus, of links- of rechtsbinnen. Stel, jij zou links voor zetten, dan zou ook ik voor die voet mijn eigen positie gereed hebben. Kortom, ik beschik dus over vier basisreacties, ongeacht met welke voet jij begint.'

'Oké.'

'Nog een keer, alleen langzaam nu. De eerste techniek die ik je nu laat zien, is beset luar.'

'Met welke hand?'

'Maakt niet uit. Wat je rechts kunt, kun je ook links. Wat je in je hoofd kunt doen, kun je ook met je lichaam. Wat je hoog kunt doen, kun je ook laag.'

'Nou, dat klinkt als iets wat ik maar beter even kan opschrijven.'

'Geen zorgen, je zult het nog vaak horen. Telkens weer. Bij silat gaat het niet om harde en snelle technieken, het draait om wetten en principes. Je hebt er wat langer voor nodig, maar daarna beschik je over iets wat je op elk moment kunt benutten. Uiteraard zal ik je de nodige details laten zien, maar het doel is om er ervaren in te worden. Opnieuw, maar nu langzaam.'

Hij stapte naar voren en mikte een langzame rechtse op haar neus.

'Goed, dan komt nu de blokkade, vanaf de buitenkant. Ik werk nu jouw arm uit de weg en van me af. Zo dus.' Ze boog zijn arm omlaag en diagonaal voor zijn lichaam van haar weg en hield hem met haar linkerhand vlak boven de elleboog in een greep. 'Oké, nu stap ik naar binnen, rechtervoet vooruit, en plaats die vlak achter de jouwe. Gewoon een rechte stap vooruit, dus geen omtrekkende beweging. Zo dus.' Eerst toonde ze hem de verkeerde manier en daarna de goede. Ze overdreef expres waardoor het een stampvoet leek. 'Dan zet ik nu mijn heup tegen de jouwe en draai hem naar binnen, precies zoals bij een djuru. Zie je wel: schouders en heupen haaks op elkaar?'

'Ja.'

'Dit is dus mijn basis. Daarna trek ik met mijn linkerhand je arm omlaag en iets achter me. Dit vormt nu de invalshoek. De mens heeft maar twee voeten, dus hoe je er ook bij staat, je staat altijd zwak in ten minste twee richtingen. Vooruit of achteruit sta je in elk geval stevig, maar als ik nu even denkbeeldig een ruit teken met jouw voeten als middellijn, dan zie je dat je bij negentig graden totaal geen kracht meer hebt.'

'Geometrie,' constateerde hij grijnzend.

'Absoluut. Dus nu breng ik mijn rechterhand naar jouw nek. Ik zou je nu een stoot of een por kunnen hebben gegeven, maar voor nu plaats ik hem gewoon even op die plek. Elleboog omlaag. Kijk, dit is dus mijn hefboom. Nu heb ik alle drie de componenten op hun plaats: basis, invalshoek en hefboom. Met als gevolg...?'

'Ik ga onderuit?'

'Juist. En als ik met mijn rechtervoet de jouwe ook maar een ietsje naar me toe trek, de beset, ga je zelfs nog iets sneller onderuit.'

Ze zette zich een beetje schrap, trok wat met haar voet en Rusty viel plat op zijn rug. Met een harde klap belandde hij op de mat. Daarna kwam hij weer overeind.

'Nog een keer,' zei ze. 'Maar langzaam, zodat je kunt zien hoe ik het doe.'

Hij haalde uit, ze blokkeerde, deed een stap naar voren en draaide haar heup tegen zijn dij.

'Het is belangrijk dat je je dicht tegen je tegenstander aan werkt,' zei ze. 'Bij silat kleef je je als het ware aan je tegenstander vast. Het lijkt gevaarlijk, vooral als je gewend bent afstand te bewaren, maar als je weet wat je doet, is dicht op het lichaam de beste plek. Je bekijkt de situatie als het ware van een afstand, en met je lichaam

zoek je contact zodat je alle bewegingen kunt voelen zonder ze te hoeven zien. Voel je hoe mijn heup zich in jouw lichaam drukt?'
'O, jazeker, nou en of!'
Ze vloerde hem opnieuw en had het tamelijk onverhulde seksuele toontje in zijn stem opgevangen. Ze grijnsde. Als hij dat lekker vond... Wacht maar tot ze hem eens een echte dalam zou voordoen.

Zaterdag 2 oktober, 12:18 uur
Quantico

Alex Michaels sloop door de gang, te gespannen om een maaltijd te nuttigen. Gridley was bezig de achtergrondgegevens te achterhalen omtrent de stok die de moordenares tegen hem had willen gebruiken en Alex had in de nasleep van de VR-bankoverval in New Orleans enkele teamleden het web laten uitkammen. Alle verzamelde informatie werd naar Net Force doorgesluisd, maar hij was niet in staat het proces te versnellen. Het overleg met zijn team stond gepland voor halféén en tot die tijd zou er niets nieuws binnenkomen.
Hij wist dat Toni meestal 's middags haar training deed. Het gaf hem in elk geval wat afleiding en dus begaf hij zich naar de sportzaal.
Daar aangekomen trof hij Toni samen met de uit de kluiten gewassen FBI-rekruut die ze als leerling had geaccepteerd. Ze stonden tegenover elkaar, de benen in elkaar verstrengeld en haar heup tegen zijn kruis gedrukt. Michaels keek toe en zag hoe de man zijn hand voor Toni's borst bracht, ogenschijnlijk haar rechterborst leek te willen omvatten om daarna een onhandige zwenkbeweging te maken en haar op de oefenmat te werpen.
Michaels bleef staan en fronste zijn voorhoofd. Om de een of andere reden voelde hij zich eventjes geïrriteerd.
Toni lachte, stond op en keek haar leerling opnieuw aan. Ze bewogen, hij haalde uit, zij dook onder zijn arm en vloerde hem met een beweging die voor Michaels niet helemaal te volgen was. Beiden lachten nu terwijl die imbeciel van een rekruut opnieuw overeind krabbelde. Ze zei iets tegen hem, werkte zich dicht tegen hem aan en duwde haar heup tegen de binnenkant van zijn dij.
Op dat moment zag de man hem en zei iets tegen Toni. Ze draaide

zich om en zag hem bij de deur staan.

'Hé, Alex.'

Opnieuw voelde hij die irritatie. Waar kwam dat toch vandaan? Toni had alle recht deze stumper van alles te leren. Het ging hem niets aan, dat wist hij. Hoe dan ook, hij wist zijn gevoel haarscherp thuis te brengen.

Hij was jalóérs.

Onzin. Kom op. Toni was zijn directe ondergeschikte, meer niet. Ze koesterden geen romantische gevoelens voor elkaar. En zelfs dan nog zou het dom zijn ervoor te bezwijken. Hij was haar baas, een relatie op het werk was gevaarlijk.

En als zij zo nodig haar lunchtijd wilde besteden aan het opgeilen van deze infantiele bodybuilder, was dat haar zaak...

Hij schudde zijn hoofd, probeerde deze gedachten van zich af te zwiepen alsof het druppels water waren na een douchebeurt.

'Alex?'

'Hm? O, sorry, maar ik was toevallig op weg naar de kantine. Ik zie je zo meteen wel bij het overleg.'

Hij draaide zich om en liep weg. Toni's privé-leven ging hem niets aan. Punt uit. Einde verhaal. Hij had al genoeg aan zijn hoofd.

25

Voor haar Miami-identiteit had ze besloten een recreatieve hardloper te zijn. Ook al was dit nu niet bepaald iets waar ze enorm veel plezier aan beleefde, het maakte deel uit van haar dekmantel en daarom deed ze het. Hier hoorde het net zo bij haar als de valse naam en dito achtergrond. O, nee hoor, ze had nog nooit een marathon gelopen, zou ze zeggen als iemand haar ernaar vroeg, maar ooit misschien een afstand van twintig kilometer zodra ze goed in vorm zou zijn...

Toen Mora Sullivan vandaag terugkwam van haar middagloop, tien kilometer, waarvan de laatste drie in een stromende, subtropische onweersbui, zag ze het waarschuwingslampje van haar computer knipperen.

De dioden van het huisalarm waren allemaal groen, niemand was het gebouw zelf binnengekomen; het computersignaal was het gevolg van een elektronische inbraak of een poging daartoe.

Met de dikke handdoek die ze bij de deur had klaargelegd, maakte ze haar gezicht en haar droog. In de zomer regende het hier bijna om de dag, en hoewel het orkaanseizoen zo'n beetje achter de rug was, kreeg je ook begin oktober nog je portie stormen. Ze trok haar natte schoenen en sokken uit en liet het heuptasje met de plastic en nagenoeg waterdichte Glock 9 op de grond vallen; ze stroopte de stretch beha en het broekje van haar lijf, en droogde zich verder zo goed als helemaal af voordat ze op haar computer af liep.

Ze legde de handdoek op de kantoorstoel, ging naakt op de vochtige badstof zitten en gaf een commando: 'Activeer logboek beveiligingsprogramma.'

De voxax toonde het logboek op het scherm. Sullivan gaf de voorkeur aan realtime-computerwerk; ze gaf niet veel om VR, want om over het net te gaan moest ze zichzelf blind en doof maken.

Ze scande het programma. Iemand had het verbindingscircuit van de Selkie geprobeerd te achterhalen. Ze waren slechts een paar sprongetjes opgeschoten in de doolhof die zij had geconstrueerd voordat ze het signaal waren kwijtgeraakt, maar zelfs dat verbaasde haar. Het betekende dat ze behoorlijk goed waren, zeg maar professioneel.

Ze hoopte maar dat ze niet goed genoeg waren om de 'bloedzuigers' te ontdekken die ze had achtergelaten voor mogelijke indringers.

'Beveiliging, traceer bewegingen indringer.'

Een reeks van cijfers en letters flitste over het scherm, gevolgd door een kaart. Afbuigende, helderblauwe lijnen lichtten op, terwijl het bloedzuigerprogramma het beginsignaal van de indringer door de serie van brandschermen en omleidingen naar haar computer terugkoppelde. Eenmaal aangekomen in New York pulseerde de stip die de indringer voorstelde en onder de stip begon een elektronisch adres rood op te lichten.

De indringer was dus goed, maar niet geweldig. De bloedzuiger was onopgemerkt gebleven. Gezien het bedrag dat ze voor het programma had neergeteld, was dat geen grote verrassing.

'Beveiliging, schakel directory om, e-mail onverkort, extra controle op dit adres.'

Nog meer cijfers en letters kropen over het scherm.

Er flitste een naam op: Ruark Electronic Services, Inc.

'Beveiliging, geef me de namen van de vennoten en mogelijke houdstermaatschappijen onder Ruark Electronic Services, Inc.'

Het duurde even voordat er een lijst met namen verscheen. Heloise Camden Ruark, president en algemeen directeur; Richard Ruark, vice-president; Mary Beth Campbell, penningmeester. Een open NV, opgericht juni 2005 in de staat Delaware, bla, bla, bla...

Nou, nou. En kijk hier eens, de eigenaar van vijfenzeventig procent van de uitstaande aandelen was iets wat de 'Electronic Enterprises Group' werd genoemd, wat, o, toeval...

... voor de volle honderd procent een dochtermaatschappij van Genaloni Industries was.

Sullivan leunde achterover en staarde naar het scherm. Zo. Dus Genaloni probeerde haar te vinden. Ze knikte. Was te verwachten. De man beschikte weliswaar over enig fatsoen, maar onder dat dunne laagje was hij een brutale misdadiger. Op een bedreiging, hetzij echt hetzij ingebeeld, reageerde iemand als Genaloni met het opwerpen van versperringen en valkuilen op alle wegen die naar zijn kasteel voerden om vervolgens klaar te staan met potten kokend lood om lieden die eventueel langs de rivieren kwamen warm te onthalen. Waarom geraffineerd te werk gaan als het ook met grof geweld kan? Genaloni zou hebben vernomen van de aanslag op het leven van haar doelwit. En aangezien het doelwit haar als een vrouw gezien had, en dit ongetwijfeld gemeld had, zou de misdadiger dubbel ongerust zijn. Vrouwen vertrouwde hij niet en fouten kon hij niet dulden. In Genaloni's competitie was je bij slag één al uit en bij slag twee wist je zeker dat er narigheid op komst was.

Het was niet geheel onverwacht; halverwege had ze al gedacht dat Genaloni misschien zou proberen haar op te sporen. Eerder hadden andere cliënten al geprobeerd vat te krijgen op de Selkie. Tot dusver waren haar voorzorgsmaatregelen voldoende gebleken; niemand was ook maar in de buurt gekomen.

Van nu af aan behoorden het adres en de identiteit, die ze direct na aanvaarding van Sampsons opdracht had gebruikt, tot het verleden. Ook al vonden ze haar woning, dan nog was er niets wat in verband gebracht kon worden met Mora Sullivan of een van haar vorige aliassen. Toch was dit een slecht teken. Genaloni was een misdadiger, maar wel een slimme en eentje die volhardde. Als hij vreesde dat de Selkie met hem in verband zou kunnen worden gebracht, zou hij alles doen wat in zijn macht lag om die suggestie te ondermijnen. En als dat inhield dat zij daarvoor uit de weg geruimd moest worden, nou, dan gebeurde dat. In de jungle van Genaloni heerste de wet van het zelfbehoud: als hij een kilometer verderop een oude, kreupele leeuw de tegengestelde richting in zag kuieren, zou hij het beest toch doodschieten; het lot kon zich op een kwade dag toch tegen je keren?

Haar blote linkerschouder jeukte en ze krabde. Meer geld zou ze niet vangen voor het doelwit dat ze gemist had, maar dat was eigenlijk niet belangrijk. Geld of geen geld, ze zou die klus klaren voor haar eigen trots. Dat stond vast. En hoewel ze niet dacht dat Genaloni's computerkrakers haar konden vinden, was zelfs de kleinste mogelijkheid dat het ze wél zou lukken te veel om te negeren. Ze was niet van plan de rest van haar leven steeds over haar schouder te moeten kijken. In Washington zou ze het karwei op het doelwit afmaken, maar aan Genaloni zou ze ook iets moeten doen.

En daarna? Tja, misschien werd het voor de Selkie wel tijd om met pensioen te gaan. Zodra de frisse wind van verandering een reeks stormen ontketende, zocht een slimme vrouw dekking... of verhuisde ze naar elders.

'Tyrone?'

Onmiddellijk herkende Tyrone de stem des ondergangs, ook al stond de beeldtelefoon niet aan. 'Eh, ja...?'

'Met Bella. Ben je mijn nummer kwijt?'

'Eh, nee, ik stond net op het punt jou te bellen.'

Dat is slim, zei de stem van het zelfbehoud vanuit de krochten onder zijn hersenpan. Liegen: eerst een klein leugentje, vervolgens een grote. Zeg haar dat je een dodelijke ziekte hebt en het huis niet uit mag!

'Uitstekend. En, kun je vanmiddag hiernaartoe komen?'

Nee! Nee! Een miljoen quadriljoen maal nee!

'Eh, tuurlijk. Dat lukt me wel. Hiernaartoe komen. Ik bedoel, naar jou toe.'

'Is rond drieën oké?'

Nee-nee-nee-nee-neee...! Niet goed, absoluut niet goed!

'Prima, drie uur.'

'Heb je het adres?'

'Ja...'

'Oké, dan scan ik je vanmiddag wel. En Tyrone, bedankt, hè? Dit betekent veel voor me, snap je?'

'Eh... tuurlijk, joh. Gepro.'

'Ik zie je. Sluiten,' zei ze.

Ja hoor, gepro en sluiten, dombo! Omdat het zoveel voor haar betekent, zal Bottenbreker het misschien wel kort en snel houden, alleen maar even met één klap je een gebroken nek bezorgen, dan hoef je niet zo lang te lijden! Klootzak! Idioot! Debiel!

Tyrone staarde naar de telefoon. Hij wist dat hij nu doodsangsten moest uitstaan, maar vreemd genoeg deed hij dat slechts voor een klein deel, het deel dat zich in de krochten van zijn hoofd verschool. De rest van hem was... ja, wat eigenlijk? Opgewonden? Ja, ten dele wel. Dat het mooiste meisje van de school om zíjn hulp gevraagd had, dat hij naar háár huis ging, om vlak naast haar te staan en zitten, om haar iets te laten zien waar hij het een en ander van wist...

Goed, zoals Jimmy-Joe al had gezegd: als hij toch de pijp uit ging, kon hij maar beter lol hebben. Bovendien, in EW-termen gesproken, zou Bottenbreker hem vermoedelijk niet echt áfmaken. Misschien dat hij hem tot een bloedige pulp zou slaan, maar dat zou hij waarschijnlijk wel overleven, ja toch?

Zijn moeder kwam de kamer binnengelopen met een stapeltje blauwdrukken voor de volière die ze bouwde. 'Hé, lieverd. Wie had je daarnet aan de lijn?'

'O, iemand van school. Ze willen dat ik hen help met een computerproject. Ik ga daar om een uur of drie heen, is dat goed?'

'"Iemand? Ze? Dáárheen?" Nou, nou, spreken we opeens in meervoud?' Zijn moeder grijnsde. 'Zou deze "iemand" misschien van het... vrouwelijk geslacht zijn, Ty?'

'Jezus, ma...!'

'Aha. Dat dacht ik al. Hoe heet ze?'

'Belladonna Wright.'

'De dochter van Marsha Wright?'

'Ik denk het wel.'

'O. Ik herinner me haar nog van het toneelstukje van de derde klas lagere school. Zo'n schattig meisje.'

'Ma, ze is geen négen meer.'

'Ik zou hopen van niet. Goed. Zal ik je brengen?'

'Ik neem de Trans wel,' zei hij. 'Het is niet zo ver.'

'Oké. Laat een telefoonnummer achter en om zeven uur terug zijn voor het eten.'

'Já, ma...'

'Kom op, Ty. Ik weet wel dat ik per dino naar school ging, maar mijn geheugen laat me nog niet in de steek. Het is niet zo gevaarlijk als je denkt, een praatje maken met een méísje...' Ze lachte.

Dat is dan ook alles wat je weet, sprak het stemmetje in zijn hoofd.

Zaterdag 2 oktober, 13:33 uur
Quantico

Bij hoge uitzondering begon een vergadering nu eens een keer precies op tijd. Michaels keek de aanwezigen een voor een aan. 'Oké, laten we geen tijd verspillen. Jay?'

Met een handgebaar activeerde Jay Gridley de presentatieprojector. 'Goed nieuws en slecht nieuws,' begon hij. 'De stok was afkomstig uit déze winkel, vervaardigd door een bedrijf dat hoofdzakelijk aan serieuze vechtsportbeoefenaars levert.'

Er verscheen een beeld.

'Dit is het model...'

Een ander beeld, nu van de stok, flitste op het scherm.

'Na een hele groep klanten te hebben weggestreept – erkende leraren, mensen die echt een stok nodig hebben, verzamelaars en het gebruikelijke aantal loslopende idioten en halve zolen die uit paranoia spullen kopen, van wie allen hun aankoop konden verantwoorden – houden we acht mogelijkheden over.'

Nu verschenen er namen op het scherm.

'Van die acht hebben onze agenten er tot nu toe vijf verhoord. Vier van hen toonden de stokken die ze gekocht hadden. Eén gaf het ding als cadeau aan een vriend en ook die hebben we achterhaald.'

Vijf van de namen verdwenen nu.

'Van de drie overblijvende individuen is één zo'n survivaltype in Grants Pass in Oregon, die op zijn grond geen plaatselijke, federale of rijksagenten toelaat. De heer in kwestie is zeventig en volgens zijn medische gegevens heeft hij ooit een nieuwe heup gekregen. We hebben een rechter die op dit moment een huiszoekingsbevel tekent, om bij die vent naar de stok te zoeken. Ik vermoed dat ze hem al leunend op dat ding zullen aantreffen.'

De naam op het scherm begon te knipperen, beurtelings rood en blauw.

'Dus dat is nog hangende. De overige twee...' Hij schudde zijn hoofd. 'Nou, die zijn... interessant.'

'Interessant?' zei Michaels.

Jay gebaarde naar het scherm. Een van de namen begon in het geel te pulseren. 'Wilson A. Jefferson, uit Erie in Pennsylvania. In de afgelopen drie jaar heeft meneer Jefferson een stok gekocht, twee paar escrimastokken en een paar speciaal gemaakte yawarastokken. Ze werden bezorgd op een postbusadres. De stok is het juiste model. De escrimastokken worden gebruikt bij een Filippijnse vechtkunst die, hoe is het mogelijk, escrima heet; de laatstgenoemde soort wordt gebruikt in een aantal verschillende vechtstijlen, maar de naam is Japans. Volgens de voor de postbus geldende huurovereenkomst en de rijbewijsgegevens is meneer Jefferson een blanke man, eenenveertig jaar oud en woonachtig op dit adres.'

Een straatnaam en nummer lichtten op.

'Een controle bij dit adres leverde echter niets op. Niemand van die naam heeft er ooit gewoond. Op het eerste gezicht lijken Jeffersons creditcardgegevens in orde, maar graaf je iets dieper, dan gaan ze in rook op. Die vent bestaat alleen elektronisch.'

'Dus dit is onze moordenaar,' opperde Toni.

'Min of meer,' zei Jay. 'Dan hebben we ook nog een meneer Richard Orlando.'

Meer beweging op het scherm.

'Over een periode van vier jaar heeft meneer Orlando vijf stokken aangeschaft, waaronder twee van het model dat wij in handen hebben. Ze werden allemaal bezorgd op een postbusadres in Austin in Texas. Een controle van zijn verleden levert op dat hij een Hispanic is, zevenentwintig jaar oud, en voorzover wij kunnen zeggen bestaat ook hij alleen in een paar computerbestanden en kennelijk nergens anders. Het fotootje op zijn rijbewijs is zo vaag dat hij op alle hier aanwezigen zou kunnen lijken. Vreemd genoeg is dat ook het geval met de fotografische documenten van meneer Jefferson.'

'Dezelfde persoon die twee valse identiteitsbewijzen gebruikt?' opperde Michaels.

'Dat zou ik ook denken,' zei Jay. 'Totaal verschillende figuren en duizend mijl uit elkaar. Vervalsingen dus. Bij toeval zou je er nooit achter komen, alleen als je er echt naar zocht.'

'Geweldig,' zei Toni. 'En, wat is het góéde nieuws?'

'Dat ís het goede nieuws,' ging Jay verder. 'Er is niemand die zich meneer Jefferson of meneer Orlando kan herinneren. We hebben postmedewerkers ondervraagd en dat leverde niets op. Er valt geen spoor te volgen. Voorzover wij kunnen zeggen, bestonden deze twee "e-mannen" ooit om slechts één reden: het in ontvangst nemen van een paar dure maar volmaakt legale stokken, en dat duizenden kilometers van elkaar vandaan. En ik durf te wedden dat de echte persoon die die dingen in zijn bezit heeft – als hij of zij ze tenminste nog hééft, wetende dat wij de zaak aan het traceren zijn – zich heus niet in Pennsylvania of Texas ophoudt.'

'Doodlopende weg dus,' zei Toni.

'De overtreffende trap van doodlopend,' zei Jay. 'We blijven er bovenop zitten, maar wie dit ook mag zijn, hij of zij is hartstikke goed. Ze hebben zich een hoop moeite getroost voor zo'n klein ding.'

'En het werpt ook vruchten af, lijkt me,' knikte Michaels. 'Ik gok trouwens nog steeds op een "zij". Wat onder die oudedametjesvermomming zat, voelde niet aan als een man. Oké, dank je, Jay. Toni?'

'We zijn de gangen nagegaan van alle ons bekende huurmoordenaars. Tot dusver niets gefundeerds in de richting van iemand die even goed is als deze verdachte lijkt te zijn.'

'Misschien iets ongefundeerds dan?'

'Wat geruchten over geheimzinnige figuren. Het gebruikelijke gelul. De IJsman die jou met één koude blik kan doden. Het Spook dat dwars door muren heen loopt. De Selkie die van vorm verandert. Stadslegenden. Het punt met de echt goede huurmoordenaars is dat ze zich heel gedeisd houden. Die zeldzame keer dat iemand erin slaagt er een te vangen, dat gebeurt eigenlijk alleen wanneer een klant hen verlinkt.'

Michaels knikte. Dat wist hij. Sinds de moord op Steve Day had ook hij met die gedachte rondgelopen.

'Heeft iemand anders nog iets?'

Brent Adams, het hoofd van de FBI-divisie georganiseerde misdaad, nam het woord: 'Het rommelt binnen de Genaloni-clan.'

Michaels keek Adams aan en fronste zijn wenkbrauwen.

De FBI-man zei: 'Onze mensen zijn in de archieven gedoken en hebben alles over het afgelopen jaar waar de naam Genaloni aan hing nog eens boven water gehaald. Een paar weken geleden werd bij het FBI-kantoor in New York door een van Genaloni's advocaten navraag gedaan naar de aanhouding van Luigi Sampson. Sampson is Ray Genaloni's regelneef, het hoofd van zijn legale en illegale beveiligingsoperaties.'

'Ja?'

'Nou, onze agenten in New York hebben Sampson helemaal niet aangehouden en Genaloni's mensen hebben verder helemaal niets meer laten horen. Dus niemand die er nog aandacht aan heeft besteed. Een of andere vormfout.'

'En dat betekent...?'

Adams schudde zijn hoofd. 'Dat weten we niet. Maar sindsdien hebben onze afluisterapparatuur en bewakingscamera's van Sampson niets meer opgevangen.'

'Misschien is hij op vakantie,' merkte Jay op.

Adams haalde zijn schouders op. 'Misschien. Of misschien was Ray Genaloni hem spuugzat en ligt hij nu onder de groene zoden in een veld buiten Dead Toe in South Dakota.'

'Volgens mij vind je daar weinig groene zoden. Het is er stervenskoud,' zei Jay.

'Je zou versteld staan,' deed Toni een duit in het zakje.

'Maar waarom zouden Genaloni's jongens de FBI bellen, zogenaamd om naar Sampson te vragen als ze hem zelf om zeep hebben gebracht?' vroeg Michaels.

Opnieuw schudde Adams zijn hoofd. 'Voor een alibi misschien. Je weet nooit wat die gasten uitvreten. Zo nu en dan doen ze een slimme zet, maar daarna begaan ze altijd wel weer een stommiteit.'

'Misschien was die Sampson verantwoordelijk voor de dood van

Steve Day en kreeg Genaloni de zenuwen, wilde hij het verband uitwissen?' wierp Toni op.

'Ik weet het niet. Zou kunnen,' zei Adams. 'Ray Genaloni is voorzichtig. Hij stapt niet zomaar de straat op zonder die eerst in alle richtingen en zes blokken ver te laten controleren.'

Michaels staarde omlaag. Iets zat hem dwars, het maalde maar door zijn hoofd. Hij kon er geen vat op krijgen. Er was iets...

Hij zuchtte. 'Goed. Als jij je daarop zou willen blijven concentreren, Brent? Jay, jij gaat nog even door met die stokken, kijk of je nog iets kunt vinden. En check die aanwijzingen naar New Orleans, we kunnen niet alles op het Day-onderzoek zetten. Verder nog iets?'

Maar er was niemand die nog iets ter tafel wilde brengen.

'Oké. Aan de slag, mensen.'

Michaels verdween naar zijn werkkamer. Het zag er niet best uit voor het thuisteam. En wat zijn baan betrof, tikte de klok door. Nog een paar dagen en al deze sores zou misschien iemand anders zijn sores zijn.

Misschien werd het wel tijd om de overheidsdienst te verlaten. Verhuizen naar Idaho, een baantje als programmeur van spelcomputers of zo, weekendjes doorbrengen met zijn dochter. Gewoon dit alles de rug toekeren.

Tuurlijk, jongen. Mooi niet dus. Zolang de moordenaar van Steve Day niet gepakt was, ging hij helemaal nergens naartoe, ook al werd hem de leiding toegewezen over het paperclips tellen in de ondergrondse opslagplaatsen. Wat hij verder ook mocht zijn, Alexander Michaels was niet iemand die ertussenuit kneep zodra het even tegenzat. Mooi niet.

26

Het liefst zou hij een wandeling hebben gemaakt op zijn verlaten bospad, maar hij had haast en kon zich geen gelanterfant veroorloven. Plekhanov zat achter het stuur. Het programma was weer geladen. Na de onfortuinlijke confrontatie met de Amerikaanse Net Force-agent had hij het eigenlijk willen vernietigen, wat wel zo verstandig zou zijn geweest. Uiteindelijk zou hij die software heus wel wissen, maar voor het moment was zoiets gewoon lastiger dan off line te gaan, af te sluiten, op een ander scenario over te stappen en weer op te starten: het was een van de nadelen van het oude systeem. Met de nieuwere VR-units ging het allemaal in één moeite door, zonder ook maar één misstap.

Gaf niets. Dit was een korte rit. Een legaal scenario dat in Canberra draaide, diende wat te worden aangepast. De kans dat Net Force hem zou spotten was praktisch nihil. En trouwens, er reden daar flink wat blauwe Corvettes rond. Tienduizenden, op zijn minst.

Hij zette de VR-auto in de versnelling en trapte het gaspedaal in.

Op het moment dat Belladonna Wright opendeed, viel Tyrones oog direct op haar strakke korte broekje en het ruimvallende sweatshirt zonder mouwen en dito V-hals waardoor flink wat blote huid zichtbaar werd.

Heel veel mooie, blote huid.

Het tweede wat hem opviel, was de gespierde gestalte van Bottenbreker LeMott op de bank in de huiskamer.

Tyrone wist bijna zeker dat zijn hart minstens vijf tellen stilstond. Vervolgens kromp zijn maag ineen en was het alsof zijn keel werd dichtgeknepen. En zowel zijn ingewanden als zijn blaas dreigden zich plotseling van hun inhoud te ontdoen. Het eind was nabij.

'Ha, Tyrone, kom binnen.'

De stem van het zelfbehoud was zelfs niet in staat woorden te vormen. Slechts wat angstig gebrabbel klonk op uit zijn keel.

Zijn voeten leken niet aan hemzelf toe te behoren. Ze voerden hem mee naar binnen.

'Tyrone, dit is mijn vriendje, Herbert LeMott. Motty, dit is Tyrone.'

Motty?! Hij zou geschaterd hebben, ware het niet dat dit dan zonder twijfel het laatste geluid zou zijn dat hij ooit zou maken.

Bottenbreker droeg een strak T-shirt en een dito katoenen broek die langs de naden bijna openscheurde op het moment dat hij opstond. Zelfs zijn spieren hadden spieren. Hij torende hoog boven iedereen uit, een menselijke mastodont. Tyrone verwachtte elk moment Godzilla's gebrul te horen te krijgen.

Maar de stem van Bottenbreker was zacht, rustig en zelfs tamelijk hoog van toon. 'O, hé, te gek, Tyrone. Leuk je te ontmoeten.' Hij stak zijn hand uit.

Tyrone aanvaardde de handdruk en stond verbaasd over de zachte greep.

Even doemde het beeld in hem op van een tekenfilmmuis die een leeuw van een splinter in zijn poot verlost.

'Heel geschikt van je om Bella met haar computerlessen te helpen. Ik ben daar zelf nooit echt goed in geweest. Als ik iets voor je kan doen, laat het me weten, oké?'

Zelfs al veranderde Bottenbreker opeens in een enorme pad die vervolgens al hoppend op vliegenjacht ging, dan nog zou Tyrone minder verbaasd zijn geweest. Godallemachtig!

'Oké, Bella. Ik moet ervandoor. We moeten naar de sportschool. Ik bel je.' Hij boog zich voorover – voor hem een hele afstand – en gaf Bella een kus op haar voorhoofd. Ze glimlachte en gaf hem een klopje op zijn rug, alsof hij haar lievelingspaard was. 'Oké, wees voorzichtig.'

Nadat Bottenbreker was verdwenen, moest Bella iets aan Tyrones gezicht hebben afgelezen, want ze glimlachte naar hem. 'Wat, dacht je soms dat Motty wilde véchten, of zo?'

'Ik dacht het even.' Ja, net zo 'even' als de laatste stuiptrekking van een muis die geplet is.

'Motty is een grote lieverd. Hij doet nog geen vlieg kwaad. Mijn kamer is boven. Kom.'

Tenzij die vlieg op je achterwerk landt...

Blij en verwonderd nog steeds in leven te zijn volgde hij Bella de trap op.

Ze had een gewone homecomputer en de VR-apparatuur was niet super-de-luxe, maar goed genoeg. Hij had er maar enkele minuten voor nodig om te merken dat ze de algemene systemen beter beheerste dan ze had doen voorkomen.

'Weet je, mijn theorie en realtime zijn wel oké, maar ik ben gewoon traag met netwerken.'

'Dan ben je bij de juiste persoon. Heb je nog een VR-setje?'

'Hier.'

'Opstarten maar, dan gaan we het web op. We beginnen bij een groot commercieel net, dat is voor iedereen gemakkelijk genoeg.'

'Jij bent de baas, Tyrone.'

Opgehitst door een opwellende bravoure waagde hij het erop: 'Zeg maar Ty.'

'Jij bent de baas, Ty.'

Ze startte de computer en nam plaats naast hem op het bankje voor de computer, dicht genoeg voor hem om de warmte van haar blote been te voelen. Nog een millimetertje dichterbij en ze zouden elkaar aanraken.

Tering! Dit moment wilde hij voor geen goud vergeten.

Mooier zou het leven misschien wel nooit meer worden.

En zelfs op het moment dat hij dit dacht, besefte hij dat het tegendeel best wel eens het geval kon zijn, als hij maar een manier kon bedenken om een millimetertje naar links op te schuiven. Alleen, die paar centimeter zouden net zo goed een lichtjaar kunnen zijn. Nee, zo onbesuisd was hij nu ook weer niet. Hij keek wel uit.

Zondag 3 oktober, 06:00 uur
Sarajevo

'Groep één, linkerflank. Groep twee, de achterkant!'

Lichte mitrailleurs ratelden, kogels rukten de bast van de bomen, trokken voren in de aarde. Ze waren in een stadspark, of wat ervan over was. Het was een verrassingsaanval geweest.

John Howard opende het vuur met zijn tommygun, voelde de terugslag toen de dikke .45 mm kogels traag werden afgevuurd.

'Kolonel, we hebben...'

De luitenant viel neer, in de nek geraakt door een zwerfkogel.
Waar záten die gasten?!
'Groep drie, geef dekking op vijf uur. Lopen! Vuren!'
Zijn mannen vielen ter aarde, hun wapens werkten niet. Ze kregen ervanlangs!

Washington D.C.

John Howard rukte zijn VR-set af en smeet het ding geërgerd neer. Hij schudde zijn hoofd. Ellende.
Boven lagen zijn vrouw en zoon te slapen. Het duurde nog uren voordat ze zouden opstaan, zich zouden aankleden en naar de kerk zouden gaan. Hij had de slaap niet kunnen vatten en was dus maar naar beneden gegaan om wat battle-scenario's te draaien. Hij had het bij een potje schaak moeten houden of go. Elk combat-spel dat hij had geprobeerd, had hij verloren.
Hij stond op, liep naar de keuken, opende de koelkast, pakte een pak melk, schonk zichzelf een klein glas in en zette het pak terug. Daarna nam hij plaats aan de keukentafel en staarde naar het glas. Hij was, zo besefte hij, gedeprimeerd.
Niet zozeer psychisch – een zielknijper had hij niet nodig – meer zwaarmoedig. Hij begreep er niets van. Er was immers helemaal geen reden om zich zo te voelen. Hij had een prachtige vrouw, een geweldige zoon en een baan waar de meeste officieren een moord voor zouden doen. Hij was net terug van een missie die in alle opzichten geslaagd was, had niet één van zijn eigen mannen verloren en iedereen was in zijn sas met hem. Zijn civiele baas had hem zelfs voorgedragen voor een aanbeveling. Dus wat was het probleem?
Wat scheelde eraan, behalve dat hij zo nodig midden in een vuurgevecht moest belanden?
Wat was dat voor een houding? Geen enkele normale vent was uit op oorlog.
Hij staarde naar de melk. De grote test, dat was het. Hij was nog nooit op de proef gesteld, niet echt tenminste. Hij was ertussendoor geglipt, had Desert Storm gemist, was docent toen het ernst werd met de politieacties in Zuid-Amerika, was net een dag te laat op de Cariben aanbeland, toen de kanonnen alweer zwegen en het

oproer voorbij was. Hij had zijn hele volwassen leven als militair doorgebracht, met trainen, leren, voorbereiden. Hij had de middelen, de vaardigheden, een reden om ze aan te wenden, om te kijken of het allemaal echt werkte. Maar vredestijd bood daar geen gelegenheid voor.

Daarom had hij zich bij Net Force aangesloten. Daar had hij immers een kans voor de leeuwen te worden geworpen. De missie naar Oekraïne was tot nu toe de meest riskante, en hoewel altijd nog beter dan achter een bureau dossiers doorspitten, was het... een lauwe bedoening geweest...

'Goedemorgen...'

Howard keek op en zag Tyrone in zijn pyjamabroek.

'Het is net zes uur geweest,' zei Howard. 'Wat doe jij zo vroeg op?'

'Ik weet niet, ik werd wakker en kon niet meer slapen.'

Tyrone liep naar de koelkast, pakte de melk, schudde het pak en zag dat het bijna leeg was. Hij dronk het laatste beetje op en grijnsde naar zijn vader. 'Ma zegt dat het mag, als ik alles maar opdrink.'

Howard grijnsde nu ook.

Tyrone nam nog een slokje en veegde zijn mond af. 'Mag ik je wat vragen, pap?'

'Brand maar los.'

'Hoe ga je om met iets wat groter en sterker is dan jij als het al een gebied inneemt dat jij wilt bezetten?'

'Eh, dat hangt af van het doel, het terrein, de wapens en de beschikbare apparatuur, de transportsystemen. Een hele hoop dingen, eigenlijk. Eerst definieer je je doel, daarna bedenk je een werkbare strategie en ten slotte een tactiek om te zorgen dat het ook echt lukt.'

'Hm-hm.'

'Vanwaar opeens die belangstelling?'

'O, omdat het jouw werk is. Ik dacht, misschien is het wel leuk om er wat meer van te weten, of zo.' Hij staarde naar de vloer.

Howard onderdrukte een glimlach en hield zijn gezicht in de plooi. De jongen was dertien. Puberteit. Voor hemzelf was dat alweer aardig lang geleden, maar toch, hij kon er nog helemaal in meegaan.

'Goed,' antwoordde hij, 'laten we het dan maar even over doelen en strategieën hebben. Jouw doel is dus om het gebied ongeschonden in te nemen, klopt dat?'

'Eh, ja.'

'Dan zul je dus voorzichtig moeten opereren. De vijandelijke krachten zijn sterker dan jij, met andere woorden: hij is sterker. Maar is hij ook slimmer? Zomaar binnenvallen en op de vuist gaan terwijl je de mindere bent, is onzin, dat weet je, want dan word je afgemaakt. Dus voordat je toeslaat, moet je eerst de situatie inschatten. Je zoekt de zwakke plekken van de vijand. In guerrilla-oorlogen zoek je eerst de zwakke plek, dan sla je toe en dan maak je dat je wegkomt. Doe je dat snel en hou je je gedekt, dan zal je tegenstander je niet weten te vinden. Sterker nog, hij zal niet eens weten wie de dader was.'

Tyrone leunde tegen de koelkast. 'Ja, dat begrijp ik.'

'En wil je een guerrillaoorlog winnen, zo zegt voorzitter Mao, dan moet je zorgen dat je de mensen aan jouw kant hebt staan.'

'Maar hoe doe je dat?'

'Je biedt hun iets wat de vijand hun niet kan geven, iets waardevollers dan wat hij hun geeft. Gun hun de tijd om jou met hem te vergelijken en wijs hen daarna op zijn tekortkomingen. Zo laat je hun zien in welk opzicht jij veel geschikter voor hen bent. Goed, je hebt dan minder wapens, maar wie weet kan hij niet tippen aan je verstand. 'En dus laat je hun zien waarom hersens belangrijker zijn dan spierkracht. Leer de mensen dingen die hij hun niet kan leren: hoe ze grotere vangsten kunnen binnenhalen, betere gewassen kunnen oogsten, of... hoe ze hun computers moeten gebruiken.'

De jongen knikte opnieuw.

'Je werkt langzaam naar je doel toe, maar niet constant. Soms moet je even een zijpaadje nemen om een andere invalshoek te krijgen. Soms doe je een stap vooruit, je slaat je slag, om dan twee stappen terug te doen, weg uit de vijandelijke vuurlinie. Geduld, daar gaat het in dit soort oorlogen om. Je moet je doelen omzichtig bepalen, ervoor zorgen dat elk schot raak is, je vijand langzaam uitputten. Zodra de mensen eenmaal aan jouw kant staan, maakt het niet meer uit hoe sterk de vijand is, want iedereen zal je willen helpen. Soms werpen ze zelfs eigenhandig jouw vijand van zijn troon en hoef je zelf niets te doen. Uiteindelijk is dat de beste manier.'

'Ja.'

Even was het stil. 'Bedankt, pa,' zei Tyrone ten slotte. 'Ik ga weer naar bed.'

'Slaap lekker, jongen.'

Nadat de jongen verdwenen was, grijnsde Howard naar zijn glas melk. Het was alweer een lange tijd geleden dat hij zelf zo jong was geweest. En de problemen van toen hadden net zo groot geleken als daarna. Alles was relatief, dat moest hij maar eens onthouden. En hier te kunnen zitten om zijn zoon datgene te vertellen wat hij moest horen, was net zo belangrijk als het winnen van de strijd in welk vreemd land dan ook, waar ook ter wereld. Uiteindelijk was een goede vader belangrijker dan een goede kolonel.

Hij proefde de melk. Warm. Hij liep naar de gootsteen, gooide zijn glas erin leeg, spoelde het om en zette het op het droogrek. Misschien dat hij ook maar weer onder de wol moest. Het was te proberen.

27

Alex Michaels stond bij de glazen schuifdeur en keek naar de dwergpoedel die door de achtertuin kuierde. Hij had nog liggen slapen toen Scout bij hem op het bed was gesprongen. Voor zo'n klein hondje was het nog een flinke sprong. Eenmaal op bed had hij niet geblaft of zoiets, maar alleen geduldig zitten staren totdat Michaels opstond en aanstalten maakte om hem uit te laten.

Michaels had een deel van het alarmsysteem nu continu aanstaan; een techneut van de divisie was gekomen om het systeem nauwkeurig af te stellen en had het verbonden met het voxax-programma van zijn huiscomputer. Hij hoefde slechts 'Moordenaar!' te roepen, en zolang hij dat maar hard genoeg deed, konden de huismicrofoontjes het opvangen en zou het alarm afgaan. Om de hond uit te kunnen laten, had hij de verbinding met de schuifdeur uitgeschakeld, maar de taser droeg hij wel in de zak van zijn ochtendjas. Sinds hij het ding had, had hij er weinig mee gespeeld, maar hij had zich voorgenomen er wat meer mee te oefenen op de indoorschietbaan. Hij zou er vooral op trainen om het snel uit een zak of van een riemclip te krijgen.

Voor zijn woning stond een geparkeerde auto met een paar agenten erin. Opzij van zijn appartement hield een derde de wacht bij het hek. Van deze laatste zou Michaels niet op de hoogte zijn geweest, ware het niet dat de hond naar hem gekeft had waarna hij het dier had vermaand zich koest te houden. Beter dan het huisalarm, die kleine jonge hond.

Het beestje was klaar met het bewateren en bemesten van het gazon en, ervan overtuigd dat zijn territorium vrij was van indringers, liep toen op een drafje naar de keuken. Kwispelend stond hij bij Michaels' voeten en hij keek verwachtingsvol naar zijn nieuwe baasje op.

'Heb je honger, jongen?'

Kef, kef!

'Kom maar.'

Michaels had een paar blikken duur hondenvoer gekocht. Hij trok de deksel van een aluminium blikje, mikte de inhoud in een schaaltje en zette deze op de vloer naast de waterbak.

Zoals iedere keer wachtte de hond ook nu. Hij had honger, maar bleef over zijn voer gebogen naar Michaels kijken, wachtend op toestemming. Wie het dier ook getraind mocht hebben, hij of zij had grondig werk afgeleverd. 'Toe maar, eet dan.'

Scout boog zijn kop en slokte het spul op alsof hij nog nooit gevoerd was.

Toen de hond uitgegeten was en genoeg water gedronken had om alles weg te spoelen, volgde hij Michaels naar de woonkamer. Michaels nam plaats op de bank en tikte op zijn schoot. Het hondje sprong op zijn schoot en begon een van zijn pootjes te likken, terwijl Michaels hem achter zijn oren krabde.

Het werkte beslist kalmerend om zo rustig te zitten en het kleine beestje te aaien. Susie had altijd een hond gewild. Megan had haar gezegd dat ze maar moest wachten tot ze oud genoeg was om er zelf voor te zorgen. En dat ging snel... sneller dan hem lief was. Nu was zijn dochter nog acht, zo meteen was ze achttien...

Michaels was een hondenliefhebber. Na zijn verhuizing naar Washington had hij er geen een genomen, omdat hij het dier niet alleen thuis wilde laten als hij naar het werk moest, maar voor de kleine Scout was het huis groot zat om in rond te zwerven. De vorige eigenaren van het appartement hadden een kat gehad en hadden boven een kattenbak achtergelaten. Michaels had een zak kattenbakkorrels gekocht en overdag stond de gevulde plastic bak bij de schuifdeur. Tot nu toe had de hond deze steeds trouw gebruikt wanneer hij niet naar buiten kon.

Scout likte Michaels' hand. Hij grijnsde naar het dier.

'Jij maalt er niet om als ik op mijn werk een rotdag heb gehad, hè? Jij bent altijd weer blij me te zien, ongeacht wat, toch?'

De hond kefte even, alsof hij begreep wat Michaels zei. Hij duwde zijn kop onder Michaels' hand.

Hij lachte. Dat was het leuke aan honden, je hoefde niets bijzonders te zijn om indruk op ze te maken. Dat stond hem wel aan. Als je net zo'n goed mens was als je hond dacht dat je was, zou je zo over het water van de Potomac kunnen wandelen zonder dat je enkels nat werden.

Maar goed. Tijd om aan de slag te gaan. Eerst maar even douchen, scheren en aankleden.

Hij kreeg een idee: waarom zou hij de hond niet meenemen naar zijn werk? Hij kon hem daar laten rondrennen en af en toe uitlaten. Zoiets was niet verboden. Hij was immers de baas? In elk geval nog een dag of twee. Tuurlijk. Waarom ook niet?

John Howard droeg een legergroen T-shirt en een verschoten, gerafelde gevechtsbroek boven zijn gevechtslaarzen. Ook droeg hij een hoofdband, want hij zweette behoorlijk als hij eenmaal bezig was en een vechtpet was hopeloos. Maar verder zag hij er net zo uit als de vijftig manschappen die op deze vroege zondagmorgen de stormbaan namen.

Hij was niet het type saloncommandant dat zijn troepen bevelen gaf die hij niet zelf zou of kon uitvoeren.

Hij was de laatste van het stel.

Fernandez blies op zijn fluitje. '*Go, go!*'

Howard voelde zijn riemtransponder zoemen, het sein dat zijn persoonlijke klok begon te lopen. Hij sprintte naar de waterhindernis, sprong, greep het dikke touw en zwaaide eroverheen, het was meer een kuil, en meer modder dan water. De truc was om je in volle vaart heen en weer te laten slingeren, je een beetje met je armen óp en je lichaam ín te trekken om vervolgens bij de twééde zwaai op het juiste moment los te laten...

Howard liet zich vallen en landde zo'n zestig centimeter over de rand van de kuil. Hij rende in de richting van de kruipgang met prikkeldraad. Aan het eind van de toegang tot de tunnel was een soort vangscherm aangebracht, genoeg om mitrailleurkogels tegen te houden. De schutters waren vrij vandaag, maar tijdens de promotieloop legde een aanhoudend volautomatisch vuur, waarbij elke tiende patroon een lichtspoorkogel was, een gordijn van spervuur over het prikkeldraad. Bij ieder groentje zou het dun door de broek lopen, maar de meesten van zijn troepen waren ouwe rotten: die wisten dat je geen kogel kon oplopen, tenzij je je hoofd door het prikkeldraad stak, iets wat – zelfs als je dat wílde – niet eens meeviel.

'De klok loopt hoor, kolonel!' schreeuwde Fernandez. Howard grijnsde, liet zich plat voorovervallen en begon onder het prikkeldraad door te tijgeren. Zolang je maar laag bij de grond bleef, werd je eigenlijk alleen maar vuil. Ging je je uitsloven, dan beet het prikkeldraad je.

Vrij!

Voor hem doemde een vijf meter hoge muur op waarlangs een touw hing. Als je daar met voldoende vaart aankwam, hoog genoeg opsprong en het touw greep, kon je jezelf na twee of drie keer trekken over de muur slingeren en in drie seconden in de zaagselkuil erachter belanden. Als je eerst tweeënhalve meter touw moest beklimmen, deed je er langer over.

Howard sprong, greep de vijf centimeter dikke kabel op ruim drie meter hoogte met beide handen stevig vast, reikte hoger met zijn rechterhand en greep het touw nogmaals, herhaalde deze beweging aan de linkerkant en was eroverheen.

De volgende hindernis was in wezen een twaalf meter lange telefoonpaal die op een reeks twee meter hoge, x-vormige draagbalken lag. Je moest jezelf afzetten – daar was een klein ingebouwd opstapje voor –, de paal op stappen en eroverheen lopen. De truc was om dit in een gestaag tempo te doen, niet te snel, niet te langzaam. Het was niet zo hoog, maar zelfs vanaf twee meter hoogte kon je gemakkelijk een enkel of een arm breken. Eén keer had een man zijn nek gebroken, hij was uitgegleden en op zijn hoofd terechtgekomen.

Howard was bij het opstapje, sprong veerkrachtig op en stond op de paal. Hij had dit al honderden keren gedaan, hij kende het vereiste tempo vanbuiten. Gestaag, niet te langzaam, niet te snel.

Aan het andere eind lag weer een zaagselkuil, hoewel deze verouderde term niet echt juist was: het was geen houtzaagsel, nee, het waren tempexkorrels. De beste manier om in dat spul te landen zonder direct naar de ruim één meter diepe bodem te zinken, was in zithouding of languit achteroverliggend.

De kolonel was klaar met zijn paalwandeling, sprong en landde plat op zijn rug met zijn handen uitgestrekt en de handpalmen naar beneden gericht. De piepschuimdeeltjes sprongen alle kanten op, maar het spul kroop snel terug op zijn oude plek. Howard rolde, zonk licht weg, maar bereikte de rand van de kuil en kwam overeind.

De soldaat voor hem was langzamer dan hij. Hij had zich net uit de kuil bevrijd en was onderweg naar het mijnenveld.

Howard naderde de man nu snel. 'Hogerop!' schreeuwde hij. De soldaat ging opzij en liet Howard passeren.

Hij stuurde aan op een goede tijd. Niet zijn snelste, maar toch niet slecht, dacht hij.

Het mijnenveld was een zeven meter breed en dertig meter lang zandpad. De mijnen waren elektronisch, ongeveer zo groot als een softbal en ongevaarlijk, maar als je erbovenop stond, merkte je het wel: dan klonk het versterkte geluid van een oorverdovende gil waarmee je een dode uit zijn graf kon laten verrijzen. Elke keer kostte je dat vijftien seconden. Je kon de mijnen zien liggen, het waren kleine holten waar het zand ongeveer een centimeter lager lag. Was je als eerste bij het mijnenveld, dan was het gemakkelijk; je zag ze liggen en kon er in tien of vijftien seconden doorheen zijn. Maar als er een paar je al voor waren geweest, waren de mijnen tussen al die laarsafdrukken moeilijk te onderscheiden.

Toen Howard bij het mijnenveldje aankwam, liepen er nog twee soldaten door het zand. Beginnelingen dachten vaak dat ze in de laarsafdrukken van een ander konden rennen en zo ongedeerd de overkant konden bereiken. Bij echte mijnen zou dat inderdaad hebben gewerkt. Maar elke twee minuten werden ze opnieuw ingesteld, dus stapte je waar iemand je voor was geweest, dan stapte je ook wat diens fouten betrof letterlijk in zijn voetsporen. Je wist het gewoon nooit zeker.

Een patroon viel er ook niet in te ontdekken, want Howard liet het zijn technische mensen ongeveer om de week veranderen.

Ook hier was gestaag het toverwoord. Probeerde je je te haasten, dan werd je sonisch weggeblazen. Ging je te langzaam, dan ging je twijfelen en zag je overál mijnen liggen.

Hij stapte in het zand.

Veertig seconden later was hij erdoorheen, zonder ook maar één geluidsbom te activeren en met een goed gevoel. Hij had een van de soldaten in het zand ingehaald en de ander op weg naar de laatste hindernis gepakt.

De laatste beproeving vandaag was sergeant Arlo Phillips, een twee meter lange en honderdtien kilo zware instructeur met als specialisme het man-tegen-mangevecht. Zijn rol was eenvoudig: je diende jezelf langs hem heen te werken om daarna een klap te kunnen geven op een zoemerknop aan een paal die in het midden van een witte cirkel in de zachte grond was geplant. Ondertussen probeerde hij jóú uit de cirkel te werken voordat jij dat met hem deed. Soldaten mochten slechts met één man tegelijk in de cirkel stappen en werd je eruit gegooid, dan moest je weer achteraan aansluiten om een nieuwe poging te wagen. Hoewel je timer automatisch stilstond zodra je de cirkel bereikte – je riemtransponder schakelde deze uit zodra je je bij de rij aansloot – en pas weer ging lopen zolang je ín de cirkel was, was dit het punt waar de meeste proefpersonen hun tijdverlies flink zagen oplopen. Gevechtsinstructeurs verloren niet graag. Ze namen om de beurt plaats in de cirkel en waren stuk voor stuk goed, maar Phillips was sterk, bedreven en dol op dit klusje. Een tegen een, tegenover elkaar. Phillips zou korte metten met je maken als je hem te slim af probeerde te zijn. Er liepen jongens rond die zworen dat ze gezien hadden hoe Phillips de voorkant van een Dodge pick-up optilde en een te krappe parkeerruimte in draaide. De enige manier om hem te verslaan was buiten zijn bereik te blijven en dat was geen sinecure.

Toen Howard aan de beurt was, liep hij recht op de sergeant af, maakte een ontwijkende beweging naar links, vervolgens naar rechts, simuleerde een sprong, dook toen weg naar links en rolde. Phillips wist een hand op Howards rechterenkel te krijgen terwijl deze overeind kwam, maar te laat... de kolonel mepte naar de zoemer en raakte hem net met zijn vingertoppen, terwijl Phillips hem languit op de grond rukte. Het was genoeg: de zoemer ging af. Zijn timer stopte, zijn loop was voorbij.

'U hebt officiersgeluk, kolonel,' zei Phillips.

Met een rollende beweging kwam Howard overeind en grijnsde naar de grotere man. 'Daar teken ik voor. Ik heb liever geluk dan dat ik goed ben.'

'Jazeker, kolonel.' Phillips draaide zich om. 'Volgende!'

Howard liep naar waar Fernandez en een groepje technici de scores voor de oefening bijhielden.

'U wordt oud, kolonel. Derde plaats.'

'Achter wie...?' Hij trok zijn hoofdband los en gebruikte deze om het zweet rond zijn ogen weg te vegen.

'Nou, kapitein Marcus is eerste met een ruime voorsprong van zestien seconden. U zag niet hoe hij Phillips tegen de vlakte werkte met die jiujitsu-beweging waar hij zo dol op is.'

'En tweede...?'

Fernandez grijnsde. 'De bescheidenheid verbiedt dat te zeggen, kolonel.'

'Ik geloof er niks van.'

'Tja, kolonel, ik mocht als eerste.'

'Hoeveel?'

'Twee seconden sneller dan u,' zei Fernandez.

'Jezus.'

'Inderdaad, kolonel, ik geloof oprecht dat hij mij gunstig gezind is.'

'Als jij als eerste mocht, dan had je moeten vliegen over dat mijnenveld.'

'Ik heb onderweg ook nog een biertje gepakt, kolonel. Tijd zat.'

Howard schudde zijn hoofd en grijnsde. 'Hoe doet de rest het?'

'Over het algemeen vrij goed. Ik zou al onze A1-jongens – en -meiden – zo tegen elk SpecForce-team laten uitkomen, de top-SEALS misschien uitgezonderd, en dan zou het wel eens goed spannend kunnen worden.'

'Ga zo door, sergeant.'

'Kolonel.'

Howard liep naar de nieuwe kleedkamer voor officieren; godallemachtig, het was allemaal nieuw hier, een paar jaar geleden was er nog niets. Als hij zich haastte met omkleden, zou hij net op tijd thuis zijn om met zijn vrouw naar de kerk te kunnen gaan.

Zondag 3 oktober, 07:45 uur
In de lucht boven Marietta (Georgia)

Mora Sullivan wierp een blik door het vliegtuigraampje. Ze had beide eersteklasstoelen voor zichzelf en dat was niet door toeval. Doorgaans kocht ze twee tickets naar elke bestemming voor het geval dat ze van identiteit moest veranderen voordat ze aan boord ging. De economyclass zat slechts halfvol, dus er was niemand die de lege stoel naast haar toegewezen kreeg.

Daarbeneden was het een en al herfstkleuren: de loofbomen in de gemengde bossen van Georgia vertoonden oranje, gele en rode tinten tussen de altijd groene dennen. Ze placht te slapen op vluchten, maar daar was ze deze ochtend te wakker en gespannen voor. In al die jaren dat ze dit vak uitoefende, had ze slechts twee van haar eigen opdrachtgevers uitgeschakeld: de eerste, Marcel Toullier, was in opdracht van een andere klant geweest, een halfjaar nadat ze voor de Fransman gewerkt had; dat het een van haar cliënten was, schonk hem geen vrijstelling, en het was strikt zakelijk geweest, niets persoonlijks. Ze had Toullier zelfs gemogen. De tweede eliminatie, wapenhandelaar Denton Harrison, kwam omdat Harrison stomme dingen had uitgehaald en zich had laten aanhouden. De autoriteiten hadden genoeg bewijzen om hem vijftig jaar op te bergen en Sullivan wist dat hij een prater was en bereid was alles op te hoesten wat hij wist om maar uit de gevangenis te blijven. Vroeger of later zou Harrison hebben rondgebazuind dat hij de Selkie had ingehuurd. De telefoonnummers die hij van haar had, zouden uiteraard op een dood spoor uitlopen, onmogelijk te traceren, maar de autoriteiten wisten niet zeker dat er zelfs zo'n moordenaar wás. Ze wilde hun geen kans geven daarachter te komen.

Gestoken in zijn kogelvrije pak en op weg naar een bewaakt pand was Harrison, omringd door diverse hoofden van politie, uit een gerechtsgebouw in Chicago naar buiten gekomen.

Van een afstand van zeshonderd meter had ze het schot gelost. Zo'n vest bood weinig bescherming tegen de .308 sluipschutterkogel: deze had Harrisons aorta doorboord en een vuistgroot gat achtergelaten in zijn rug waar hij het lichaam had verlaten. Voordat het geluid van het schot zijn oren bereikte, was hij al dood.

En nu zat ze met Genaloni.

Er kwam een steward langs. 'Koffie? Vruchtensapje? Iets anders?' 'Nee, dank u wel.'

Moest ze deze baas elimineren?

Als ze instinctief 'ja' zei, zou ze nauwelijks een haar beter zijn dan hij was. Ja, ze moest íéts doen en aangezien mensen uitschakelen haar vak was, lag daar ook haar kracht. Dus was het een optie die ze in overweging moest nemen. Maar er waren andere manieren. Na haar beslissing om vervroegd te gaan rentenieren, gingen al haar oude identiteiten, de woningen en gehuurde zaken tot het verleden behoren. Ze kon haar spoor in een auto-ongeluk laten eindigen, of in een ander ongeval dat mogelijke achtervolgers van haar dood zou overtuigen. Of ze kon Genaloni laten opdraaien voor een of ander misdrijf in de wetenschap dat hij zou worden opgesloten. Natuurlijk zou hij vanuit de cel nog steeds macht uitoefenen, dat deden dit soort gasten altijd, maar hij zou andere dingen op zijn lijstje hebben staan. Zelfs iemand als Genaloni zou haar na vijf of tien jaar in de bajes waarschijnlijk vergeten.

Dit slag mensen stierf meestal op betrekkelijk jonge leeftijd of belandde achter slot en grendel. Aan weerszijden van de wet maakten ze veel vijanden en de kans bestond dat een van die vijanden hem te grazen zou nemen.

Natuurlijk waren ze er wel, negentig jaar oude ex-maffiosi die rondcrossten in hun rolstoel, de hele dag aan de zuurstof zaten, deden alsof ze zwak of krankzinnig waren en die het dus overleefd hadden. Van die oude besnorde types die, in weerwil van alle gevaren, nog steeds op vrije voeten waren.

Ze slaakte een zucht. Wat kon ze nu het best doen? Ze moest snel een beslissing nemen. Zodra ze de kennel had betaald voor de zoekgeraakte hond, zou ze naar haar huis in Albany gaan om eens goed na te denken.

Tyrone stond voor de deur van Bella's huis en zuchtte een paar keer
diep om zichzelf te kalmeren. De sessie van gisteren was vrij goed
verlopen. Ze was geen geweldige netberijder, maar ook weer niet
echt slecht.

Twee keer was ze met haar heup langs de zijne gestreken. Eén keer,
toen ze zich uitstrekte om een stift te pakken, had hij op zijn arm de
druk gevoeld van haar borst.

Deze herinneringen zouden misschien ooit een keer vervagen, maar
op dit moment brachten ze zijn hartslag bepaald niet omlaag.

Hij drukte op de zoemer.

Bella deed open. Vandaag droeg ze een minder onthullende outfit:
een joggingpak. Ze had haar haren opgestoken en ze zag er schoon-
geboend uit, rook fris en een beetje naar zeep.

'Hé, Ty. Ik kom net onder de douche vandaan. Sorry dat ik er zo
slonzig bij loop.'

Dat was nog eens een beeld dat hij zich maar al te goed voor de
geest kon toveren: Bella onder de douche.

'Nee, nee, je ziet er prima uit,' zei hij. En dat deed hij te snel, zijn
stem klonk te hoog. Wat was hij toch stom. Jezus!

'Kom binnen.'

Boven gekomen zetten ze de VR-spullen op en gingen aan de slag.

'Oké,' zei hij, 'laten we vandaag mijn programma eens gebruiken.
Heb je er bezwaar tegen om met zijn tweeën op een grote motor te
zitten?'

'Gepro,' antwoordde ze. 'Wat je maar wilt.'

Ja, hallo. Wat hij wilde, had helemaal niets met het net te maken.
Nee, meneertje, helemaal niets, niento. Maar wat hij zei, was:
'Oké. Het scenario vertaalt zich als volgt...'

Plekhanov installeerde zich, activeerde zijn VR, maar besefte toen dat hij dat autoprogramma nog steeds niet had gewist. De glimmende blauwe Corvette stond voor zijn neus langs de stoep geparkeerd. Inwendig schudde hij zijn hoofd. Hij moest echt van dat ding af. Oké. Zodra hij klaar was met het ritje naar Zwitserland zou hij hem dumpen. Beslist.

Zondag 3 oktober, 13:50 uur
Washington D.C.

Rijdend op de Harley over de bochtige weg door de Zwitserse Alpen schreeuwde Tyrone boven het geraas van de wind uit: 'Zie je hoe dit werkt? Mijn programma vertaalt hun programma's in compatibele visuele modules. Die truck daar zou waarschijnlijk een woonschuit of schip zijn als we ons nu in een waterscenario bevonden.'
'Maar hoe doet het programma dat dan?' schreeuwde Bella.
Hij keek over zijn schouder. Haar haren wapperden los in de wind.
'Makkelijk zat. Als we in totaal verschillende modules zitten, overschrijft mijn programma gewoon de beelden van de andere partij. Gezichtspunt en relatieve snelheden zullen hetzelfde zijn, lucht, water, land, zelfs illusie. Als we in modules zitten die voldoende met elkaar overeenkomen, dus dat die truck op de weg zit en niet in het water of iets anders, zal mijn programma het beeld van hem nemen en het corrigeren om gelijke tred te houden met de VR-snelheden. De meeste mensen die elkaar tegenkomen, kiezen één programma en gebruiken dat, anders krijg je een paar microseconden vertraging op de opfrissnelheid.'
'Aha, ik snap het.'
'Die truck, dat is eigenlijk een groot infopakket, het bevat een hoop codes, vandaar dat hij langzaam voortbeweegt. Let op.'
Hij gaf een dot gas en de krachtige motor van de Harley brulde. Ze passeerden de voortsjokkende truck en glipten er vlak voor toen er een tegenligger naderde.
'Hi-ha!' joelde Bella.
O, wat klonk hem dat heerlijk in de oren.
'Dus deze software is allemaal zo uit voorraad leverbaar?'
'Nou ja, ik heb deze een beetje aangepast.'
'Kun je dat dan?'

214

'Tuurlijk. Ik zou er een van begin tot eind kunnen schrijven, maar het is gemakkelijker om een bestaand programma te wijzigen.'

'Zou je me kunnen laten zien hoe je dat doet? Mijn eigen programma schrijven?'

'Ja, natuurlijk, gepro. Het is niet zo moeilijk.'

'Supergaaf!'

Op dat moment schoot Tyrone het gesprekje met zijn vader weer te binnen. Bied de lokale bevolking iets wat ze niet van je vijand kunnen krijgen, had hij gezegd. Hoewel hij Bottenbreker niet echt als een vijand beschouwde, sloeg zijn ouweheer de spijker op zijn kop. Tyrone had iets wat LeMott níét had, een vaardigheid, een gave, en op dit moment verlangde Bella ernaar. Dit was bee-vee-el, zekers te weten, bytes vloeien lekker tot de vierde macht!

Ze naderden een kruising met een stopbord. CyberNation was linksaf. Misschien moest hij haar daar mee naartoe brengen? Die paar keer dat hij er de boel verkend had, was het boeiend geweest, maar tenzij je je aansloot, lieten ze je het echt goede spul niet zien. En lid worden kon hij wel vergeten. Hij hoorde zijn vader al: 'Je burgerschap opgeven om toe te treden tot een computerland dat niet bestaat? Ik dacht het niet.'

Het verkeer passeerde en Tyrone ging zo op in zijn eigen gedachten dat hij bijna de Corvette miste die langssnelde.

Bijna. Ergens in zijn hoofd ging een alarmbelletje af. Corvette... Corvette... wat?

O, ja, Jay Gees bulletin, gisteren in zijn e-mail. Kijk uit voor een jonge vent in een zakenkostuum en een blauwe Corvette.

De auto was al voorbij voordat hij een kans kreeg een glimp op te vangen van de bestuurder en voor Tyrone stonden nog twee auto's en een kleine bestelwagen op groen licht te wachten. Het was waarschijnlijk niets.

Maar misschien toch wél. Hij diende het op zijn minst even te checken, nietwaar? En als Bella ernaar vroeg, zou hij haar moeten vertellen waarom, ja toch?

Bottenbreker hielp toch zeker niet een belangrijke federale instantie uit de brand?

Tyrone schakelde de Harley in zijn eerste versnelling en gaf een beetje gas. Hij reed via de berm langs de stilstaande auto's en werd als dank onthaald op wat getoeter.

'Ho! Is dit wel legaal?'

'Ach, niet echt nee,' antwoordde Tyrone, 'maar het moet even.'

Ze waren bij de bocht en hij gooide zijn machine plat, trok hem weer recht, schakelde en haalde alles eruit wat erin zat.

'Zie je die blauwe Corvette daar?'

'Ja?'

'Die moet ik even checken. Ik, eh, help een maatje van me bij Net Force.'

'Net Force? Echt waar?'

'Ja. Jay Gridley, hij is hun topcomputerman. Ik help hem zo nu en dan.'

'Wauw. Supergaaf, Ty!'

Was het verbeelding of verstevigde ze haar greep rond zijn middel enigszins?

'Kunnen we hem inhalen?'

'Gepro. In dit scenario is maar bar weinig wat mij kan ontlopen. Hou je vast.'

Zeker weten, ze hield zich nu steviger vast. Yes!

Zondag 3 oktober, 21:58 uur
Grozny

Plekhanov was op de terugweg van zijn bezoek aan de bank in Zürich toen hij achter zich opeens de motor zag opdoemen. Hij fronste het voorhoofd en voelde zich even bezorgd. Hij bestudeerde de motorfiets in zijn achteruitkijkspiegel. Het duurde niet lang of het ding had hem ingehaald. De motor zwenkte de linkerrijbaan op en begon aan een inhaalmanoeuvre, zich kennelijk niet bewust van de vrachtauto die uit tegengestelde richting over de smalle twee-baanstoevoerweg op hen afstevende. Vanuit zijn ooghoek bekeek hij de motor. Twee personen, tieners nog maar, een jongen en een meisje die geen van beiden veel aandacht aan hem leken te beste-den. Na een paar tellen passeerde de motor, ging terug naar rechts en versnelde, waarbij hij de naderende vrachtauto op een haar na leek te missen. De tweewieler verdween snel uit zicht.

Plekhanov schudde zijn hoofd bij zijn eigen paranoia. Het was niets. Zo'n nikkerjoch dat zich uitslooft voor zijn mooie vriendinne-tje door langs het snelste voertuig op de weg te blazen, daarbij alle gevaren van het tegemoetkomend verkeer trotserend. Ook hij was ooit jong geweest, hoewel dat wel een eeuwigheid geleden was. Naar die tijd zou hij niet terugkeren, om zijn zuurverdiende kennis en wijsheid uit te wisselen voor de verhitte hormonen en roekeloze carpe-diemfilosofie van de jeugd. Tieners dachten het eeuwige leven te hebben en dat ze tot alles in staat waren. Hij wist wel beter. Er waren altijd grenzen aan dergelijke dingen. Zelfs de rijkste en machtigste mannen uit de geschiedenis gingen uiteindelijk de weg van alle vlees. Nog vijftig of zestig jaar en aan zijn bestaan zou een einde komen. Maar in zijn geval zou het tenminste een bestaan van kwaliteit zijn. Jawel, van hoge kwaliteit.

28

Zondag 3 oktober, 14:20 uur
Washington D.C.

Jay Gridley bevond zich op het net en navigeerde de Viper met hoge snelheid door het niemandsland van Montana toen zijn scenario opeens werd onderbroken. Hij ving het getjirp van zijn geheime telefoon in zijn appartement op, bracht zijn VR-programma in een loop, zette zijn VR-bril af en activeerde de spraakchip.
'Ja?'
'Meneer Gridley?' Het was de stem van een jonge vrouw.
Jay fronste het voorhoofd. Niemand die over deze privé-code beschikte, diende hem 'meneer' te noemen. 'Met wie spreek ik?' vroeg hij.
'Ik ben Belladonna Wright, een vriendin van Ty Howard.'
Maar voordat Gridley daar het zijne van kon denken, kwam het meisje met haar boodschap: 'Ty zit on line in een scenario. Hij vroeg me u te bellen en de coördinaten door te geven. Hij denkt dat hij de blauwe Corvette heeft gevonden waar u naar zoekt.'
'Jezus! Waar?'
Snel las ze de coördinaten op. Gridley liet zijn computer deze direct in zijn VR-programma invoeren. 'Bedankt, mevrouw Wright. Zeg hem dat ik onderweg ben. Sluiten.'
Meteen zette hij zich weer achter zijn computer, maar op het moment dat hij in zijn VR-programma wilde inloggen, bedacht hij zich. Stel dat het inderdaad de goede wagen was, waarschijnlijk niet, maar toch. Dan zou de chauffeur de Viper geheid herkennen. Het was beter om op een ander programma over te schakelen – iets minder opvallends – en risico's te vermijden.
Gridley riep zijn grijze Neon op.
Op de echte wegen waren twee jaar oude Neons wel de meest onopvallende auto's die je je kon bedenken en was grijs de meest voorkomende kleur. Voor nieuwelingen en degenen die het weinig kon schelen in wat voor auto ze het net op gingen, vormde de Neon een standaardvoertuig. Je kon er donder op zeggen dat Dodge de grote servers flink wat voor deze standaardinstelling had betaald. Een Viper, ja dat was wel even wat anders. Die was stijlvol, had

klasse, daarin werd je gezíén. Maar de zoveelste muisgrijze Neon? In zo'n wagen werd je min of meer onzichtbaar en als je wist wat je deed, kon je onder die gewone motorkap iets veel heftigers verbergen dan een standaardblok. Hij zou weliswaar niet zo snel zijn als zijn geliefde vervoermiddel, maar de anonimiteit zou het tekort aan snelheid goedmaken. Als dit de vent was die hij zocht, dan moest die hem vooral niet te vroeg in de gaten krijgen.

Hij laadde het programma en voerde de coördinaten in.

Die bleken hem te voeren naar een soort pompstation ergens in het westen van Duitsland. Terwijl hij het parkeerterrein op reed, zag hij hoe een aantrekkelijk meisje naar Tyrone liep. Die wachtte bij zijn Harley naast een grote elektrische Volvo-bestelbus die zijn grote accu's stond op te laden. Het scenario oogde realistisch. Tyrone zag hem niet nu hij kwam aangereden, maar hield zijn ogen gericht op het parkeerterrein van het restaurant.

Gridley keek nu ook in die richting en zag de Corvette die naast het gebouw geparkeerd stond. Zowel het type als de kleur klopte, hoewel dat op zich weinig betekende. Hij stopte vlak bij Tyrones motor. De jongen en het meisje hadden hem al snel in de gaten. Hij zette de motor af en stapte uit. Het was koel en helder weer, een perfecte herfstdag. Het rook hier naar diesel en naar ozon, afkomstig van de grote verlagingsoplader die de bestelwagen van de nodige energie voorzag. Dit was wel een zeer realistisch scenario.

'Ha, Tyrone.'

'Hé, Jay Gee. Eh, dit is, eh, Belladonna. Bella, dit is Jay Gridley.'

'We hebben elkaar net gesproken,' zei deze. 'Aangenaam. Heb ik hier met een virtueel personage of een EW-verschijning van doen?'

'EW,' was haar antwoord.

'In eigen persoon is ze namelijk mooier,' flapte Tyrone eruit, om vervolgens met overdreven aandacht zijn schoenen te bestuderen.

Gridley glimlachte. Maar goed dat de jongen een donkere huid had, anders zou hij zijn knalrode kop als achterlicht kunnen gebruiken.

Tyrone was zich daar zelf ook van bewust. Snel wees hij naar de plek. 'Daar staat-ie. De chauffeur zit binnen.'

Gridley knikte. 'Bedankt voor je telefoontje. Heb je het nummerbord gecontroleerd?'

'Tuurlijk, meteen. Volgens Quickscan is de eigenaar ene Wing Lu uit Guangzhou in China. Alleen, een van de nummers klopt niet.'

'Dus die plaat is eigenlijk vals,' concludeerde Gridley. 'Goh, wat een verrassing.'

'Veel mensen willen liever anoniem blijven op het net,' legde Tyrone het meisje uit. 'Dus afgezien van valse namen en personalia hebben ze nog andere valse identiteitsmiddelen: valse nummerplaten, adressen, comcodes. Een van de eerste regels voor websurfen is...'

'... "Niets te vertrouwen wat je ziet",' maakte ze de zin af. 'Dit is heus niet mijn eerste keer op het web, hoor, Ty, ook al heb ik er geen knobbel voor.'

'Sorry,' antwoordde Tyrone.

Gridley schudde zijn hoofd. Kalverliefde. Kromme tenen. 'Nog meer?' vroeg hij om het gesprek weer op de Corvette te brengen.

'Hij rijdt snel, verandert snel van rijstrook zonder daarbij rijstrook-bobbels te raken, komt nooit vast te zitten achter langzame rijders en raakt nooit ingesloten tussen het andere verkeer.'

'Een getraind voetje dus,' concludeerde Gridley.

'Zeker weten,' antwoordde Tyrone.

'Een getraind voetje?' vroeg het meisje.

'Iemand die zich zonder al te veel frictie een weg over het web baant,' antwoordde Tyrone. 'Hij kent deze modus dus heel goed, heeft er waarschijnlijk al vaak gebruik van gemaakt of heeft anders lang genoeg op het web gezeten om met elke modus goed overweg te kunnen.'

'En dat betekent?'

'Dat hij waarschijnlijk een programmeur is,' antwoordde Gridley.

'Mag ik u vragen waarom u hem zoekt?'

'Dat kan ik je nog even niet verklappen. Het maakt deel uit van een actueel onderzoek.'

'Is het een grote zaak?'

'O, ja. Als dit inderdaad de vent is die we zoeken, is het inderdaad een megapion. Hoe meer we over hem te weten komen, hoe beter.' Hij wierp een blik op Tyrone. 'Heeft hij je gezien?'

'We haalden hem in om hem wat beter te kunnen bekijken. Het was op een smalle weg. Daarna zijn we een flink eind achter hem blijven hangen. Ik geloof niet dat hij heeft gemerkt dat we hem volgden. Maar wie weet herkent hij ons van toen we hem inhaalden.'

'Goed. Als je erbij wilt blijven, dan laat je je motor staan en rij je met mij mee. We zien wel hoe lang we hem kunnen bijhouden.'

Met de twee tieners in zijn kielzog liep Gridley naar zijn auto. Opeens schoot hem iets te binnen. 'Jullie kunnen beter achterin. De voorste stoel ligt namelijk vol met spullen.'

Dat laatste was niet helemaal waar, maar dat zou anders zijn zodra ze eenmaal bij de auto waren aanbeland. Vanaf deze afstand kon hij daar gemakkelijk voor zorgen.

Ach, wat. Hij was ook jong geweest. Kijkend naar Tyrone en zijn vriendin Belladonna leek het alweer zo'n tijd geleden. Er kon een draadje bij hem los zitten, maar lekker naast een mooie meid op de smalle achterbank van een kleine wagen vertoeven, was een kick als je zou oud was als Tyrone.

Sterker nog, zelfs op zíjn leeftijd gaf zoiets nog een kick.

Ze waren net ingestapt toen Tyrone riep: 'Kijk, daar heb je hem!' Gridley keek om en zag nu ook hoe een man het restaurant verliet. Hij begaf zich naar de Corvette. Jay kon hem nu goed bekijken en grijnsde. Raak! Het was hetzelfde personage dat hij in New Orleans had gezien. God, die gozer moest wel heel erg zeker van zichzelf zijn om deze identiteit te blijven gebruiken. En dom. Eindelijk had hij zijn grote kans.

'Perfect, Tyrone. Je staat bij me in het krijt.'

'Is het hem?' vroeg Bella.

'Nou en of.'

'Super, Ty!'

Op de achterbank klonk het alsof iemands aandelen opeens door het plafond waren gegaan. 'Nou heb ik je,' sprak Gridley op zijn beste Darth Vader-toon. Hij reikte onder het dashboard, trok een mobilofoon tevoorschijn en zocht verbinding: 'Jay Gridley hier, Net Force, identificatiecode JG-zes-vijf-acht-negen-negen, bevoegdheid Zeta, een-een. Voor deze coördinaten geldt prioriteitscode vijf, ik herhaal prioriteitscode vijf. Blijf stand-by voor bijzonderheden.' Hij gaf de code door, alsmede het valse kentekennummer van de Corvette plus een beschrijving van het voertuig en de bestuurdersidentiteit.

Achterin legde Tyrone de zaak zachtjes uit. 'Hij alarmeert nu de politiekorpsen. Iedere smeris op het net die de Corvette ziet, zal het tijdstip en de locatie inloggen. Misschien dat we zo een patroon kunnen ontdekken voor als we hem kwijt zijn geraakt.'

'Als we hem kwíjt zijn geraakt? Je denkt niet dat we hem kunnen bijhouden?' vroeg ze.

'Niet als we te maken hebben met een getrainde voet die ergens voor op de loop is. Hij zal goed in zijn spiegels kijken en vroeg of laat een achtervolger in de smiezen krijgen. Stel dat hij zijn programma in een loop zet, dan zullen zijn lijnen openblijven en kunnen wij het spoor blijven volgen. Dus zodra hij ons in de gaten krijgt, moet hij ons wel van zich afschudden of ons op een andere manier zien kwijt te raken.'

'Nou, niet met deze banden,' zei Gridley. 'Dit zijn zelfsealers.'

'Hè?'

'Laat maar.'

'Bij hoge nood kan die vent altijd nog zijn VR-bril afzetten of de knop omdraaien. Met als gevolg waarschijnlijk een systeemcrash en een flinke deuk in zijn VR-programma. Alleen, wij kunnen het dan wel shaken.'

'Zou hij zoiets doen?'

'Nou, ik anders wel,' reageerde Gridley. 'De eerste regels van computeren is: zorg voor back-ups. Hij zal misschien even tijd nodig hebben om zijn software opnieuw te installeren en de zaak weer opnieuw op te starten, maar dat is altijd nog te verkiezen boven een stel Net Force-agenten die je deur intrappen voor een echte wereld-arrestatie.'

'Wauw,' zei Bella.

Gridley startte de Neon. 'Ja, ach. Dat is van later zorg.' Hij keek nu naar de Corvette die het parkeerterrein verliet en de snelweg opreed. 'Maar als hij van ons af wil, moet hij eerst maar eens zien te ontsnappen. Riemen vast.'

Zondag 3 oktober, 15:00 uur
Albany (New York)

Vanzelfsprekend vergoedde Sullivan de kosten voor de verdwenen hond. Daarvoor koos ze de omslachtige manier: de bezorgingsdienst die de envelop gevuld met gebruikte briefjes van honderd bij de kennel bezorgde, was de derde in de reeks. De envelop was bezorgd door de tweede koerier, die het op zijn beurt weer had opgehaald bij de lobby van een hotel waar het was achtergelaten door een minderjarige jongen voor wie Sullivan, in vermomming, zes blikjes bier had gekocht. Het was onwaarschijnlijk dat iemand deze transactie op het spoor zou komen, ook al deden ze hun best. Alles zou doodlopen bij dat jongetje dat zich alleen nog maar een mevrouw van veertig wist te herinneren met een wrattige moedervlek op haar kin.

Goed, ze zat dus in Albany, en had haar besluit genomen. Ze was een jonge vrouw met, gegeven de huidige medische stand, nog zo'n zestig tot tachtig jaar te gaan. En misschien meer. Ja, het was waar, ze was in de bloei van haar leven, geestelijk en lichamelijk, op de top van haar kunnen. Na al die jaren langs de rand van de afgrond te hebben gedanst, had ze een gevoel voor zulke dingen ontwikkeld, een instinct bijna. En daar had ze op leren vertrouwen. Op de een of andere manier was het nu duidelijk: het was tijd om het spel de rug toe te keren. Om je als een verjaarde bokser door de een of andere fanatieke snotneus knock-out te laten meppen, was geen goed idee. Dus... Zodra het eerder gemiste doelwit uitgeschakeld was, zou de Selkie met vervroegd pensioen gaan. Alle lijnen zouden verbroken worden. Niet dat ze geen geld had, overigens. Ze had zo'n acht miljoen dollar veilig weggestopt. Door uitgekiend te beleggen, zou dit bedrag voldoende winst genereren om ruim van te leven. Haar streefbedrag was tien miljoen geweest, maar dat was slechts hypothetisch. Daarnaast was er nog een aantal risicodragende maar zeer goed renderende beleggingen waarin ze kon investeren en die waarschijnlijk geld zouden opleveren. Ze zou niet van de honger omkomen.

Er was echter één groot, knagend probleem: Genaloni.

Waarschijnlijk zou haar opdrachtgever hetzelfde lot beschoren zijn als de meeste slimmeriken: dood of achter de tralies. Alleen bood 'waarschijnlijk' te weinig garanties om die zestig tot tachtig jaar mee op het spel te zetten. Ze had geen zin de rest van haar leven voortdurend over haar schouder te moeten kijken in de angst dat Genaloni haar vanuit de schaduw bespiedde.

Nee, Genaloni moest maar snel deel gaan uitmaken van haar verleden. Haar dode verleden.

En zo lastig zou dat niet eens zijn. Criminele types omringden zichzelf altijd graag met spierbundels en wapens om zichzelf tegen elkaar te beschermen, hadden advocaten in dienst om zich tegen de politie in te dekken en gingen ervan uit dat ze immuun waren voor de rest van de wereld. Misschien dat Genaloni de slimste van het stel was, maar ook hij had zijn zwakheden. De Selkie lichtte haar cliënt altijd eerst door voordat ze een opdracht aannam. Genaloni beschikte over een legertje schurken en advocaten, maar had tevens een minnares. Ze heette Brigette, en hoewel Genaloni zich ruimschoots over haar ontfermde, waren er voor Brigette geen lijfwachten dan wel advocaten die haar tegen de buitenwereld beschermden.

Dus... eerst Genaloni afhandelen en dan die bureaucraat in Washington. En daarna misschien een maandje naar tropisch Hawaï, of misschien Tahiti. Ergens waar het warm en zonnig was, zonder deadlines en werkschema's om haar dag te bepalen.

De Selkie glimlachte. Het gaf een lekker gevoel een nieuw doel te hebben.

29

Zondag 3 oktober, 23:05 uur
De Noord-Europees-Aziatische snelweg

Hij werd gevolgd, realiseerde Plekhanov zich.

Met een korte Russische krachtterm reageerde hij zijn woede af en vervolgens zette hij het van zich af. Gedane zaken namen geen keer, het verleden was slechts voorspel. Hij moest aanpassingen doorvoeren.

De achtervolgende auto was een van die alomtegenwoordige vierdeursgevallen die je met miljoenen tegelijk op het net en in de echte wereld tegenkwam, en hij zou het ding niet eens hebben opgemerkt als hij niet net een standaard looping-controle op zijwegen had uitgevoerd om juist dit soort problemen op te sporen. Dit was de derde van zijn ontwijkingsmanoeuvres en hoewel hij zijn achtervolger niet eerder gezien had, moest hij aannemen dat deze al enige tijd achter hem zat. Hoe lang werd hij al in de gaten gehouden? Dat was nog maar de eerste van een hele rits vragen, nietwaar? Wie was het? Hoe hadden ze hem gevonden? Wat was de beste manier om hen te lozen?

Met een ruk aan het stuur draaide hij de Corvette weer de hoofdweg op. Het beste was net te doen alsof hij hen niet zag. Beter de duivel die je kende dan eentje die je niet kende.

De grijze auto volgde en hield vrij veel afstand, maar hij wist nu dat hij het bij het rechte eind had. Ze zouden informatie vergaren die zijn voertuig in zich meedroeg: koerslijnen, constructie, codemodules, alles wat in handen van een expert uiteindelijk naar hem kon wijzen. VR was een metaforisch domein, maar de beelden hadden een realistische basis. Ze kon worden vastgelegd en misschien nagetrokken, vooral omdat de achtervolgers, áls het Net Force betrof, over genoeg computerkracht beschikten om zich met grof geweld door allerlei programmeursprofielen te werken. Hoe langer ze achter hem bleven hangen, hoe kleiner het aantal mogelijkheden dat ze zouden moeten schiften. Tot nu toe kon hij één uit tien- of honderdduizenden zijn geweest, nu zakte dat getal met elke minuut die ze bij hem bleven. Iedere programmeur had zo zijn eigen stijl, en de beste programmeurs hadden een stijl die bijna net zo persoonlijk was als hun vingerafdrukken of DNA-profiel. Als ze lang genoeg bij hem bleven, zouden ze zijn ware identiteit naar boven halen of zo dichtbij komen dat ze hem bij een eerste of tweede datafiltratie zouden achterhalen. Het was een kwestie van weten waar je naar moest zoeken, van welke vragen je het zoeksysteem moest stellen.

Verdomme!

Hij bevond zich nu op de Noord-Europees-Aziatische snelweg, had de Baltische staten achter zich gelaten en was bijna thuis. Daar kon hij nu natuurlijk niet naartoe gaan, maar een plotselinge koerswijziging zou argwaan wekken bij zijn achtervolgers. Ook moest hij ervan uitgaan dat ze niet alleen waren. Er konden auto's voor hem uit rijden, andere stonden misschien bij een kruispunt te wachten totdat hij voorbijreed. Als de kleine grijze auto van een agent van Net Force of een aangesloten organisatie was, zouden er bijna zeker anderen in de buurt zijn.

Goed. Hij kon honderd kilometer verderop afslaan op de India-snelweg, ze naar het zuiden en weg van huis lokken. Hij kon de wagen parkeren, een restaurant in gaan, als de sodemieter het scenario verlaten...

Wat waren dit nu voor gedachten? Dat soort paniekreacties zou hun de auto nalaten plus een mogelijke manier om deze te traceren. Iets anders...

Het was ooit gelukt. Misschien dat het nog eens zou lukken. Misschien kon hij de kraaienpoten van zich af schudden, een zijweg nemen, misschien andere achtervolgers trachten te ontlopen, zich uit de voeten maken van dit scenario en het vervolgens dumpen.

Beslist de moeite van het proberen waard.

Hij minderde vaart en bood de achtervolgende auto gelegenheid wat in te lopen. Zodra hij gereed was, haalde hij de voetangels uit de zak die hij bij zich droeg en wierp deze met een vlotte en geoefende hand over alle vier de rijbanen achter zich, een stortbuitje met scherpe punten...

De achtervolger week plotseling uit, miste de meeste kraaienpoten maar kon er een paar toch niet ontwijken.

Aha...!

Maar zijn vrolijke opwelling van triomf werd weer snel de kop ingedrukt. De banden van de grijze auto liepen niet leeg, noch minderde de auto vaart. Hij versnélde juist.

Verdomme, verdomme! Ze moesten vermoeden wie hij was; althans, in deze verschijning en dit voertuig. Ze wisten wat ze konden verwachten en hadden hun programma aangepast aan zijn afweer. Helaas beschikte hij wat bewapening betreft over weinig anders, in elk geval niets wat mensen die zo goed waren als deze zijn moesten, kon tegenhouden. Rook-en-spiegelprogramma's had hij in overvloed, maar die zouden hier niets uitrichten.

Als hij hen niet kon afschudden, mocht hij hen ook niet al te ver meevoeren. Ze wisten al te veel. Hij kon niet het risico nemen dat ze via osmose genoeg informatie zouden loskrijgen om hun speurtocht verder toe te spitsen. Hij zou de India-weg niet kunnen halen. Hij moest nu zo snel mogelijk uit de VR breken...!

Het waarschuwingslampje 'beschadiging aan systeem' flitste over zijn beeldscherm, begeleid door de spraakchip: 'Waarschuwing! Systeemfout! Waarschuwing! Systeemfout!'

Plekhanov wierp zijn uitrusting af, gaf een mep op de aan/uit-schakelaar, sneed daarmee de stroom naar zijn computer af en hield geen rekening met de noodafsluitprocedures. Er zouden gegevens verloren gaan, het besturingssysteem zou gehavend zijn en de virtuele chaos zou vermoedelijk enorm zijn. Het deed er allemaal niet toe zodra het tussen ontsnappen of gevangen worden slechts om seconden ging.

Shit, shit, shít! Hoe hadden ze hem gevonden?

Hoeveel wisten ze?

Zondag 3 oktober, 15:05 uur
Washington D.C.

Voor hen explodeerde de Corvette in een felle lichtflits, waarna hij uit het zicht verdwenen was.

'Shit!' zei Jay Gee.

'Daar gaat hij,' zei Tyrone tegen Bella. 'Hij zag ons en crashte uit het systeem. Nog iets nuttigs verkregen?' vroeg hij aan Jay Gee.

'Ja, ja, ik denk het wel. Hij was op weg naar Centraal-Azië... Rusland, misschien een van de GOS-staten. Hij zou verderop wel eens bij de India-weg hebben kunnen afslaan of zijn doorgereden naar het oosten, maar als hij van plan was naar het zuiden te rijden, had hij die weg honderd kilometer terug al moeten inslaan; bovendien rijdt hij niet als een Japanner of Koreaan zoals ik die ken. Volgens mij was hij op weg naar huis, en volgens mij rijdt hij als een Rus.'

'Waar heeft hij het over?' vroeg Bella.

Tyrone legde het haar uit, de stijl van iedere programmeur.

'Wat we nu hebben, zullen we mee naar huis moeten nemen om te analyseren,' zei Jay. 'Misschien dat we genoeg hebben om die klootzak in de kraag te vatten.'

Zondag 3 oktober, 15:23 uur
Quantico

Michaels gebaarde zijn telefooncircuit tot leven. 'Ja?'

'Baas, Jay Gridley hier. Ik zit in mijn auto, op weg naar kantoor. We hebben iets over die vent die ons in Europa en Azië steeds het bloed onder de nagels vandaan haalde.'

Een plotseling gevoel van teleurstelling overviel Michaels. Steve Day stond op dit moment hoger op zijn prioriteitenlijstje; maar toch, voor Net Force was de andere zaak belangrijker, ook al ging zijn loopbaan in rook op. 'Dat is geweldig, Jay.'

'Ik ben er over ongeveer een kwartiertje,' ging Jay verder.

Zodra Michaels had afgebroken, tjirpte de telefoon opnieuw.

'Hallo?'

'Hé, paps!'

'Hé, meisje.'

'Lig je uit te slapen?'

Halfvier in de middag en zij wilde weten of hij nog in bed lag. Hij glimlachte. 'Nee! Ik zit op mijn werk.'

Uiteraard had Net Force een agent opdracht gegeven Susie in de gaten te houden, en de plaatselijke politie was gewaarschuwd, maar er waren absoluut geen tekenen van problemen rond hen.

'Mam heeft de beeldtelefoon laten repareren. Zet eens aan.'

Het beeld van zijn dochter knipperde nu op zijn computerscherm. Ze droeg een blauwe overall en een rood T-shirt. Haar haar was korter dan hij zich herinnerde; ze moest naar de kapper zijn geweest. Wat was ze toch een mooie meid, een jongere uitvoering van haar moeder. Uiteraard een volstrekt objectieve gedachte, dat ze zo mooi was. Hij grijnsde en tikte op de camerabesturing om haar zijn beeld door te seinen.

'Zo, hé, paps, je lijkt Dracs ouwe omaatje wel!'

'Wie is dat?'

'Kom óp, kijk je niet naar *Drac's Pack*? Tja, het is ook maar de nummer één comedy van alle netten! Vince O'Connell speelt Drac, Stella Howard is zijn vrouw, Brad Thomas Jones de zoon. De oude oma is de mam uit *Chunk Monks*? Leef je op de maan of zo?'
Hij grijnsde opnieuw. 'Ik heb de laatste tijd weinig kans gehad om comedy's te kijken.'
'Het is echt lachen, je zou eens moeten kijken. Maar goed, je ziet er vreselijk uit. Je bent toch niet ziek?'
'Nee, hoor. Alleen maar moe. Ik werk te hard, krijg niet genoeg rust. Maar ik heb wel een hond.'
'Een hónd? Een EW-hond, geen simulatie?'
'Nee, een echte.'
'Wat voor een? Sinds wanneer? Neem je hem mee als je naar mijn toneelstuk komt kijken? Hoe groot is hij? Hoe heet hij? Wat voor kleur? Is hij slim?'
Hij lachte. 'Het is een dwergpoedel, hij heet Scout en is ongeveer net zo groot als een gemiddelde kat. Hij is vrij slim. Volgens mij zal hij je wel mogen.'
'Heftig!' Ze keek opzij van de camera en schreeuwde: 'Mam! Paps heeft een hónd! Hij neemt hem de volgende keer mee!'
Op de achtergrond hoorde hij zijn ex-vrouw iets mompelen.
'Denk je dat hij me zal mogen?'
'Dat weet ik wel zeker, liefje.'
Nu hij zo naar haar keek, dacht hij weer aan dat plannetje Washington te verlaten en naar het westen te verhuizen. Het klonk steeds aantrekkelijker. Natuurlijk zou hij liever met opgeheven kin en de borst vooruit zijn tijd uitdienen, maar toch...
Tja. De tijd tikte door. Eerst moest hij dit afmaken, ongeacht wat. Steve Day zou niet worden vergeten. Nooit.

Zondag 3 oktober, 16:00 uur
Long Island

Ray Genaloni keek op zijn horloge. Het verkeer was een crime, zelfs in deze uithoek op Long Island en op een klotezondag als vandaag. Uiteraard zat hij achter in de limo en moest zijn chauffeur zich door het verkeer heen worstelen, maar toch, hij was het spuugzat. Elke minuut die hij in een kluwen van auto's en trucks doorbracht, was er een die hij niet met Brigette zou kunnen doorbrengen.

Alsof hij hier niet één of twee keer per week naartoe ging. Alsof Brigette het beste was wat hij ooit een rok had zien uittrekken. Hij had wel betere gehad, meerdere malen zelfs. Aan de andere kant was ze wel een lekker ding, tien jaar jonger dan hij en bereid alles te doen waar hij naar vroeg; dingen die hij niet eens zou overwégen om tegen zijn vrouw te zeggen, laat staan proberen met haar te dóén.

Bij Brigette aangekomen – een kleine woning die hij voor haar had gekocht in een doodlopende straat in een stille buurt, tussen veel grotere en duurdere huizen – bleef Genaloni in zijn wagen zitten totdat zijn bewakers in de auto voor hem waren uitgestapt en de omgeving snel hadden gecontroleerd. Wanneer hij hier kwam, had hij altijd twee of drie man in een auto voor de limo en nog een paar in een auto erachter. Ze bleven buiten tot hij klaar was. Voorzover hij wist, waren ze hiernaartoe nog nooit door iemand gevolgd.

Hij belde aan. Zijn maîtresse deed open, gekleed in een doorzichtig, zwart, zijdeachtig gevalletje dat vanaf haar hals tot op de grond reikte maar absoluut niets verhulde. Haar grootouders waren uit Zweden of Denemarken of daar ergens uit de buurt geëmigreerd; ze was lang, rondborstig en in goede conditie. Je kon ook zien dat ze van nature blond was. In elke hand hield ze een glas champagne dat nog beslagen was van de koeler.

'Hé, lekkertje. Mijn man is de hort op. Wil je binnen wat van me drinken?'

Hij glimlachte. Soms speelden ze spelletjes. Hij nam een glas aan en stapte langs haar naar binnen. Hij wist dat ze zijn lijfwachten een vertoning voorschotelde en dat mocht hij wel. Jongens, heb maar te lijden, dacht hij.

Zodra zij de deur sloot, gleed hij met een hand onder het zijden gevalletje en omvatte een van haar borsten. Niks geen siliconen, alleen maar een zachte, warme tiet.

'Goed. Als je dat wilt, kunnen we maar beter opschieten voordat mijn man thuiskomt...'

'Hij moet maar op zijn beurt wachten,' zei Genaloni.

Zelfs op de luchthaven stonden gokapparaten: fruitautomaten, pokerapparaten, lottomachines, elektronische bedelaars die opgesteld stonden om je geld af te troggelen terwijl je naar je gate wandelde. De muren waren volgehangen met reusachtige beeldschermen waarop oogverblindende goochelaars, wilde-dierenacts en slechts in glitter gehulde showmeisjes te zien waren.

Ruzhyó keek toe hoe de Slang de pas inhield, een dollarbiljet aan een van de fruitautomaten voerde, vervolgens de grote hendel overhaalde en verwachtingsvol wachtte. Een duizelingwekkend gedraai van levendige kleuren, vervolgens dodelijke stilte. Grigory de Slang schudde zijn hoofd, grijnsde en haalde zijn schouders op. Hij was geen winnaar.

'Hij weet ook van geen ophouden, hè?' merkte Winters op.

Ruzhyó reageerde niet, maar het klopte wel. In drie dagen tijd had Grigory met gokken minstens vijfduizend dollar verloren. Dat kleine beetje mazzel bij het eenentwintigen was snel afgelopen. Naast zijn verliezen had hij waarschijnlijk nog eens tweeduizend dollar aan de hoeren uitgegeven. Natuurlijk, het was zijn geld en hij werd goed betaald door Plekhanov; maar toch, met zevenduizend dollar zou je thuis een gemiddeld gezin voedsel en onderdak kunnen geven voor, ja voor hoelang? Twee jaar bijna? Grigory was een idioot, een verspilling van zuurstof.

'Ik moet even bellen,' zei Ruzhyó. 'Laat hem uitgeven wat hij wil tot het vliegtuig vertrekt. We hebben nog meer dan een uur.'

'Ik slenter even naar die cadeaushop, tijdschriftje kopen.'

Ruzhyó knikte en begaf zich naar een rij telefooncellen, klemde een vervormer voor eenmalig gebruik over het mondstuk en draaide het alarmnummer. Het duurde een paar seconden, want het telefoontje werd vijf of zes keer de wereld rond gestuurd. Hij was niet ongerust, althans niet erg, maar Plekhanov had de laatste twee geplande telefoontjes gemist, op vrijdag en op zaterdag, en in zo'n geval was dit de te volgen procedure.

'Ja,' klonk Plekhanovs stem. Hij was gespannen.

'Alles goed?'

'Door de bank genomen wel. Er heeft zich een klein probleempje voorgedaan. Stelt niet veel voor, maar toch een tikkeltje zorgwekkend.'

Ruzhyó wachtte om te horen wat het was dat Plekhanov kwijt wil-de. Het kwam al snel.

'Die... eh, technische kwestie waaraan je werkte, is niet tot mijn tevredenheid voltooid.'

Ruzhyó wist dat ze het hadden over de actie om de aandacht van Net Force af te leiden, de moordaanslag op hun leider, de kraaien-poten die ze gestrooid hadden om de organisatie op voet van oorlog te krijgen met de criminele groepering. 'Het is nog vroeg,' zei hij.

'Desalniettemin moeten we die kwestie meenemen. Dat probleem-pje waar ik het over had is vanuit die richting de kop opgestoken en vereist een vroegere opleveringstermijn voor het hele project.'

'Ik snap het.'

'Er is geprobeerd om jouw eerste experiment te, eh, dupliceren. Door iemand in dienst bij het Italiaanse bedrijf. Ze bleken niet in staat jouw eindresultaten te evenaren.'

De Genaloni-organisatie had dus geprobeerd het nieuwe hoofd van Net Force te vermoorden en dat was mislukt. Heel interessant. Hij had er niets over op het nieuws gezien.

'En je wilt dat ik daar zorg voor draag?'

'Die kans is groot. Maar ik zou graag willen dat je mijn signaal afwacht. Het zou wel eens wat voorbarig kunnen zijn. Dat weet ik binnen een dag of twee.'

'Zoals je wilt.'

'Het zou misschien verstandig zijn je alvast dicht in de buurt te begeven.'

'Vanzelfsprekend.'

'Tot ziens dan. Ik spreek je morgen weer.'

'Dag.'

Ruzhyó verwijderde de wegwerpvervormer en bekeek het ding. De visueel-purperen biomoleculaire matrix, het brein van het appa-raatje, diende zichzelf buiten werking te stellen zodra de drukge-voelige contactstrip van het mondstuk werd losgehaald. Binnen twintig seconden zouden het geheugen en het circuit leeg zijn. Het was een mooi speeltje, een researchrestantje uit het tijdperk van het gevechtsvliegtuig. Als je als piloot op vijandelijk grondgebied neer-stortte, wilde je niet dat ze je computersystemen zouden bergen. Het was lastig om elektronische dataopslag helemaal schoon te vegen, maar met een bio-eenheid die helemaal was uitgevallen, kon informatie onmogelijk worden teruggehaald.

Een volle minuut stond hij daar met de vervormer in de hand tot-dat hij hem in een vuilnisbak wierp.

Dus ze zouden weer naar Washington gaan. Eigenlijk naar een

motel in Maryland, op minder dan een uur rijden.

Grigory kwam aangeslenterd, weg van de rij fruitautomaten.

'Ben je klaar met dat gegok?' vroeg Ruzhyó.

'*Da.*'

Ruzhyó kon het niet nalaten een steek onder water te geven. Een naald, genoeg om even mee te prikken. Hij zei: 'Je methode is kennelijk aan wat verfijning toe.'

De Slang fronste zijn wenkbrauwen. Ruzhyó ontleende een zekere mate van plezier aan zijn gezichtsuitdrukking.

30

Zondag 3 oktober, 18:15 uur
Quantico

Toni Fiorella verliet het hoofdkwartier van Net Force, stapte de koele avondlucht in en begaf zich naar haar wagen. Het parkeerterrein was nagenoeg leeg, maar ze herkende de figuur met het koffertje dat omzichtig op haar af kwam lopen.

'Rusty. Wat is er?'

Ze zag dat hij even diep ademhaalde. 'Nou, eh, ik heb wat achtergrondinformatie opgehaald over silat, wat dingetjes van het net, wat boeken en oude tapes. Ik, eh, vroeg me af of we misschien het een en ander kunnen doornemen? Ik zou graag uw mening willen hebben over het een en ander.' Hij zwaaide onhandig met zijn koffertje.

'Tuurlijk, ik zal ernaar kijken.'

'Nou, prima. Bedankt. Maar weet u, ik zou het zo meteen onder het eten even kunnen laten zien. Tenminste, als we, als u misschien honger hebt?'

Toni bleef staan en knipperde met haar ogen. Het was duidelijk dat hij haar had opgewacht. Het klonk beslist alsof hij haar voor een afspraakje wilde strikken. De vraag die dat weer opriep, luidde: stel dat dat zo was, wilde zij dan ook die richting op?

Dat altijd weer alerte stemmetje van haar gezonde verstand liet haar ook nu niet in de steek. Een etentje kon geen kwaad. Een mens moet toch eten?

Ze grinnikte in zichzelf. Misschien dat ze Rusty's vastberadenheid maar eens moest testen. 'Vraag je me soms uit?'

Stel dat hij een uitvlucht zocht, dan had ze hem hiermee die kans gegeven. Eh, nee hoor. Ik wilde alleen maar voorstellen wat te gaan eten zodat we ondertussen deze silat-dingen konden bespreken die ik hier in mijn koffertje heb.

'Ja, mevrouw.'

Ze lachte. 'Eerst vraag je een vrouw uit en dan noem je haar "mevrouw". Nou, zo beleefd heb ik het nog nooit meegemaakt.'

Dus, Toni, wat wordt het? Goed, hij is nog leerling, maar ook heel aantrekkelijk. Fit, slim, relatief deskundig, met een mooie graad in de rechtsgeleerdheid die zijn FBI-rekrutenstatus een aardige glans verschaft. Goed, het zou de meester-leerlingverhouding kunnen schaden en ook een duidelijke kink in de kabel naar Alex toe kunnen opleveren.

Jezus, meid, als je wilt wachten totdat Alex je eens ziet staan, dan kun je wachten tot je een ons weegt. Bovendien, het is maar een etentje, hij heeft heus niet gevraagd of je zijn kinderen wilt baren, of zo.

'Oké, we kunnen best even wat gaan eten. Waar staat je auto?'

'Thuis. Ik ben met het openbaar vervoer.'

'Goed, dan nemen we mijn wagen. Heb je een restaurant in gedachten?'

'Nee. Trouwens, het gaat niet om het eten, maar om het gezel-schap.'

Ze glimlachte opnieuw. Hij was charmant, op zijn eigen vleiende, zuidelijke manier.

Ze kon het niet helpen, maar ze voelde een aangename spanning. Buiten haar werk was het al heel lang geleden dat ze voor de gezel-ligheid met een man uit eten was geweest. En het was altijd weer een streling van je ego als je werd gevraagd.

Een etentje kon geen kwaad.

Zondag 3 oktober, 19:44 uur
Washington D.C.

Alex nam Scout mee voor een ommetje in de buurt. Dit was zeer tegen de wensen van zijn nieuwe veiligheidsteam in, dus dat leidde al snel tot een complete optocht door de straten rondom zijn appartement met hem als tamboer-maître. De stoet bleek iets langer dan hij had beseft. Er waren vier agenten in de wagens – de een reed voorop, de ander erachteraan – die hem stapvoets volgden. Verder nog eens vier man te voet – onder anderen een voorop en eentje achter hem, plus de hond, plus nog twee extra agenten aan de over-kant. Gezamenlijk vormden ze de hoekpunten van een zich ver-plaatsende vierhoek. Bovendien, zo was hem verteld, verkenden twee andere wagens de evenwijdig lopende straten, plus nóg twee die hetzelfde deden met de kruisende straten. Enkele van deze wagens hadden maar één inzittende. Veertien agenten in totaal, zo had de leider van het beveiligingsteam hem verteld.

Met zoveel bewakers kreeg je de indruk dat er kwistig met belastingcenten werd omgesprongen, maar zijn baas Walt Carver had er persoonlijk opdracht toe gegeven.

Scout leek het extra gezelschap geen probleem te vinden. Hij besproeide gazons, palen van verkeersborden en brandblussers, gromde naar gevaren die zich verborgen hielden tussen het struikgewas en met geen mogelijkheid groter konden zijn dan hij. Nee, Scout had het prima naar zijn zin.

Ook Michaels genoot van de korte wandeling. Het was wat koeler dan de afgelopen dagen, maar nog niet koud genoeg voor een jas, hoewel hij wel een windjack droeg om zijn taser dicht bij de hand te hebben. Stel dat iemand door het kordon heen zou breken, dan kon hij zichzelf in elk geval verdedigen.

Omzichtigheid – angst –, het gevoel was nieuw voor hem. Lijfelijk gevaar was niet iets waar hij zich ooit zorgen om had gemaakt. Hij was redelijk uit de kluiten gewassen, verkeerde in behoorlijk goede conditie en leefde in het middelpunt van de beschaving. Hij had enige training achter de rug, jaren geleden, toen hij bij de FBI kwam: een cursus ongewapende zelfverdediging, pistooltraining en tasertraining. Maar nu waren dergelijke trainingen van weinig nut. Hij was niet erg bedreven in dit soort zaken, en hij wist dat hij van nature geen gewelddadig mens was.

De laatste keer dat hij gevochten had, was op de middelbare school. Hij zat toen in groep zeven en vocht tegen een jongen die Robert Jeffries heette. Bij het wisselen van lokalen waren ze op de gang tegen elkaar op gebotst. En hoewel het Jeffries' schuld was geweest, was die zo pissig op Michaels geworden dat hij na schooltijd op hem zou wachten. Dat was wel het laatste waar Michaels zin in had, maar hij was te bang voor een mietje te worden uitgemaakt als hij ertussenuit kneep. In die tijd geloofde hij net als zijn vriendjes dat het beter was een pak slaag op te lopen dan de indruk te wekken een lafaard te zijn.

En dus vervoegde hij zich met een knoop in zijn maag van de zenuwen en bijna verlamd van angst bij de fietsenstalling waar Jeffries hem al opwachtte.

Ze trokken hun jasje uit en draaiden om elkaar heen. Geen van de twee wilde als eerste uithalen. Van deze afstand zag hij dat Jeffries bleekjes was, zweterig, snel ademde en realiseerde hij zich opeens dat Jeffries ondertussen de tijd had gehad er nog eens over na te denken en dat ook hij bang moest zijn.

Dus, als geen van beiden dit echt wilde, waarom dan al deze moeite?

Ze zouden elkaar waarschijnlijk slechts wat hebben uitgedaagd, elkaar wat hebben geduwd om daarna langzaam af te taaien, maar iemand in het kringetje om hen heen duwde de twee naar elkaar toe.

Met maaiende armen kwam Jeffries wild op hem af gestormd.

Wat er daarna gebeurde, was in zijn herinnering eigenlijk nooit helemaal duidelijk geworden. Het ene moment regende het vuist-slagen op zijn schouders en tegen zijn hoofd, vuistslagen die hij niet eens voelde, maar ook niet leek te kunnen ontwijken, ook al gebeurde alles in slowmotion en in doodse stilte.

Het volgende moment lag Jeffries gevloerd op zijn rug en zat hij zelf boven op diens borstkas en drukte hij met zijn knieën Jeffries' elle-bogen tegen de grond.

Met zijn tegenstander zo aan de grond genageld had hij diens gezicht tot pulp kunnen slaan. Jeffries zou hem niet hebben kunnen tegenhouden. Maar hij had hem niet geraakt, hij hield hem alleen maar tegen de grond geduwd.

Jeffries wriemelde, schokte, draaide en schreeuwde tegen Michaels dat hij hem los moest laten.

Bekijk het maar, had deze geantwoord. Pas als je genade zegt. Al zit ik hier de hele avond.

En hoewel het waarschijnlijk maar een minuut duurde, leken het wel uren. Toen Jeffries eindelijk besefte dat hij Michaels niet van zich af kreeg, stemde hij toe de vechtpartij te beëindigen. Ze beslo-ten het op gelijkspel te houden en Michaels was allang blij het daar-bij te kunnen laten...

Scout bleef nu staan, markeerde een stukje onkruid als zijnde zijn territorium, en harkte met zijn achterpoten wat gras over de natte plek.

Michaels glimlachte bij de herinnering aan zijn kindergevecht. Hoe oud was hij toen geweest, maar liefst dertien? Een hele tijd geleden. Maar zijn glimlach vervaagde bij de recente herinnering aan Scouts bazin en de blik op haar gezicht op het moment dat ze met haar stok zijn hersens wilde inslaan. Díe confrontatie zou niet zijn geëin-digd in een bloedneus of blauw oog, maar in een dood lichaam. Zíjn lichaam. Het maakte dat hij zich kwetsbaar voelde zoals hij nog nooit eerder had beleefd.

Hij had wel dood kunnen wezen. Pats! Een verbrijzelde schedel, zomaar, en hij zou geen oog meer hebben opengedaan. Nooit meer. Uiteraard wist hij donders goed dat hij ooit, op een dag, zou ster-ven. Zo verging het iedereen. Maar emotioneel gezien had hij dat nooit zo beseft, totdat de moordenares was gevlucht en hij in zijn keuken alleen was achtergebleven: trillend, zijn ene hand stevig om de taser geklemd, wachtend op zijn team en de politie. Tijdens de worsteling zelf was hij geen moment bang geweest, maar daarna...? Daarna wél. Hij had zich... hulpeloos gevoeld.

Hij haatte het, dat zieke gevoel hulpeloos te zijn. Ja, hij had die zogenaamde moordenaar achtervolgd, was er niet voor op de loop gegaan. Maar ook al had hij goed gereageerd, hij had zich er niet heldhaftig bij gevoeld. Hij besefte dat hij niet de vaardigheden bezat die hij nodig had. Daar moest hij nodig eens wat aan gaan doen, om het zich eigen te maken. Misschien dat hij eens met Toni moest praten. Zij was immers een expert, dat had hij met eigen ogen gezien. Voorheen had hij nooit belangstelling gehad, maar nu? Misschien dat ze bereid was hem het een en ander te leren.

Hoe luidde ook alweer die definitie die hij ergens had opgevangen: een conservatief was een gemolesteerde liberaal?

Juist. De gedachte in staat te zijn iemand een stok afhandig te maken om zichzelf zodoende heel te houden, had op dit moment een enorme aantrekkingskracht op hem. Hij zou heus niet altijd op een legertje bewapende lijfwachten kunnen rekenen. Hij diende in staat te zijn zichzelf te verdedigen, want anders zou hij zonder angst zijn huis niet meer uit kunnen. Leven met angst, dat was geen leven. Daarvoor zou hij niet buigen. Vergeet het maar.

Zondag 3 oktober, 20:09 uur
Washington D.C.

Voor Tyrone was het een lange en opwindende dag geweest. Terwijl Bella voor hem de trap afliep om hem uit te laten, betwijfelde hij of een dag nóg opwindender kon zijn. Eerst Bella en daarna nog eens Jay Gee geholpen met die gestoorde programmeur in de Corvette. Het gebeurde niet elke dag dat je samen met een slimme figuur meedeed aan een VR-achtervolging die ook nog eens onderdeel van een heuse Net Force-zaak was. Zijn pa had gelijk gehad, daar kon Bottenbreker nog een punt aan zuigen, als hem dat lukte.

'Bedankt voor de hulp, Ty,' zei Bella bij de voordeur. 'En ook dat ik met je mee mocht bij dat Net Force-gedoe. Waanzinnig opwindend, gewoon. Laat me weten hoe het is afgelopen, oké?'

'Tuurlijk. Ik denk dat je met je lessen nu geen problemen meer hebt. Je kent alles nu vanbuiten.'

Hij opende de voordeur en draaide zich om om afscheid te nemen. Bella boog zich wat naar voren en gaf hem een kus op zijn mond. Het was een zachte, vluchtige kus, maar ook al werd hij een miljoen jaar oud, hij zou die warme en plotselinge aanraking nooit vergeten. Meer verbijsterd kon hij niet zijn, zelfs al zou ze hem nu met een hamer op zijn hoofd hebben gemept. 'Bel me nog eens,' zei ze. 'Dan gaan we wat leuks doen. Naar het centrum, een hamburgertje eten of zo.'

Zijn hersens begaven het, zijn mond kreeg kortsluiting. Weer gedeeltelijk bij zijn positieven wist hij nog net te stamelen: 'M-m-maar Bottenbr... eh, ik bedoel, maar LeMott dan?'

'Ja zeg, we zijn niet getrouwd, hoor!' Ze glimlachte. 'Ik zie je,' zei ze en ze sloot de deur.

Daar stond hij dan, starend naar de voordeur, niet in staat zich ook maar te bewegen, of misschien zelfs maar te ademen. Nu zijn hersens weer langzaam op gang kwamen, had hij geen idee hoe lang hij hier als een standbeeld had gestaan. Het konden een paar tellen zijn geweest, of een paar eeuwen. Hoe kon tijd nog iets betekenen na wat ze had gezegd?

'Bel me nog eens, dan gaan we wat leuks doen,' had ze gezegd. Wauw!

Hij wist dat zijn voeten de grond raakten, want hij liep toch echt naar de bushalte, hoewel hij het nauwelijks merkte.

Dus dit was nu verliefdheid.

Zondag 3 oktober, 22:01 uur
Washington D.C.

In haar appartement keek Toni naar de zwarte videodoos die Rusty haar overhandigde. 'Hoe kom je hieraan?'

'Vond ik een paar dagen geleden op een webpagina van een boekenzaak in Alabama. Ik kreeg hem vanochtend pas binnen. Maar ik heb zelf geen videorecorder, dus ik heb hem nog niet kunnen bekijken.'

Ze staarde naar de verpakking. De foto's achterop lieten een kortharige man zien, gekleed in een licht hemd en kaki shorts, die een blokkeerbeweging maakte en een sapu uitvoerde tegen een grote

238

figuur met paardenstaart in een spijkerbroek en donker jasje. De verpakking moest ooit nat zijn geraakt, want de rest van de achterzijde was zo bevlekt en vervaagd dat die niet te ontcijferen viel. Ze zag wel dat de band was gemaakt door Paladin Press, copyright 1999. Ze kende de maatschappij. Deze gaf ongewone boeken en video's uit, van hoe je met gewoon keukengerei iemand op tien manieren om zeep kon helpen tot het zwaardere werk, zoals vuurwapen- en zwaard-technieken. Ze zaten ergens in Colorado, als ze het wel had.

De vervaagde illustratie op de voorzijde was gedeeltelijk afgescheurd, maar de titel: *Pukulan pentjak silat: De dodelijke vechtkunst van Bbkti negara-serak, deel III* was nog altijd leesbaar. Ze voelde een vlaag van opwinding, ze had nooit geweten dat iemand videobanden van haar vechtkunst had gemaakt. En als dit de derde in een reeks was... 'Nou, eens kijken of mijn recorder het nog doet. Ik heb hem al een tijdje niet meer gebruikt.'

Ze liep naar de multimediaspeler en duwde de band in de videogleuf. Het apparaat sprong aan. Daarna zette ze de tv aan en nam plaats naast Rusty op de bank.

De band begon met een titelrol, gevolgd door de man met de kaki shorts die een steegje inliep. Een andere man, die daar bezig was iets te verplaatsen, vroeg om hulp waarna van achter vuilnisbakken en uit deuropeningen opeens nog eens drie aanvallers tevoorschijn sprongen. Een van de belagers had een mes, een ander een honkbalknuppel. Met hun vieren doken ze op Kaki Short. Hoe heette die vent eigenlijk? Ze had het even gemist. Maakte niet uit, ze zou het later wel opzoeken...

Binnen vijf tellen waren alle vier de aanvallers met een flinke smak gevloerd. Toni keek aandachtig toe, wilde het graag nog eens vertraagd zien. Die vent was zo snel. Silat was geen lust voor het oog, er waren geen kunstzinnige verstilde bewegingen om van te genieten, maar het werkte wel degelijk.

Een tweede tafereel. De leermeester stond op een mat tegen de achtergrond van een pastelblauwe muur. Hij droeg een zwart T-shirt met afgeknipte mouwen en droeg een klassieke sarong. Op het shirt prijkte het bukti-embleem: de Garoeda, met de tijgerkop op de borst en daaronder twee *tjabang*-drietanden. De leermeester oogde fit, tamelijk gespierd en zeer zelfverzekerd. Ze vroeg zich af hoe deze man er nu, tien jaar later, uitzag.

Ze draaide zich om naar Rusty. 'Dit is te gek. Ik ben blij dat je me die band laat zien.'

'Ik heb hem speciaal voor jou gekocht,' zei hij. 'Ik dacht dat je er vast meer aan zou hebben dan ik.'

Ze glimlachte. 'Dank je. Vind ik erg aardig van je.' Ze legde haar hand op zijn arm.

Het moment strekte zich uit. Het was gewoon een aanraking, uit dankbaarheid, meer niet, tenzij ze die hand niet wegtrok.

Het moment hield aan.

Toni nam een besluit.

Ze trok haar hand niet weg.

31

Maandag 4 oktober, 05:05 uur
Washington D.C.

Jay Gridley werd zich opeens bewust hoe stijf en vermoeid hij zich voelde en keek op de klok.
Wauw. Hij was de hele nacht bezig geweest.
Inmiddels had hij voldoende materiaal gedownload om een container mee te vullen, maar had ook een beter inzicht in de programmeur die ze achterna hadden gezeten. Eerst hadden ze niks, nada, maar nu ze de man van dichterbij hadden kunnen bespieden, begon zich een plaatje te vormen. Hij vertoonde de kenmerken van iemand die in het GOS was opgeleid en Gridley durfde te wedden dat hij met een Rus te maken had. Het maakte het zoeken in elk geval een stuk concreter. Hij tikte verder, in EW dan en niet in VR. Dit was doorploeteren geblazen – primaire getallen en opdrachten om het patroon te vergelijken – en hij wilde de ruwe gegevens kunnen bestuderen voor wat ze waren. Hij beschikte over het Net Force scanning-mainframe met zoekfunctie zodat hij alleen gegevens kreeg die binnen de door hem opgegeven parameters vielen. Op dit moment ging de computer de namen na van alle in Rusland woonachtige programmeurs. Die getrainde voet zouden ze hoe dan ook te pakken krijgen. Het was enkel een kwestie van tijd...
Het e-mail-waarschuwingssignaal piepte. Gridley schudde zijn hoofd. De zoekfunctie was geactiveerd, dus als er iets opdook, zou zijn computer meteen een gil geven. Hij klikte op het enveloppictogram en opende zijn post.
Hmmm. Een binnengekomen bericht van een van de veldteams. Iets over de zaak-Day.
Nou, ook dat was belangrijk natuurlijk. Niet zo belangrijk als deze programmeur, niet wat Gridley betrof, tenminste. Day was dood en dat zou altijd zo blijven. Daar kon niemand iets aan veranderen, maar het net liep nog altijd gevoelige tikken op. Aan de andere kant kon je een moordenaar natuurlijk niet zomaar laten lopen. Iedereen wist dat als ze niet snel met iets op de proppen kwamen, de baas op de schopstoel belandde. Zo ging dat hier.
Gridley downloadde het aangehechte bestand en opende het. Hij

had maar even nodig om de kern van de inhoud tot zich te laten doordringen.

Nou, nou. Kijk eens aan...

Maandag 4 oktober, 05:05 uur
Washington D.C.

Megan Michaels stond op de veranda van hun huis, hand in hand met een donkerharige, stevig gebouwde man. Ze kusten elkaar. De hand van de man gleed over haar rug en omvatte haar billen. Ze kreunde zachtjes, draaide zich om en zag Alex. Ze glimlachte naar hem. 'Ik ben nu van hem,' zei ze, 'niet van jou.' Ze bracht haar hand omlaag, pakte de man vol in zijn kruis...

Michaels ontwaakte uit zijn nachtmerrie, vervuld van jaloezie en woede.

Verdomme!

Scout lag te slapen, opgerold als een kleine bal aan het voeteneind. Naast de tv stond dan wel een spiksplinternieuwe, gevlochten hondenmand met een kussen van cederzaagsel, maar de hond wenste er geen gebruik van te maken, tenzij Michaels het beval. Soms leek het hem ongepast een hond die zijn leven had gered op de grond te laten slapen. En trouwens, het bed was toch groot genoeg. Scout was immers geen mastiff.

Toen Michaels wakker werd, richtte het dier even zijn kop op en keek hem aan. Volgens Scout was er niets aan de hand, want hij ontspande zich om zich even later weer tot een bal op te rollen.

Walt Carver zou om tien uur die ochtend een afspraak met de president hebben. Als Net Force aangaande de moord op Day geen nieuwe feiten op tafel zou leggen, zou Net Force automatisch een nieuw hoofd kweken, nadat Michaels' eigen kop had gerold...

Krijg de ziekte. Hij stond op en slofte naar de badkamer.

Ook Scout kwam overeind, rekte zich uit als een kat, sprong van het bed, posteerde zich naast Michaels en ging zitten. Aandachtig staarde hij naar hoe de straal urine in de wc-pot kletterde. Wat zouden Scouts gedachten zijn? Dat deze man dit ding hier als zijn eigen territorium markeerde?

'Jazeker, dit hier is míjn toilet,' zei Michaels. 'Helemaal van mij, mij, mij.'

Scout kefte ten teken dat hij het begrepen had.

Maandag 4 oktober, 05:05 uur
Washington D.C.

Toni lag in bed en staarde naar het plafond. Naast haar en naakt onder de dekens sluimerde Rusty, zwaar ademend, door.

God, waarom had ze het zover laten komen?

Ze wierp een blik op de man naast haar. Rusty was aantrekkelijk, slim, sexy. Ze had genoten van hoe hij voelde en smaakte en het was een behoorlijk sportieve en bevredigende stoeipartij geweest. De ooit aangeschafte condooms die ze ergens uit de la vanonder de broekjes en bh's had opgegraven, bleken volgens de houdbaarheidsdatum nog een paar maanden goed. Ze waren twee volwassen mensen, niet getrouwd met een ander, dus... wat kon het kwaad?

Een waarheid als een koe. Maar toch knaagde er iets. Waarom voelde ze zich zo schuldig? Wat deed ze hier met die... vréémde in haar bed? Het had iets onwerkelijks, als in een droom, alsof het eigenlijk niet gebeurde. Het maakte haar ook een beetje misselijk. Een soort wee gevoel van een naderend onheil. Alsof ze een grote, grote fout had gemaakt.

Het was Alex die hier hoorde te liggen, bevredigd, gelukkig en verliefd op haar. Het moest betekenis hebben. Ze vond Rusty best prima, een leuke vent, niks mis mee. Maar hij was niet de man met wie ze haar hele leven wilde delen, of zelfs maar een stukje daarvan. Dat wist ze. Hij was een lieve en ervaren minnaar geweest. Ze had genoten van de seks en ze zou liegen als ze nee zou zeggen. Maar seks alleen was niet genoeg. Er moest meer zijn, veel meer. Rusty was leuk, maar ze hield niet van hem.

Ze hield van Alex.

Juist. Dus hoe kon ze dit hebben gedaan? En hoe kon ze Alex nog recht in de ogen kijken? Ze was hem ontrouw geweest.

Ho even, meisje, het stemmetje van haar gezonde verstand liet weer iets van zich horen.

Kop houden, jij, sprak ze in zichzelf.

Naast haar bewoog Rusty.

Ze moest maar opstaan, douchen, zich aankleden. Ze wilde niet dat hij wakker zou worden in de verwachting van nog eens een leuke toegift. Het was leuk geweest, maar ook een vergissing. En dat wilde ze niet nog eens.

Maandag 4 oktober, 05:05 uur
Columbia (Maryland)

Ruzhyó zat in kleermakerszit op zijn motelbed en staarde in het niets. Hij verveelde zich niet, dat had hij al jaren niet meer gedaan, maar had zijn belangstelling voor de dingen wel zo'n beetje verloren. Niet dat het hem dwarszat, alleen was hij zich er wel bewust van dat hij in zichzelf leefde.

Plekhanov zou uiteindelijk wel bellen; vandaag, morgen, overmorgen. En naar alle waarschijnlijkheid zou de Rus, die Tsjetsjenië als zijn vaderland had geadopteerd, zich bedienen van een fuga van indirecte, vage bewoordingen om Ruzhyó er wederom voor een moord op uit te sturen. Het hoorde bij Plekhanovs grote plan om een machtig man te worden die regeringen naar zijn hand kon zetten. In het begin waren Plekhanovs redenen voor Ruzhyó nog belangrijk geweest. Nu was het al voldoende als Plekhanov iets gedaan wilde hebben. Ruzhyó fungeerde daarbij slechts als een stuk gereedschap. Het was zijn enige reden te blijven leven.

Leven, sterven, het was allemaal één pot nat.

Maandag 4 oktober, 07:30 uur
Quantico

Jay stond al te wachten toen Michaels op kantoor arriveerde. Hij glimlachte.

'Goed nieuws?'

'Nou en of.'

'Kom binnen.'

Eenmaal binnen zei Jay: 'Hier, moet je kijken. Mag ik?' Hij gebaarde naar Michaels werkstation.

'Ga je gang.'

Jay startte het systeem en haalde een bestand binnen.

'Dit is het verslag van ons veldteam in de staat New York,' meldde de jongere man. 'En dit,' hij toetste wat in waarna een foto op het scherm verscheen, 'dit is de Not the Brothers Dog-kennel, gevestigd aan die prachtige oostoever van Great Scandaga Lake, tussen de gehuchten North Broadalbin en Fish House.'

Michaels staarde Jay aan.

'Dat ligt dus ten noordwesten van Amsterdam, dat weer ten noordwesten ligt van Schenectady, dat weer ten noordwesten ligt van Albany, dat weer...'

'Ik snap het, Jay.'

'Hmm. Hoe dan ook, hier werd die kleine, lichtbruine poedel getraind.'

'Is dat zo?'

'Ja. Er zijn maar een paar plekken waar ze dat doen. Ze trainen daar je hond, of verkopen ze, ja verhuren ze zelfs. Dat laatste is dus ook bij jouw hond het geval. Het is een huurhond,' zei Jay glimlachend. 'Uiteraard hebben ze de klant nog nooit gezien daar. Deze vrouw is uiterst geraffineerd, baas. De instructies en de contanten werden per koerier aangeleverd. Het briefje was een computeruitdraai en volgens de FBI-docufreak afkomstig uit zo'n grote kopieerwinkel: Kinko's, LazerZip. Niet te traceren.

Onze jongens kwamen erachter dat de hond bij een tweede koerier werd afgeleverd, waarna een derde het beestje bezorgde bij iemand die zich in de lobby van een nieuwe Holiday Inn in Noord-Schenectady bevond. De koerier herinnert zich dat een man daar voor de hond tekende en contant betaalde: onopvallend type, hij zou hem niet meer herkennen.'

'Nou, dat klinkt niet echt veelbelovend.'

'Ja, maar wacht. Die Holiday Inn vormt een van die nieuwe, computergestuurde modules. Er hangen daar overal verborgen camera's. Kijk hier maar eens naar.'

Jay drukte nog wat toetsen in.

'Hier is die vent die de hond ophaalde.'

Op het scherm verscheen een foto van een man met een plastic reismand voor honden. Het was duidelijk dat hij buiten in een of andere tuin stond, met veel groen en bloemen op de achtergrond. De man had een doorsnee lengte, doorsnee bouw, doorsnee kapsel, en droeg een broek met overhemd en donkere schoenen. Meneer Muisgrijs.

'En híér is de vrouw aan wie hij het gaf...'

Opnieuw een foto: een vrouw van voren gezien, driekwart in beeld, staand tegenover de man met de hondenmand. Ze leek rond de veertig, met grijzend bruin lang haar, een wat propperig figuur, zonnebril, ruimvallend shirt met lange mouwen, ruimvallende broek en joggingschoenen. Mevrouw Muisgrijs.

'Die hotelcamera's schieten drie plaatjes per seconde, dus als we de zaak afdraaien, komt het wat houterig over. Maar we hebben dan wel zes tot acht heel goede plaatjes van die vrouw.'

'Ze lijkt anders helemaal niet op dat oude vrouwtje,' zei Michaels.

'En wie zegt dat ze hier niet in vermomming is?'

'Volgens onze jongens van de ID-afdeling is ze dat inderdaad, de dikte van haar hals en polsen, haar dunne gezicht en handen, het past gewoon niet bij haar zware lichaam en heupen. Ze droeg waarschijnlijk opvulsels.'

'Dus hoe kan dit ons verder helpen?'

'Nou, onze computerbeelden laten zien dat ze waarschijnlijk niets aan haar oren of handen heeft gedaan. Aan de hand van andere objecten in beeld waarvan we de afmetingen weten – die bloembak daar, of die sierstenen – kunnen we haar schoenmaat en haar lichaamslengte bepalen. En uitgaande van de diameter van haar hals en polsen kunnen we ook haar echte gewicht redelijk nauwkeurig bepalen. Dat haar is waarschijnlijk een pruik, dus daar hebben we niets aan, maar deze beelden geven ons een goede indruk van haar polsen en handen. Volgens de technici van het huidlab heeft ze daar geen make-up zitten en is ze van nature waarschijnlijk roodharig, aan haar huidtint te zien.'

'En dat zien ze allemaal?'

'Het is voorlopig nog meer een kunst dan een exacte wetenschap, maar ze zeggen dat ze rond de vijfentachtig procent zeker zijn.'

'Hm.'

'Er is nog iets. Kijk.'

Jay drukte de afspeeltoets in. De vrouw nam de hondenmand in ontvangst, draaide zich om en wilde weglopen. Op dat moment werd de vrouw vanuit een andere hoek gefilmd; dat moest een tweede camera zijn geweest, redeneerde Michaels. Deze filmde vanuit een steilere hoek omlaag naar de vrouw die kwam aangelopen. Hij zag hoe de vrouw met de hondenmand opeens uitgleed.

'Zie je hoe nat de vloer is? Ze hadden net de uitgang gedweild,' zei Jay, 'maar nog geen waarschuwingsbordje neergezet.'

De volgende beelden toonden hoe de vrouw opeens naar links viel, haar arm uitstrekte en zichzelf met haar vrije hand op schouderhoogte tegenhield. Daarna duwde ze zich van de muur en liep verder.

'Mooi opgevangen, toch?' concludeerde Jay. 'Ik zou waarschijnlijk finaal op m'n bek zijn gegaan, maar zij knalt gewoon tegen die muur, duwt zichzelf af alsof het niets is en loopt gewoon verder, en dat met een hond in haar andere hand. Ze houdt zelfs niet eens in.' Hij grijnsde inmiddels van oor tot oor.

Michaels maakte de optelsom en keek Jay aan. 'Vingerafdrukken?'

'Jazeker. Hoeveel mensen, denk je, overkwam hetzelfde, en precies op die plek tegen de muur, in de afgelopen maand of twee? Ze liet een palmafdruk na, plus een mooie wijs-, middel- en ring-vingerafdruk en een vlekkerig pinkje.'

Michaels knikte. Dit waren vondsten. Hiermee kon hij misschien zijn hachje redden.

'O, en heb ik je al verteld dat we ook wat huidcellen en bruikbaar DNA hebben?'

'Godallemachtig, Jay...'

Jay lachte. 'Tja, ik wilde geen valse verwachtingen wekken, baas. Het stelt op zich weinig voor, wat snippertjes eigenlijk, meer niet. Net genoeg om te weten dat het inderdaad een vrouw is, en wat haar bloedgroep is. Da's alles.'

'Jezus! Waarom zei je dat niet meteen?'

'Kijk, zo doen we dat dus niet, chef. Je bewaart het lekkerste voor het laatst. En trouwens, van de FBI, NCIC, UPolNet of AsiaPol hebben we nog geen informatie binnen die aansluit bij onze vingeraf-drukken of DNA-profielen. Het heeft even wat tijd nodig om alle bestanden na te lopen, maar ook al lukt het niet, dan is ze vast wel ergens in een of ander bestand te vinden, bij DL, BioMed, BankSe-al. Ergens. En als dat zo is, dan zullen er wel wat alarmbelletjes afgaan. Het is gewoon een kwestie van tijd.'

'Dit is uitstekend werk,' zei Michaels. 'Je bent goed bezig geweest, Jay.'

'Gepro.'

'Pardon?'

'Gewoon een uitdrukking, baas. Het betekent "geen probleem". Je moet nu eenmaal een beetje bij de tijd blijven, weet je. En heb ik al gezegd dat ze de schade heeft vergoed? Ook nu weer per koerier. Alleen konden we het nu niet meer traceren. Maar het was wel zo aardig van haar, toch?'

Michaels was opgetogen maar deed zijn best zich er niet door te laten meeslepen. 'En die andere zaak, de programmeur?'

'We komen dichter in de buurt. Hij is een Rus, een Oekraïner, ergens uit die buurt. Ik heb Baby Huey – het SuperCray-mainframe – aan het werk gezet met een zoekfunctie en een profielschets.'

'Maar je had me toch verteld dat deze man zijn profiel kon maskeren?'

'O, ja, maar dat kan hij slechts ten dele. Ik heb inmiddels voldoende info over zijn stijl binnen. Ik herken hem zodra ik hem zie. Het is net als bij schilders. Iedereen herkent een Picasso en weet waarom het dus geen Renoir kan zijn. Stijl, daarmee val je door de mand. Hij is te goed om al zijn talenten verborgen te houden en reken maar dat er heus iets van zal weglekken, ongeacht achter welke struik hij het verbergt.'

'Echt uitstekend werk, Jay. Bedankt.'

'Ach, 't hoort bij mijn werk, baas. Maar, eh, ik zou het wel op prijs stellen als je hieraan denkt zodra het tijd is voor mijn functioneringsgesprek en mogelijke opslag.'

Allebei schoten ze in de lach.

'Ik moet weer aan de slag. Ik heb het allemaal naar je map gekopieerd en je merkt het wel zodra ik weer wat nieuws heb.'

'Nogmaals bedankt.'

Nadat Jay was vertrokken, haalde Michaels het materiaal opnieuw op om te scannen. In gedachten ordende hij de gegevens. Eenmaal voldoende met de feiten vertrouwd, pakte hij zijn toestel en belde Walt Carver. Het hoofd van Net Force zou deze ochtend tegenover de president niet met lege handen staan. Wie weet beschikte Alex nu over voldoende informatie om zijn baan nog een tijdje te kunnen behouden. Zijn gevoel van opluchting kwam als een verrassing en was veel intenser dan hij gedacht zou hebben. Misschien had hij toch minder behoefte de handdoek in de ring te gooien dan hij zichzelf had wijsgemaakt.

'Met het kantoor van directeur Carver.'

'Dag, June, met Alex Michaels. Is hij er al?'

'Al vanaf zes uur, commandant. Wacht even, dan verbind ik u door.'

Wachtend op Carver keek hij op en zag Toni zijn raam passeren. Hij gaf een knik in haar richting, maar ze vermeed oogcontact terwijl ze zich naar haar eigen kantoor begaf. Ach, ja. Waarschijnlijk was ze gewoon moe. Ze hadden allemaal veel te lang aan één stuk door gewerkt. Na zijn gesprek met Carver zou hij haar wel vertellen wat Jay had gevonden. Ze zou er vast blij mee zijn.

'Goedemorgen, Alex. En, heb je goed nieuws voor me?'

'Ja, meneer, ik geloof het wel. Erg goed nieuws, mag ik wel zeggen.'

32

Woensdag 6 oktober, 09:11 uur
Long Island

De Selkie was de voordeur genaderd en had een kleine doos bij
zich, verpakt in duur pakpapier. Ze droeg een nette donkerblauwe
pantalon, een bijpassend overhemd met lange mouwen en een
honkbalpet van dezelfde kleur. Een paar toefjes van haar blonde
pruik kwamen onder de rand van de pet uit en ze had precies
genoeg make-up aangebracht om er vijf jaar ouder uit te zien dan ze
was. Het pakketje had het formaat van een doosje waar een dia-
manten halsketting in zou kunnen passen. De bestelbus die achter
haar langs het trottoir geparkeerd stond, was een huurbusje zonder
opschrift, wit en voorzien van gestolen kentekenplaten. Hier in
deze chique buurt leek ze op en top een koerier.
Ze belde aan.
Een minuut verstreek. Opnieuw belde ze aan.
'Wat?' vroeg een slaperige stem door de intercom.
'Ik heb hier een pakketje van juwelier Steinberg voor ene mevrouw
Brigette Olsen.'
'Een pakketje?' Jezus, meid. Pak er anders even een woordenboek
bij.
De Selkie wierp een blik op haar klembord. 'Van de heer Genaloni..?'
'Een ogenblik.'
De vrouw opende de deur zo ver het anti-inbraakkettinkje het toe-
liet. Voorzover de Selkie kon zien, was Brigette vooral jong, blond
en rondborstig, precies wat de Ieren een 'prijsdier' zouden noemen. Ze was gekleed in een zwarte zijden pyjama en een verbleekte
blauwe badjas. En als het telefoontje dat de Selkie gisteravond had
afgeluisterd inderdaad klopte, moest Ray Genaloni haar ergens
vandaag een bezoekje brengen. De Selkie was er klaar voor. 'Geef
maar,' zei Brigette en ze stak haar hand uit.
'U moet wel even tekenen, mevrouw.' De Selkie zwaaide met haar
klembord en keek snel op haar horloge alsof ze nog andere klussen
had.
Brigette aarzelde.

In feite kon de Selkie gewoon de deur intrappen en daarmee het kettinkje knappen. Die dingen zaten altijd met veel te kleine en te korte schroefjes vast. Maar ze wilde niet het risico lopen te worden gezien: op klaarlichte dag even een voordeur intrappen van de minnares van een gangster was niet echt slim. Ze kon ook haar kleine .22 pistool, dat ze bij haar rechterheup onder haar overhemd en achter de riem van haar pantalon had gestoken, tevoorschijn trekken en de vrouw bedreigen: doe open schat, want anders ben je er geweest. Maar ook dat was riskant. En ze wilde deze vrouw vooral levend hebben.

Maar er was nog iets, en dat maakte deze twee alternatieven overbodig: 'O, sorry. Was ik bijna vergeten. Er zit nog een briefje bij dat ik moet oplezen.' Ze vouwde het velletje op haar klembord open. 'Hier staat: "Draag alleen dit voor me vanavond, en niets anders. Ray".'

De Selkie staarde naar de grond alsof ze zich geneerde.

Brigette lachte en schoof het kettinkje los. 'Typisch Ray.'

Ze opende de deur.

Mensen geloofden ook alles.

Woensdag 6 oktober, 11:46 uur
Quantico

Alex Michaels was op weg naar de kantine, ook al had hij maar weinig honger. De interessante aanwijzingen van een paar dagen geleden hadden niets opgeleverd. Jay Gridleys team van programmeurs in Rusland stond met lege handen, en de DNA-sporen en de vingerafdrukken van de vrouw die Scout in een New Yorks hotel had opgehaald, kwamen niet overeen met bestaande dossiers uit welk systeem dan ook.

Gridley had zijn speurtocht naar de programmeur verlegd naar omliggende GOS-landen en had tevens de parameters van zijn 'vangnet' in ruimere zin aangepast, maar tot dusver leverde het niets op.

En hij kreeg de indruk dat Toni Fiorella hem meed. Ze had een stafvergadering gemist, was vroeg naar huis gegaan en keek doorgaans naar hem alsof hij opeens aan een zeer besmettelijke ziekte leed en ze vooral niet te dichtbij wilde komen.

Gelukkig had hij in elk geval zijn baan nog. Toen de hoogste baas van de FBI de president eenmaal had laten weten over foto's van Days moordenaar te beschikken met de verzekering dat ze haar in de nabije toekomst zeker konden opsporen, was dat genoeg geweest.

Of dat nu waar was of niet, was weer een andere zaak, maar in elk geval stonden ze er nu beter voor dan eerst. Vroeg of laat móést het een keer lukken.

Voor hem in de gang zag hij John Howard, die zich ook richting kantine begaf. Howard zag hem op zijn beurt ook toen hij bij de deur was aanbeland. Hij knikte. 'Commandant.' Beleefd, maar meer ook niet.

Michaels begreep niet waarom de kolonel hem niet mocht, maar dat laatste was duidelijk het geval. 'Kolonel.'

Howard liep weg, zonder een gezamenlijke lunch met zijn baas voor te stellen.

Maar nu verscheen opeens een opgetogen en grijnzende Jay Gridley. Michaels zette het Howard-probleem tijdelijk uit zijn hoofd. Het was van later zorg.

'Zeg me dat je goed nieuws hebt en je opslag is geregeld,' sprak Michaels.

'Nou, hoe goed weet ik niet, maar eens kijken, ik, eh, heb die programmeur te pakken. Hoe vind je dat?'

'Nee!'

'Yes, yes, yes! Ik had gelijk, het is een Rus, geëmigreerd naar Tsjetsjenië, woont daar al jaren. Daarom schoten we eerst telkens mis.' Hij hield zijn flatscreen omhoog zodat de foto goed te zien was.

'Commandant, mag ik even voorstellen: Vladimir Plekhanov.'

Woensdag 6 oktober, 15:30 uur
New York

Genaloni wierp een blik op het klokje dat op zijn bureau stond. Genoeg voor vandaag. Hij moest hier snel weg. Formuliertjes husselen, of het nu bits en bytes waren of papier, het was genoeg om je na een paar uur compleet gestoord te maken. Met een handgebaar activeerde hij zijn intercom. 'Roger, haal de wagen. We gaan naar Brigette.'

'Ja, meneer.'
Na zo'n hele dag met niets dan zaken aan je hoofd, had je behoefte aan een plek om tot rust te komen en samen met iemand de boel eens lekker van je af te zetten. En er ging niets boven een eigen bezorgdienst die voor je klaarstond om je relaxed naar je bestemming te brengen. Als ze nu weggingen, zouden ze de spits voor zijn. Rijk zijn had zo zijn voordelen.

Woensdag 6 oktober, 15:40 uur
Long Island

Brigette had uitstekend meegewerkt. Al meteen nadat ze haar schrik bij het zien van het pistool in de behandschoende hand te boven was gekomen, waren haar eerste woorden: 'O, shit.' Het klonk niet zozeer uit angst, meer uit irritatie. Alsof ze ontdekte dat het regende terwijl ze net van plan was in het zonnetje te gaan liggen.
Inmiddels stond de bus een blok verder geparkeerd, op het garagepad van een leegstaande woning die te koop stond. Een klusje dat de Selkie klaarde, terwijl Brigette vastgebonden aan de keukenafvoer zat. Eenmaal terug in de woning maakte ze de vrouw los en stond haar toe zich aan te kleden.
Terwijl Brigette bezig was zich in haar zwarte zijden onderjurk te hullen, sloeg ze haar zachte hemelsblauwe ogen op naar de Selkie: 'Gaat u mij ook vermoorden?'
Ze twijfelde duidelijk niet aan de reden van Selkies bezoek. Dit was duidelijk geen dom blondje.
'Ik zou niet weten waarom. Je doet wat je moet doen, Genaloni gaat eraan en ik ben weg.'
'Hij heeft lijfwachten bij zich. Die zullen buiten staan.'
'Hoeveel?'
'Een paar.'
Ogenschijnlijk meewerkend, maar desalniettemin liegend. Genaloni zou op zijn minst vier lijfwachten hebben, vijf zelfs, als je zijn chauffeur meerekende. Een van hen zou ook de achterkant van het huis in de gaten houden. Brigette probeerde koortsachtig haar billen niet te branden, iets wat met die zijden G-string nog een hele klus zou worden. Als haar suikeroompje de kogel kreeg, kon ze

252

hopen dat de moordenares haar zou laten lopen omdat ze haar geholpen had. En stel dat Genaloni het overleefde, en de bezorgster eraan ging, dan zou zoete lieve Brigette hem vertellen hoe ze gelogen had om hem te beschermen.

'Je lijkt er anders niet echt mee te zitten dat je fokstiertje op het punt staat om uit de weg te worden geruimd.'

De blondine gleed in haar huidkleurige blouse van ruwe zijde, zonder bh, en knoopte hem dicht. Ze ving de blik van de andere vrouw op. 'Hij kijkt graag naar mijn tepels,' legde ze uit, en haalde vervolgens haar schouders op. 'Het is een maffioso. Riskante boel. Ik heb wat geld opzijgezet en ik denk niet dat ik veel problemen zal hebben om een andere schattebout aan de haak te slaan. Als ik goed genoeg was voor Genaloni, zullen er zat andere maffiosi geïnteresseerd zijn.'

De Selkie glimlachte. Voor deze meid geen sentimenteel gedoe. Ze wist wat ze waard was en wilde dat tot op het bot uitbuiten. De Selkie waardeerde dat eigenlijk wel in Brigette, gewoon recht door zee, zonder bullshit.

'Iemand zal jou de schuld geven.'

'Waarom zouden ze? Laat hen maar komen met een leugendetector en dan vertel ik gewoon de waarheid. Jij stak een pistool onder mijn neus. Wat kon ik verder nog doen?'

'Ik neem aan dat je hun ook mijn signalement zult geven?'

Even volgde er een aarzeling nu Brigette hierover nadacht. Vervolgens probeerde ze er een draai aan te geven. 'Ja, klopt. Maar dit is een vermomming, toch?'

'En als ze dat vragen?'

'Daar klets ik me wel uit.'

Het werd interessant. 'Echt? Hoe dan?'

Brigette trok naar minuscule rokje over haar lange benen, trok het ritsje dicht en stopte haar blouse erin. 'Dat hangt ervan af hoe je het vraagt. Als ze vragen: "Denk je dat de moordenaar een vermomming droeg?" kan ik met "nee" antwoorden en zal het toch de waarheid zijn.'

'Echt?'

'Tuurlijk. Want ik dénk niet dat u een vermomming draagt, ik weet het zéker. Ik heb ervaring met make-up.'

De Selkie grijnsde. 'Maar waarom dan, waarom mij dekken?'

'Als u denkt dat ik u verraden heb, kunt u later altijd nog terugkomen om met mij af te rekenen.'

Haar logica rammelde aan alle kanten, maar de Selkie hield het voor zich. Stel dat ze haar inderdaad verlinkte, dan zou de maffia

Rays moordenares misschien snel kunnen achterhalen. En zou zij geen kans meer hebben lieve Brigette op de huid te zitten.

Was ze te vertrouwen? Hmmm. Ze twijfelde er niet aan dat de minnares van haar doelwit zelfs haar hele leven zou vertellen als iemand dat wilde.

Brigette vond een paar zijden kousen, plisseerde een daarvan tot een dikke krans, bracht deze om haar linkervoet en trok de kous over haar been omhoog. Geboeid door haar complete gebrek aan gêne en emoties over wat er ging gebeuren, keek de Selkie toe.

Brigette zag het en glimlachte. 'Hou je van vrouwen? Ik wil je het wachten best even veraangenamen hoor.'

De Selkie schudde haar hoofd. 'Nee, dank je, niet onder het werk.'

Rays vriendin was een koele. Zelf zag ze het dan ook niet zitten om boven een afgrond aan een touw te bungelen dat door zoete lieve Brigette werd vastgehouden, tenzij ze zelf misschien een berg flappen in haar hand hield om daarmee, hangend aan die zijden draad, haar gewisse eind te kunnen afkopen.

Maar toch, Brigette zou goed van pas komen. Het Walther TPH .22 pistool dat de Selkie in haar hand hield, was eigenlijk een kleinere versie van James Bonds PPK. De TPH was een staaltje vakwerk, gemaakt van hoogwaardig roestvrij staal, klein en compact, en zeer trefzeker. Maar met een .22 kon je echt geen vent neerleggen, tenzij de kogel het centrale zenuwstelsel raakte. Een treffer in de hersenen of ruggengraat was dus noodzakelijk voor een zekere dood. Stel dat Brigette zou gaan gillen zodra Ray het garagepad op kwam lopen, dan zou een schot op het hoofd moeilijk worden. Op zich niet onmogelijk – met dit wapen kon ze hem op twintig meter afstand nog raken – maar dan zou de geluiddemper gemonteerd zijn. De loop zelf was namelijk te kort om de Stinger-munitie supersone snelheid te geven en de demper zou de snelheid nog verder vertragen wanneer het samen met het geluid ook de gasuitstoot zou absorberen. Het doelwit zou het misschien overleven, tenzij je hem in een oog raakte. Een schedel was hard. Het was bekend dat kogels daarop vaak afketsten. En om op een oog te richten terwijl die geluiddemper je het zicht ontnam, dat was, nou ja, riskant.

Nee, met een .22 pistool moest je het uiteinde van de loop op ongeveer vijf centimeter van het achterhoofd van je doelwit hebben en drie, vier kogels in de achterste hersenen pompen, terwijl die lijfwachten nietsvermoedend buiten in hun wagens zaten. Om daarna allang weer verdwenen te zijn voordat iemand aanklopte.

Hiervoor moest ze alleen zijn. Brigette zou Genaloni binnenlaten.

Zodra de deur achter hem in het slot viel, zou de Selkie de rest afhandelen.

Woensdag 6 oktober, 18:00 uur
Quantico

De vergadering die voor vijf uur gepland stond, begon een uur te laat. Het was een klein groepje: Michaels, Toni, Jay, kolonel Howard en Richardson, de nieuwe FBI-netwerkverbindingsofficier, hoewel deze laatste alweer snel weg moest. Vanaf nu zou de informatie aangaande deze zaak slechts TK, ter kennisgeving, zijn.

'Goed,' opende Michaels de vergadering. 'Jullie hebben allemaal het infopakket gekregen dat Jay heeft samengesteld. Nog vragen?'

'Ja,' zei Richardson. 'Zodra u zeker weet dat Plekhanov de programmeur is die we zoeken, hoe gaat het dan verder?'

'Dat is een tikkeltje lastig,' antwoordde Michaels. 'Het mooiste zou zijn contact op te nemen met de Tsjetsjeense regering en hem middels het netcriminaliteitsverdrag van 2004 uitgeleverd te krijgen. Maar misschien is dat niet zo'n goed idee. Jay?'

Jay nam het over. 'Plekhanov heeft waarschijnlijk een security-programma stand-by voor zijn meest gevoelige bestanden. Stel dat de plaatselijke politie een inval doet in zijn kantoor of huis en daar op allerlei toetsen gaat drukken of draden gaat lostrekken, dan is de kans groot dat zijn beveiligingssysteem zich nog strakker aantrekt dan stretch voordat ze de boel in de gaten hebben. En daarnaast weet ik zeker dat zijn bestanden met 128, of misschien 256 bits gecodeerd zijn. Hij schreef Russische militaire codeberichten. Zonder vertaalsleutel zou onze SuperCray zo'n tien miljard jaar op volle toeren moeten draaien om de code te breken. Dat is waarschijnlijk iets langer dan we willen, en dus kunnen we zonder vertaalsleutel niet bij zijn bestanden komen. En zonder zijn bestanden kunnen we niet aantonen dat hij werkelijk onze man is en kunnen onze juristen geen procedure beginnen.'

'Dus hoe pak je dat dan aan?' vroeg Howard.

'Het mooiste zou zijn over zijn schouder mee te gluren als zijn systeem actief is. Of dat, of de vertaalsleutel zoeken.'

'En dat is nog maar een deel van het probleem,' zei Michaels. 'Jay?'

'Ik heb wat speurwerk verricht over deze vent. Het blijkt dat hij

255

banden heeft met allerlei hoge regeringsfunctionarissen. Hij heeft flink wat legitiem security-werk op zijn naam staan, voor de Russen, Indiërs, Thailander, Australiërs, noem maar op. Hij zit niet zonder geld: een aardige som die netjes in de boeken staat, netto een slordige paar miljoen, en ongetwijfeld nog veel meer illegaal weggestopt. Die bankoverval in New Orleans was waarschijnlijk niet zijn eerste.'

'We praten dus over een rijke gast met invloed,' zei Toni. 'En stel dat die Tsjetsjenen bereid zijn hem bij zijn lurven te vatten en hem uit te leveren, dan moeten we eerst met bewijzen komen?'

'Daarmee som je het aardig op,' oordeelde Michaels.

'Maar als die vent rijk en machtig is,' vroeg Howard, 'waarom doet hij dan zoiets? Waarom dit risico?'

Michaels knikte, blij te merken dat zijn mensen met hem meedachten. 'Dat is dus de grote vraag. Wat wil hij eigenlijk?'

'Méér geld, méér macht,' antwoordde Richardson. 'Hij is inhalig.'

'Waarschijnlijk,' reageerde Michaels. 'Maar ik heb alle info nog eens bestudeerd en ik krijg de indruk dat hij een bepaald doel voor ogen heeft. Van een aantal systeemcrashes heeft hij direct kunnen profiteren – Jay kan jullie de bijzonderheden geven – maar van andere weer niet. Ook al zijn die laatste bedoeld als rookgordijn, lijkt het toch alsof er een patroon is. Hij heeft het duidelijk op een bepaalde plek gemunt. Voordat we hem proberen te pakken, is het misschien verstandig eerst eens uit te vinden welke. Wie weet wordt hij geholpen en voor ons zou het goed zijn als we de hele bubs kunnen inrekenen.'

Voordat hij zijn verhaal kon vervolgen, ging de deur van de vergaderkamer open en verscheen Michaels' secretaresse in de deuropening. Eigenlijk mocht ze de vergadering niet storen, tenzij in noodgevallen. Zijn eerste vrees was dat zijn vrouw – ex-vrouw, verdomme – of zijn dochter iets was overkomen. Maar voordat de paniek kon toeslaan, stelde zijn secretaresse hem gerust:

'Commandant, belangrijk nieuws uit New York voor u. Het gaat over Ray Genaloni.'

33

Brigettes deurbel rinkelde. 'O, jezus.'

'Laat hem binnen. Denk eraan, ik sta zo dat ik jou wél kan zien maar hij míj niet. Eén onverwachte beweging of wat dan ook en jij bent er als eerste geweest.'

'Begrepen...'

Brigette liep naar de deur.

Nu werd het gevaarlijk. De Selkie ging ervan uit dat Brigette geen domme dingen zou doen, daar rekende ze in elk geval op. Mocht het mislopen voordat Genaloni binnen was, dan had ze vier volle .22 magazijnen voor de Walther, vierentwintig extra kogels, plus nog zeven in haar pistool. En ook nog het restant van de doos Stingers in haar broekzak. Had ze meer dan eenendertig kogels nodig, dan zou ze diep in de stront zitten.

'Hé, schat, kom binnen. Mijn man is net weg.'

Genaloni lachte en stapte naar binnen.

De Selkie manoeuvreerde zich uit het zicht en hield haar pistool in beide handen schuin omhoog bij haar rechteroor, de loop naar het plafond gericht. Inmiddels droeg ze chirurgenhandschoenen en ze had het pistool en de magazijnen sinds ze die de vorige avond grondig had gereinigd niet meer met haar blote handen aangeraakt. Ze zoog haar longen vol en ademde langzaam uit. De adrenaline trok in warme golven door haar lichaam.

'Ik krijg dat ijzerdraadje niet van de champagnefles, Ray. Dat kleine ronde plaatje is losgeknapt.'

'Laat mij maar even. In de keuken?'

'Hm-hm. In de koelemmer.' God, wat was ze cool. Geen spoortje nervositeit in haar stem.

De Selkie schoot snel in de geopende kast achter haar en rook de frisse geur van nieuwe, nog ongedragen jurken met de labeltjes er nog aan. Ze trok de kastdeur bijna dicht. Genaloni en Brigette passeerden nu haar schuilplaats zonder ook maar haar kant op te kijken.

Op het moment dat het stel de keuken betrad, stapte de Selkie achter hen uit de kast.

'Geen beweging,' zei ze.

Die twee woorden waren voor Genaloni al voldoende om te weten wat er gaande was en hij besefte Brigettes aandeel hierin. 'Shit. Jij vuile, gore slethoer!'

'Sorry, Ray, maar ze dwong me ertoe! Ze is gewapend!' Zo opgewonden had ze de hele dag nog niet geklonken.

'Handen omhoog en benen uit elkaar, Genaloni.'

Hij gehoorzaamde. 'Mag ik me omdraaien?'

'Mij best.'

Hij draaide zich om. Toen hij haar zag, knikte hij bevestigend. 'Aha. Dan moet jij vast de Selkie zijn. Waarom doe je dit?'

'Weet je best. Jouw mensen probeerden mij te vinden. En dat terwijl jij wist dat dat verboden is.'

Hij besloot niet te liegen. 'Shit. Ze zeiden dat ze goed waren.'

'Niet goed genoeg dus.'

'Oké, dus je kreeg hen in de gaten. Wat wil je? Geld? Een garantie dat we je verder met rust zullen laten?'

Inmiddels had ze haar pistool al op zijn rechteroog gericht. Van deze afstand had ze geen vizier nodig, al moest ze de hele dag knikkers van de tafel schieten zonder het blad te beschadigen, met alleen het pistool en de demper.

'Over wat voor bedrag praten we?'

Hij grijnsde, dacht even dat hij haar doorhad.

Mis.

De handgepolijste trekker was haarscherp afgesteld op drie kogels in single-action mode, zonder speling. Langzaam haalde de Selkie de trekker over. Het schot knalde los onder haar vinger. Het klonk als een windbuks, een harde tik. Geen hond die het buiten deze kamer kon horen.

De kleine kogel trof Ray Genaloni in het wit van zijn rechteroog. Als een pudding zakte hij ineen nu zijn hersenen werden kortgesloten door de kogel die in het binnenste van zijn schedel ricocheerde.

'O, mijn god!' riep Brigette. 'O mijn god!'

Omdat de Selkie Brigette eigenlijk wel een beetje mocht en ze zelf geen meedogenloze vrouw was, zei ze: 'Rustig maar, met jou is niets aan de hand. Geen paniek, ik ga er nu vandoor... Wacht, er staat iemand voor de deur.'

Brigette draaide zich om en keek.

Dat was het moment waarop de Selkie twee schoten afvuurde – pats-pats! – en Brigette tweemaal in haar rechterslaap raakte. De blondine zakte ineen. Ze trapte nog wat spastisch na nu haar geraakte hersenen vergeefs prikkels aan haar benen doorgaven om weg te rennen. Een instinctieve reactie, de persoonlijkheid die Brigette heette, was uitgeveegd en daarmee ook haar gedachte dat ze het zou overleven.

De Selkie handelde nu snel. Ze boog zich voorover, vuurde nog twee kogels af in Brigettes achterhoofd, en ook nog twee in dat van Ray. Het pistool functioneerde perfect, ze had de munitielade net zolang met staalwol gepolijst totdat deze glom als een spiegel en hem daarna gesmeerd met TW-25B, een smeermiddel met militaire fluorcarbonaat-samenstelling. Het wapen haperde nooit, zelfs niet met de Stinger-kogels met uitgeholde punt. Ze drukte op de palvergrendeling, trok het lege magazijn eruit en schoof er een verse in. Het lege magazijn verdween in haar broekzak. Daarna spande ze de haan zodat één kogel nu geladen werd. Vervolgens verwisselde ze opnieuw van magazijn en schoof nu een vers zessalvomagazijn naar binnen. Resultaat: één kogel geladen plus een vol magazijn; zeven schoten in totaal.

Ze keek om zich heen. Nergens had ze vingerafdrukken achtergelaten. De lege .22 magazijnen waren schoon, ze had ze vers uit de doos geladen met handschoenen aan. Misschien dat ze iets konden met de salvosporen op de lege messing hulzen, maar aangezien ze toch al van plan was zich zo snel mogelijk van haar wapen te ontdoen, maakte dat niet uit. Zelfs al vond een duiker over twintig jaar het pistool, dan nog zou het spoor niet naar haar kunnen voeren. Ze had het nieuw op de grijze markt gekocht. Toch jammer. Ze was echt gesteld op de Walther, maar je hield een moordwapen nu eenmaal niet bij je. De gevangenissen puilden uit van schutters die gehecht waren geraakt aan hun favoriete blaffers die ze hadden bewaard nadat ze hun slachtoffers ermee hadden omgelegd. Dom.

Ze staarde naar de twee lichamen. Daarnet, toen ze de trekker overhaalde, verkeerden de twee nog in de veronderstelling dat ze er zonder kleerscheuren van af zouden komen. Maar ze hadden het tijdelijke voor het eeuwige verwisseld voordat ze ook maar konden beseffen dat het anders zou uitpakken. Er waren ergere manieren om aan je eind te komen.

Goed, dan kwam nu deel twee.

Ze liep naar de achterdeur en tuurde door de jaloezieën die voor het raam ernaast hingen. Een grote kerel in een grijs joggingpak had zich geposteerd voor de schutting naast het tuinhek. Hij rookte een sigaret en voor zijn kruis hing een zwaar heuptasje. Daar zat vast zijn wapen in. Mooi. Met zo'n tasje zou hij een stuk trager zijn dan met een holster.

Ze moest hem bij het tuinhek vandaan lokken, meer naar de achterdeur, uit het zicht van de voorzijde van de woning ingeval iemand in zijn richting keek.

Ze had het grootste deel van de dag met Brigette doorgebracht, lang genoeg om een imitatie van haar stem ten beste te kunnen geven die goed genoeg was om deze jongens om de tuin te leiden.

Ze haalde diep adem en opende de deur. 'Hallo? Kun je misschien even binnenkomen? Ray heeft wat hulp nodig.'

De lijfwacht in het grijze joggingpak kuierde naar de achterdeur. Toen hij uit het zicht van de voorzijde van de woning was, stapte de Selkie naar buiten.

Joggingpak fronste de wenkbrauwen. De Selkie was wel de laatste die hij hier verwachtte.

Zijn reactiesnelheid was best goed, alleen zijn tactiek deugde niet. In plaats van zijn hoofd in te trekken en in volle vaart over de schutting te springen – zodat hij het met een paar lichte kogels in zijn rug misschien nog had kunnen overleven – graaide hij naar het pistool in zijn tasje.

Maar zelfs de snelste schutter ter wereld haalde het niet bij een wapen dat al op hem gericht was. Om een pistool uit een holster te trekken – ook al was het een speciale – vereiste ten minste een derde van een seconde, ook al was hij supersnel. Maar met zo'n heuptasje zou deze vent op zijn minst twee seconden nodig hebben zijn wapen te trekken, en die tijd had hij niet.

Nog voordat de frons op zijn voorhoofd verdwenen was, had de Selkie haar eerste schot al afgevuurd. Het tweede en derde schot volgden elkaar zo snel op dat het als een kort geratel klonk. Driemaal pompte ze zijn hoofd vol met lood en ze was al bij de schutting voordat de man de grond had geraakt. Haar busje stond in hetzelfde blok, twee huizen verderop, en in de tuin van de buren was geen hond te bekennen, zo had ze gecontroleerd.

De hindernis was opgetrokken uit cederhout, een degelijke burenschutting van een meter tachtig hoog. Ze nam een flinke aanloop, plaatste haar handen, met daarin het pistool, boven op de rand en zwaaide er als een polsstokspringster overheen. Goede sprong.

De ondergrond was zacht, de tuin leeg. Strak gazon, pas gemaaid.

Ze rende naar het tuinhek, opende het, sloot het weer, schroefde de demper van de loop van haar pistool en stopte hem in haar broekzak. Ze liet de Walther in de paardenleren holster aan haar broekriem glijden, trok haar overhemd los uit haar broek en over het wapen.

Nog geen vijfenveertig seconden later stond ze bij haar busje. Aan de overkant deden kinderen hinkelspelletjes op gekrijte tegeltjes op de stoep. Ze stapte in, startte het busje, reed achteruit de straat op en verdween. Ze reed met gemiddelde snelheid, stopte voor het stopbord en zette haar rechter richtingaanwijzer uit: netjes zoals het hoorde.

Ray Genaloni was niet langer een kopzorg.

Nu moest ze terug naar Washington voor nog een laatste klus.

34

Terwijl Plekhanov bezig was zijn systeem weer op te lappen na de plotselinge VR-noodstop, stuitte hij op slecht nieuws.

Iemand had een paar van zijn struikeldraden gesaboteerd.

Het was laat, hij was moe en zijn eerste reactie was er een van paniek.

Hij dwong zichzelf een paar maal diep adem te halen. Rustig, Vladimir. Alles is nog niet verloren.

Hij liet zijn securityscans er nogmaals op los. Er waren geen andere sporen van de indringer te bekennen. Een vakman dus, wie het ook mocht zijn. De struikeldraden waren echter alleen te vermijden als je bepaalde elektronische sluipweggetjes wist te vinden. Net als bij ragfijne spinzijde had hij zijn struikeldraden altijd op uitgekiende plekken aangebracht waar de meesten ze niet zouden vermoeden. Zelfs een passant die het op zo'n plek voorzien had, zou ze meestal over het hoofd zien. De draden waren aangebracht op kniehoogte, bijna onzichtbaar, en boden zo weinig weerstand dat ze totaal niet werden opgemerkt. Stel, je stapte over de ene draad heen, dan was de kans groot dat je de volgende zou breken. Eenmaal geknapt konden de draden niet meer worden opgespannen.

Het kon toeval zijn geweest, misschien een hacker die op avontuur was, maar dat geloofde hij zelfs geen seconde. Nee, hij wist zeker dat het een Net Force-agent geweest moest zijn, geholpen door gegevens opgedaan tijdens die achtervolging. Als de rollen omgekeerd waren geweest, als híj iemand in VR achtervolgd had, zou hij met de opgedane gegevens die persoon hebben kunnen traceren. Hoe het hem ook tegenstond te bekennen: als híj het kon, dan kon iemand anders dat ook.

Hij had hen al eens eerder onderschat, en dat zou geen tweede keer gebeuren.

Dus... Of ze wisten wie hij was, of ze stonden op het punt erachter te komen. Was dat laatste het geval, dan zou het gezien de middelen waarover Net Force beschikte slechts een kwestie van tijd zijn. En dan? Jawel, dan zou het pas echt interessant worden. Harde bewijzen hadden ze niet, daarvan was hij overtuigd. En om die te vergaren dienden ze veel dieper in zijn systeem door te dringen dan hun tot dusver gelukt was. Als ze wisten met wie ze te maken hadden, wisten ze tevens hoe ondoenlijk dat zou zijn. Ze zouden op de hoogte zijn van zijn capaciteiten. De vertaalsleutel voor zijn geheime codes bevond zich ergens in zijn hoofd en nergens anders, stond nergens opgeschreven. Juridisch gezien konden ze hem niet dwingen die prijs te geven. Zonder deze sleutel konden zijn gecodeerde bestanden net zo goed stalen kluizen zijn. Niemand kon ze kraken. Niemand.

Plekhanov leunde achterover in zijn stoel, plaatste zijn vingertoppen tegen elkaar en dacht na. Weten wie hij was, was nog iets anders dan te kunnen aantonen wat hij gedaan had. Uiteraard had hij scenario's gedraaid waarin Net Force of een andere wetshandhaver zijn identiteit had weten te achterhalen voordat zijn plan zich volledig openbaarde. En hoe onwaarschijnlijk het ook had geklonken, hij was te oud, te ervaren, om er geen rekening mee te hebben gehouden. Volgens zijn eigen doemscenario zouden ze weten met wie ze te maken hadden en over bewijzen van zijn daden beschikken: de netpiraten, de omkoperijen, de moorden, alles. En er kwam een punt waarbij zelfs dat niet eens meer uitmaakte. Zodra zijn mensen aan de macht waren, zou hij praktisch onkwetsbaar zijn. Verzoeken om uitlevering zouden niet direct worden afgewezen, dat zou niet beleefd zijn. Een onderzoek inzake de aanklacht tegen deze gewaardeerde en geëerde vriend van het volk zou opleveren dat het niet in het belang van zijn land was hem aan de Amerikanen uit te leveren. Niet dat zijn mensen dat niet zouden doen als ze dachten daarmee weg te kunnen komen, wel degelijk. Gelukkig zouden de nieuw gekozen autoriteiten hun functie niet alleen aan hem te danken hebben, er zou tevens een uitvoerig dossier zijn waarin precies vermeld stond hóé ze aan die baan gekomen waren. Hem uitleveren zou betekenen dat ook de medeverantwoordelijken in zijn val werden meegesleurd. Al lang geleden had hij geleerd dat je op eigenbelang meer kon vertrouwen dan op wat voor dankbaarheid ook.

Hoogst onrustbarend allemaal. Een smet op een verder zo perfect plan. Maar niet fataal, zeker niet in dit vergevorderde stadium. Hij zou zijn ogen openhouden, extra omzichtigheid betrachten, maar ondertussen gewoon doorgaan met zijn plan. Ruzhyó zat paraat. Net Force hoefde maar in actie te komen en het geweer zou vuren om nog meer verwarring te zaaien. Zodra een zeker punt gepasseerd was, maakte het allemaal niet meer uit wat Net Force ondernam, en dat punt naderde snel.

Michaels maakte aanstalten de vergadering af te sluiten. Inwendig kon hij zich niet losmaken van het nieuws dat Ray Genaloni, samen met diens vriendin en lijfwacht, was vermoord. Richardson was al vertrokken. Zelf had Alex nog wat laatste taken liggen voor zijn eigen mensen.

'Jay, kun jij nog wat scenario's draaien over wat Plekhanov mogelijk van plan is? Knoop alle stukjes die je hebt maar aan elkaar. Kunnen we achterhalen waar hij is geweest, wie hij heeft gesproken, zowel in VR als in EW?'

'Misschien. Hij zal zijn bestanden op slot hebben gezet, maar we hebben een ID en wie weet kunnen we een aantal van zijn bewegingen herleiden.'

'Als het kan, graag.'

Jay knikte en verdween.

Daarna zei hij tegen Howard: 'Ik wil dat je iets voor me doet. Bedenk een plan voor een strikt geheime ontvoering van Plekhanov uit Tsjetsjenië.'

Howard staarde hem aan. 'Maar, commandant...?'

'Laten we even aannemen dat we die Rus niet uitgeleverd krijgen. Zou een team hem dan kunnen halen? Zou dat kunnen?'

Howard aarzelde geen moment. 'Ja, commandant, dat moet mogelijk zijn. Over hoe strikt geheim praten we hier?'

'Kijk, we komen natuurlijk niet in vol ornaat met de vlag door de winkelstraten gemarcheerd; aan de andere kant, stel dat het misloopt, dan kunnen we onze jongens niet aan hun lot overlaten. Met de hondenpenning onder de burgerklof. En iets van een rampenplan, mocht de boel in de soep lopen. Maar dat is uw terrein.'

'Ik begrijp het. Ik kan iets op poten zetten, commandant, maar even realistisch: wat zijn de kansen voor een groen licht?'

'Ik zou zeggen, nihil, kolonel, maar wat dit scenario betreft hanteren we onze aloude slogan.'

'"Een gewaarschuwd mens telt voor twee"?'

'Precies.'

'Commandant, ik ga er direct mee aan de slag.' Klonk er opeens iets van respect door in zijn stem? Ja, zelfs iets van warmte?

'Dank u, kolonel.'

Michaels begaf zich naar zijn kantoor. Toni liep met hem mee.

'Als Genaloni Steve Day vermoordde, zijn we hem dus definitief kwijt,' zei ze.

'Dan heeft iemand de gemeenschap daarmee een lange rechtszaak en dus flink wat belastinggeld bespaard. Maar wat ik me afvraag is: wie deed het, en waarom?'

Toni haalde haar schouders op. 'Hij is een maffioso. Die halen naar elkaar uit zoals wij bij een barbecue naar een mug uithalen.'

Ze stonden nu voor zijn kantoor. Toni volgde hem naar binnen.

Hij keek bedenkelijk. 'Dit was anders niet zomaar een tikje. Dit was het werk van een professional, een expert. Drie doden in een rustige buurt en niemand die iets heeft gemerkt. In de woning schoten ze Genaloni en zijn maîtresse overhoop, gingen naar buiten en schoten in de tuin de lijfwacht neer, omdat ze wisten dat er voor het huis vier andere heren met blaffers stonden. We praten hier niet over "cool", we hebben het hier over iemand met koelvloeistof in de aderen, in plaats van bloed. Is er verder nog iets wat ik moet weten?' Hij gebaarde naar zijn computerscherm.

'Ons labrapport is nog altijd voorlopig. Het enige wat we hebben is een laarsafdruk in de tuin van de buren. Wie het ook is, hij weegt niet veel.'

Michaels trok een wenkbrauw op.

Ze laadde het labrapport. 'Kijk. Deze afdruk lijkt op een mannenschoen, maat vijfendertig, zesendertig. Afgaande op de diepte van de afdruk moet hij tweeënvijftig, vijfenvijftig kilo hebben gewogen. Met de lichaamsbouw van een geveltoerist.'

Michaels schudde zijn hoofd. Iets bleef maar aan hem knagen... 'Ik vind het maar niks, dit,' zei hij. 'Het is té voor de hand liggend.'

'Soms... gebeuren die dingen gewoon, Alex, en zijn er geen directe verbanden te vinden. Je kunt het niet voorspellen. Iemand duikt op het juiste moment op, op de juiste plek, de situatie is perfect, dan loopt het al snel uit de hand.'

Hij keek haar aan. Waar had ze het over? Het klonk meer als een excuus dan een verklaring voor wat er gebeurd was.

Ze keek opgelaten. 'Wat ik wil zeggen, is: iemand had het op Genaloni gemunt, misschien is de timing gewoon toeval.'

Opeens begon er iets bij hem te dagen. Hij drukte op wat toetsen en haalde een bestand op.

'Wat doe je?'

Hij keek niet op. 'Wat voor maat schoen droeg de moordenaar ook alweer?'

'Vijfendertig, zesendertig. Zodra het lab de gipsafdruk binnen heeft voor een vergelijkend onderzoek, weten we meer.'

'Ik heb een vraag voor je. Damesschoenen en herenschoenen, hoe verhouden die zich qua schoenmaat tot elkaar?'

'Hangt af van het model, maar een damesschoen van dezelfde afmeting zal een paar maatjes groter zijn dan die van een man. Maar waarom...? O...'

'Juist. Kijk je naar de vrouw die in New York die hond oppikte – en een paar dagen geleden terugkwam om het dier te vergoeden, net als daarvoor via een stel koeriers – die droeg volgens de computer maat zevenendertig-half, en weegt ergens tussen de tweeënvijftig en de zevenenvijftig kilo.'

'Je denkt dat het dezelfde persoon is?'

'Toeval heeft zijn grenzen. Onze theorie gaat ervan uit dat de vrouw die mij wilde vermoorden, en misschien ook wel Steve Day heeft vermoord, voor Genaloni werkt. We weten dat ze in New York was om die zoekgeraakte hond te vergoeden en een paar dagen later wordt Genaloni omgelegd door een professional van ongeveer dezelfde lengte. Wat denk jij?'

'Het zou dezelfde persoon kunnen zijn. Maar als ze inderdaad voor Genaloni werkte...'

'Precies. Waarom hém dan vermoorden?'

'Misschien wilde hij haar vanwege de mislukte aanslag op jou niet betalen.'

'Zou kunnen, maar dit alles klopt gewoon niet.' Een moment dacht hij diep na. 'Stel dat we het mis hebben over de moordenaar van Steve Day. Stel dat iemand Genaloni de schuld in de schoenen wilde schuiven. Wie weet kwam Genaloni erachter en heeft die vrouw hem uit de weg geruimd. Misschien werkt ze dus voor iemand anders.'

'Dat is wel vergezocht.'

'Ja. Maar denk eens na: de moord op Day was het werk van een team en was goed beraamd, maar de uitvoering was slordig. Een stel gasten met machinegeweren die in het wilde weg om zich heen lopen te maaien, en bovendien lukt het Day er een te pakken te krijgen. Lijkt in de verste verte niet op de werkwijze van deze vrouw. Daar lijkt ze me veel bedrevener voor.'

'Maar ze miste je wel.'

'Alleen maar omdat die hond begon te blaffen. Een tel eerder of later en ik was er geweest.'

'Dus wat beweer je nu? Dat er twee groepen in het spel zijn?'

'Ik weet het niet. Maar het zou kunnen. We gingen ervan uit dat Days dood te maken had met zijn lange strijd tegen de georganiseerde misdaad. De manier waarop het gebeurde, zijn achtergrond, het snijdt hout. Maar stel dat we fout zitten. Stel dat iemand anders het deed. Stel dat het helemaal niets met de georganiseerde misdaad te maken heeft.'

'Oké, laten we even aannemen dat jij gelijk hebt. Wie dan? En waarom? Waarom zou iemand het op jóú gemunt hebben?'

'Nou, wat hebben Day en ik met elkaar gemeen?'

'Net Force. Want jij nam zijn plek als commandant in.'

'Juist. Dus stel dat die aanslagen niet op ons persoonlijk waren gericht, maar op de hoofden van Net Force.'

'Door twee verschillende groeperingen?'

'Ja.'

Allebei dachten ze even diep na alvorens iets te zeggen.

Iemand gaf een klopje op de deur. Ze keken allebei op en zagen Jay Gridley in de deuropening staan.

'Wat is er, Jay?'

'Kom maar op met die opslag, baas. We hebben haar, de moordenares. Een waterdicht signalement.'

35

In haar werkkamer bestudeerde Toni de gegevens die Jay had weten te achterhalen. Er zat geen holografisch of fotomateriaal bij. Wat ze hadden, was maar weinig en bovendien gedateerd.

De vingerafdrukken van de vermoedelijke moordenares, afkomstig van de muur van een Holiday Inn in Schenectady in New York, kwamen overeen met die van ene Mora Sullivan, een Ierse nationaliste en de dochter van een IRA-lid dat door de Britten was doodgeschoten. Toen deze vingerafdrukken werden genomen, was Mora pas acht jaar oud. Niet één van de computersystemen die met Net Force in verbinding stonden, en dat waren bijna alle internationale politiesystemen, bevatte aanvullende informatie over het meisje of de vrouw. Ze was in rook opgegaan. Of, zoals Jay het verwoordde, iemand die wist waarmee ze bezig waren, had haar dossiers gekraakt en ze laten verdwijnen, zonder ook maar een spoortje achter te laten. Het feit dat ze over deze oude vingerafdrukken beschikten, was puur geluk geweest. Het waren afdrukken, afkomstig van een Iers politiebureau, die nog niet geïntegreerd waren in het grote systeem. Jaren nadat de afdrukken genomen waren, werden ze samen met nog honderden andere vingerafdrukken ontdekt.

Wat ze nu dus hadden, was haar leeftijd, nationaliteit en haar natuurlijke haar- en oogkleur, plus haar vingerafdrukken: niet echt van nut wilde je haar kunnen herkennen, vooral niet gezien haar talent voor vermommen. Met een pruik of een kleurspoeling, contactlenzen en handschoenen kon ze al die uiterlijke kenmerken verbergen; en met wat make-up en kledingopvulsels zag ze er opeens een stuk ouder uit. Ze had al laten zien dat ze goed voor een mollige veertigjarige of een bevende zeventigjarige kon doorgaan, en dat terwijl ze volgens haar dossier pas tweeëndertig was. En ook al hadden ze een foto van de kleine Mora, de Mora van nu – of onder welke naam ze inmiddels opereerde – zou daarmee weinig gelijkenis vertonen.

Maar toch, hoe meer informatie hoe beter. Als ze haar konden traceren, zouden ze in elk geval een volledig signalement kunnen krijgen.

Haar telefoon liet weten dat er iemand voor haar aan de lijn hing. Het ID-balkje lichtte de naam van de beller op.

Haar maag kromp ineen. Rusty. Ze had het wel verwacht; ze had hem eerder gebeld, en nu belde hij terug. Het was buigen of barsten. Ze wist dat ze nooit met hem het bed in had moeten duiken, maar had nog geen manier gevonden het hem duidelijk te maken. Ze had hem aan het lijntje gehouden, maar het was niet fair hem in onzekerheid te laten. En het was ook niet iets wat ze hem zomaar over de telefoon kon zeggen.

'Hallo.'

'Goeroe Toni, hoe is het met jou?'

Waarom moest hij zo opgewekt klinken? 'O, prima. Druk, druk, druk.'

'Waar belde je voor?'

'Om je te zeggen dat ik vandaag niet kan trainen,' antwoordde ze. 'Ik heb het te druk met allerlei dingen.'

'Geen probleem. Ik heb zelf ook het een en ander voor te bereiden. Morgen?'

'Luister, ik kan misschien wel een minuutje vrijmaken rond lunchtijd vandaag, als je tijd en zin hebt in een snelle kop koffie?'

'O, mijn dag kan niet meer stuk!'

Ze kreeg bijkans kromme tenen van zijn blije reactie. Ja, zijn dag zou niet meer stuk kunnen, maar niet in de zin die hij bedoelde.

'Bij Heidi's dan maar?' Het was een koffietentje vlak bij het complex, een kleine, rustige plek. De koffie was er verschrikkelijk en het eten zelfs nog slechter en dus zouden maar weinig mensen het mogelijkerwijs kunnen horen als ze het hem zou vertellen.

Als ze hem aan de kant zette.

'Mooi! Dan zie ik je daar,' zei hij.

Ze hingen op.

Toni slaakte een diepe zucht en staarde wezenloos voor zich uit. Mooie boel.

Uiteraard bestond er ergens wel een boek waarin iemand keurig had beschreven wat je moest zeggen tegen een man die je nog steeds leuk vond, maar met wie je niet meer je bed wilde delen. Had ze zo'n boek ooit maar eens gelezen. Hoe kon je zoiets er nu gewoon maar uitflappen? Luister, ik vond het heerlijk om elkaar helemaal gek te neuken, enne ik vind je echt hartstikke tof en zo, maar ik wil geen seks meer met je, want het was gewoon een spontane vergissing, zeg maar. Niks persoonlijks hoor, maar ik hou van iemand anders. Ook al ziet hij mij niet staan. Sorry. Maar hoe is de basketbalwedstrijd afgelopen?

Ze probeerde het zich voor te stellen als de rollen waren omgedraaid. Het zou hard aankomen, om zo aan de kant te worden gezet, vooral als ze echt van de man hield die haar nu zomaar recht in het gezicht te kennen gaf dat ze voortaan maar beter goede vrienden konden blijven. Het benaderde haar relatie met Alex dicht genoeg om het voor haar pijnlijk te maken. Stel dat ze met hém het bed had gedeeld en hij zou zoiets tegen haar zeggen. Ze betwijfelde of ze het zou aankunnen.

Hield Rusty wel van haar? Hij had het niet met zoveel woorden gezegd, maar het was duidelijk dat hij zich sterk tot haar aangetrokken voelde. Omdat het juist zo lekker was geweest, zou hij het misschien niet kunnen begrijpen. Het probleem lag niet aan hém, het was zijn fout niet. Hoe ze het ook inkleedde, met hoeveel vriendelijke woorden ze het ook zou omkleden, het zou een afwijzing blijven: ik hoef jou niet meer.

Erger nog, Rusty's mening deed er helemaal niet toe, hij had geen keus. De zaak was beklonken, niet meer onderhandelbaar, einde discussie. Het spijt me.

Wat het er dus ook al niet gemakkelijker op maakte, dat haar besluit vaststond, dus. Ze wilde hem heus niet kwetsen, maar ze kon óf de band met één houw verbreken, of zijn ziel met een naald doorboren en hem langzaam laten doodbloeden. Dat laatste was de gemakkelijke weg. Ze kon het gewoon te druk hebben om hem te zien, te druk met haar trainingen, te druk om zijn telefoontjes te beantwoorden. Zijn FBI-opleiding zou binnenkort zijn afgerond waarna hij ergens als junior-agent duizenden kilometers ver weg 'in het veld' gestationeerd zou worden – en een vilein trekje in haar besefte dat als ze dit wilde, ze het zelfs kon arrangeren – en daarmee zou het allemaal verleden tijd zijn. Een klein lekje en uiteindelijk zat er niets meer in het vat. En Rusty zich ondertussen maar afvragen wat hij toch verkeerd had gedaan.

Dat was de laffe manier: je hield je op afstand en meed de confrontatie. Maar ze had geleerd de dingen onder ogen te zien, het probleem bij de kladden te grijpen en te doen wat er gedaan moest worden om de zaak op te lossen. Dat was gevaarlijker, maar ook sneller en efficiënter.

Sneller, efficiënter, harder.

Maar ja, wie weet wilde hij alleen maar een wip. Hij was een man, en zij was heus niet zo lelijk dat mensen het liefst de straat overstaken zodra ze in aantocht was. Dus misschien was het hem alleen maar om de seks te doen geweest? Dat zou het een stuk gemakkelijker maken.

Had ze maar iemand om erover te praten, een vriendin om om raad te kunnen vragen, maar in deze omgeving kende ze niemand. Even dacht ze erover haar vriendin Irena in de Bronx te bellen, maar dat was eigenlijk niet eerlijk. Ze hadden elkaar al maanden niet gesproken en het stond haar tegen haar opeens te bellen om op haar schouder te kunnen uithuilen. Trouwens, Irena was nooit echt een uitgaanstype geweest. Voordat ze trouwde, had ze wel een paar vriendjes gehad, maar ze was stapelgek op Todd. Toni had haar nooit verteld over Alex, over hoe ze zich voelde, en dat zou nu wel moeten om dat met Rusty in de juiste context te kunnen plaatsen. Want waarom zou ze hem ánders willen dumpen, met al die pluspunten van hem?

Nee, ze moest het in haar eentje opknappen.

En daar keek ze bepaald niet naar uit.

Donderdag 7 oktober, 20:56 uur
Quantico

John Howard ijsbeerde door zijn werkkamer, terwijl de computer het zoveelste scenario samenstelde voor de theoretische ontvoering van de Russische programmeur. Tot dusver had hij vijf operatieplannen gedraaid, compleet met statistische gegevens omtrent de kans van slagen. Die varieerde van achtenzestig procent tot minder dan twaalf. Deze percentages stonden hem niet aan. Met zijn kennis van standaard Strategie- en Tactiekmodules wist hij dat met een slagingskans van minder dan tachtig procent mensen de kans liepen gewond te raken of zelfs te sterven. De vijand kon manschappen verliezen, maar hij ook. Liever het eerste dan het laatste natuurlijk, maar in deze gevechtssituatie waren beide slecht.

Soms moest je gewoon strijd leveren, ongeacht je kansen, maar hij voelde er weinig voor eropaf te gaan in de wetenschap dat hij mensen zou verliezen.

De grote componenten waren stabiel genoeg, maar juist die kleine variabelen vormden altijd het probleem. Hoe meer informatie hij daarover had, hoe beter hij de OP S&T-module kon programmeren. Maar hoe schatte je dergelijke varianten in? Een gewoon vuurgevecht ergens in niemandsland was gemakkelijk zat, maar hoe voorspelde je bijvoorbeeld het verkeerspatroon in een grote stad tijdens een geheime operatie? Een onverwacht ongeluk op een grote verkeersader tijdens de spits kon een totale verstopping veroorzaken waardoor je gedwongen werd een alternatieve route te bedenken. Maar dat zou ook voor andere automobilisten in de opstopping gelden. Stel, je was van plan om ergens een grote vrachtwagen te laten kantelen, hoe kon je dan weten waar en wanneer dat moest gebeuren?

Dat kon je dus niet. Tenzij je dat ding daar zelf parkeerde.

Als je een aanslag plande in de daluren, vroeg in de ochtend of laat in de avond, kreeg je weer te maken met andere problemen. Midden in de nacht zouden de voorbereidingen eerder opvallen bij surveillerende agenten dan overdag. De ware aard van je acties was moeilijker te verbergen en het was het bijna onmogelijk om aan achtervolging vanuit de lucht te ontkomen. Tegenwoordig hadden ze bijna overal helikopters, zelfs in landen waar de bevolking nog steeds in rieten hutten woonde.

Plus dat de eigenlijke ontvoering slechts één element vormde. Een kleine eenheid van, zeg, drie of vier man kon die zaak afhandelen. Er diende voor een ontsnappingsroute te worden gezorgd, bij voorkeur door de lucht. Een toestel dat snel genoeg kon wegkomen en daarbij onder de vijandelijke radar zou blijven, was noodzakelijk.

Maar stel dat de hele operatie mislukte. Hoe groot moest zijn backupteam dan zijn? Moest het Net Force-team wel een vuurgevecht met manschappen van een zogenaamd bevriende natie aangaan? Wat zouden daarvan de gevolgen kunnen zijn?

Howard schudde zijn hoofd. Dit was een flinke kluif en hoe hij er ook op kauwde, hij wist dat hij iets over het hoofd zou zien. Het zou onbeduidend genoeg zijn om tussen de radertjes door te kunnen glippen, maar misschien ook groot genoeg om het hele zaakje klem te zetten. Een opbeurende gedachte, maar niet heus.

De computer gaf het signaal ten teken dat het nieuwe scenario gereed was. Kans van slagen: vierenvijftig procent.

Kop of munt dus.

'Computer, behoud vorige parameters, verander aanvangstijd operatie in drieëntwintig-nul-nul uur en runnen.'

Opnieuw klonk het signaal waarna de computer het scenario begon aan te passen.

Hij ijsbeerde door zijn kantoor. Het zou waarschijnlijk allemaal weinig uitmaken. Hij had er weinig vertrouwen in dat Michaels in deze situatie opdracht zou geven tot militair ingrijpen. Daarvoor had Michaels te veel superieuren, en dat waren allemaal burgers. Een vreemd land binnendringen waarbij de plaatselijke bevolking van jouw aanwezigheid af wist, maar het niet liet blijken om daarmee stilzwijgend goedkeuring uit te spreken over jouw acties, was één. Maar om nu onder grote protesten van de lokale bevolking troepen op vreemd grondgebied te stationeren, dat was wat anders. Sinds de Russische inval van jaren geleden waren de Tsjetsjenen daar behoorlijk gevoelig voor. Een Amerikaans StrikeForce-team dat daar een beetje kwam rondzwerven, hoe bedekt ook, zou bepaald niet met open armen worden ontvangen. Liep de boel in het honderd, dan zou dat flink wat ruis veroorzaken. Dan gingen er koppen rollen, en de zijne waarschijnlijk het eerst.

Maar ja, hij had zijn orders en die zou hij naar beste vermogen uitvoeren. Hij was een militair. Dat was zijn werk.

Donderdag 7 oktober, 21:02 uur
Washington D.C.

De Selkie kon niet verwachten dat de teams die het doelwit bewaakten tweemaal achtereen dezelfde route naar diens appartement aflegden. Maar hoe dichter ze bij hun bestemming kwamen, hoe minder keuzemogelijkheden ze hadden. De buurt was slechts uit twee richtingen bereikbaar, en dat betekende dus of de ene of de andere straat. Namen ze vandaag de ene, dan namen ze morgen hoogstwaarschijnlijk de andere.

Ze had geluk. Vandaag namen ze de ene.

Ze stond in een telefooncel naast een Cash & Carry, op ongeveer anderhalve kilometer van Michaels' appartement. Ze had haar nieuwe fiets op de standaard gezet. De Selkie was gekleed als een man, met laarzen, een spijkerbroek model drollenvanger, een ruimvallend jasje en een korte en goedgetrimde nepbaard. Ook al zagen de lijfwachten haar staan, ze stond met haar rug naar hen toe gekeerd op het moment dat de stoet haar passeerde. Ze bespiedde hen via het kleine spiegeltje dat ze aan haar fietshelm had geplakt. Ze keken nauwelijks in haar richting.

Michaels' bewaking was verscherpt, zoals ze wel verwacht had. Er waren twee volgwagens, een voorop en een als hekkensluiter, en het doelwit zat in een gepantserde limousine. Een verkenningsrit langs zijn appartement had ze te riskant gevonden, maar ze nam aan dat de woning inmiddels een vesting moest zijn. Ze was niet van plan zich als een omaatje over straat te begeven of via een schutting in de achtertuin ongezien zijn huis binnen te glippen. Reken maar dat die jongens daar hun blaffer sneller trokken dan een stel lijfwachten van een maffiabaas. Ze zouden al vuren zodra ze ook maar een glimp van haar opvingen.

Ze bleef nog een minuutje in de telefooncel staan en werd beloond toen een derde volgwagen, met daarin nog eens twee bewakers, haar passeerde. Wie weet had ze nog een vierde gemist die voor de stoet uit reed.

Gegeven de locatie en de kenmerken van deze buurt, verwierp ze het idee het doelwit in zijn appartement te elimineren. Misschien dat ze hem met een geweerschot kon treffen zodra hij zijn huis betrad of verliet, maar dat zou riskant zijn. Waarschijnlijk hadden de lijfwachten die mogelijkheid ook al overwogen en hielden ze alle gunstige posities van waaruit je kon richten in de gaten. Het zou onmogelijk zijn buiten hun bewakingsveld ongezien te vuren. Er waren immers geen hoge gebouwen in de buurt, en dus geen goede invalshoeken voorhanden. Ook al kon ze vuren, dan werd ontkomen een zelfs nog groter probleem. En ontkomen was het allerbelangrijkste, belangrijker nog dan de eliminatie.

Nee, het appartement was uitgesloten.

Ze legde de hoorn op de haak, stapte op haar fiets en reed naar het motel waar ze een kamer had gehuurd. Het motel lag ongeveer drie kilometer verder. Ze had speciaal in mannelijke vermomming de kamer gehuurd ingeval ze zochten naar een alleenstaande vrouw die hier mogelijk had ingecheckt.

Ook een aanslag op een rijdende stoet was riskant. Explosieven vormden daarbij de enige praktische manier; een Stinger-raket, misschien een antitankraket of een bom. Met een raket zou ze gedwongen zijn haar positie prijs te geven om te kunnen richten. Als die lijfwachten iemand langs de weg of leunend uit het raam met een projectielwerper zouden zien, reken maar dat ze dan eerst zouden schieten en de vragen voor later bewaarden. En raketten waren onbetrouwbaar. Ze kende gevallen waarbij raketten op een gewone autoruit waren afgeketst zonder te exploderen, zoals bij kogels zo vaak gebeurde.

En een bom? Reken maar dat de FBI- of Net Force-teams die het doelwit bewaakten er een mannetje op hadden uitgestuurd om in de directe omgeving van het appartement putdeksels en vuilnisvaten te doorzoeken op vreemde pakjes. Bovendien was een op afstand tot ontploffing te brengen bom te licht om iemand in een goed gepantserde limousine uit te schakelen. En een bom die zwaar genoeg was, zou waarschijnlijk door een detectieapparaat of zelfs een snuffelhond worden opgemerkt. Als ze zeker wisten dat ze nog steeds achter haar doelwit aan zat, zouden ze hem op een veilige plek verbergen waar hij weken of zelfs maanden zou verblijven. En daar wilde ze niet op wachten. Ooit zou ze al het vereiste geduld hebben weten op te brengen, maar omdat ze besloten had dat dit haar laatste klus was, was ze er helemaal klaar voor om de zaak af te handelen en een nieuw leven te beginnen. Een paar dagen, op zijn hoogst een week, langer wilde ze er niet aan besteden. En gegeven haar eerdere mislukkingen, moest het ditmaal van dichtbij gebeuren. De stok was uit den boze, maar een mes of met blote handen, dat had wel iets.

Een automobilist toeterde terwijl hij haar ontweek. Ze zwaaide even quasi-verontschuldigend omdat ze de weg blokkeerde. De auto reed voorbij en de bestuurder riep nog wat naar haar. Ze kon het niet verstaan maar de laatste woorden waren 'domme lul!' Daarbij minderde hij geen vaart.

De Selkie grijnsde. De bestuurder had geen idee hoe gevaarlijk het zou zijn geweest zijn auto aan de kant te zetten om een arm fietsertje te molesteren dat hem had gedwongen een pietsie gas terug te nemen. Ze had geen zin het pistool dat in haar heuptasje zat tegen een of andere woedende automobilist te moeten gebruiken, maar het bleef een alternatief voor als het haar ondanks al haar training niet zou lukken zijn schedel in te slaan.

Nee, het enige overgebleven alternatief was het doelwit te elimineren op een plek waar geen bewakers in de buurt waren, en op een manier waarbij niemand één, twee, drie in de gaten had dat hij was geraakt, zodat ze genoeg gelegenheid had te ontkomen.

Gegeven haar keuzemogelijkheden, was er maar één plek geschikt, een plek die als veilig werd beschouwd.

Het Net Force-hoofdkwartier, dat was de plek waar ze hem moest vermoorden.

36

Jezelf – of een verboden voorwerp – een beveiligde ruimte binnen-
smokkelen, was minder moeilijk dan de meeste mensen zouden
geloven. De Selkie kon zonder al te veel na te denken al vier metho-
den verzinnen hoe je een wapen aan boord van een vliegtuig kreeg.
Het hoefde niet eens van keramisch materiaal te zijn. Neem bijvoorbeeld het kleine pistool dat ze achter het elastiek van haar slip
verborgen hield. Met drie kleine lopen van elk vijf centimeter was
het goed voor drie schoten. Illegaal gemaakt in Brazilië voor
geheim agenten in het buitenland en gemaakt van hetzelfde harde
keramiek dat de Japanners voor die altijd scherpe keukenmessen
hadden ontwikkeld. Het was een 9 mm-kaliber voor korte afstand
en de munitie bestond uit hulsloze borium-epoxy hagel, afgevuurd
door een roterende piëzo-elektrische ontsteker. De stuwstof was
een stabielere versie van raketbrandstof. De korte lopen waren zelfs
voorzien van rudimentaire spiraalvormige groeven, dit ondanks het
feit dat de kogels licht genoeg waren, waardoor langeafstandsscho-
ten ondoenlijk waren. Het wapen had een accuratesse tot twintig
meter; daarbuiten was het een kwestie van de trekker overhalen en
maar hopen dat je een schutsheilige had.
Van dichtbij was het niet-metalen pistool net zo dodelijk als het
grootste stalen pistool met zes kogels uit het Wilde Westen.
Het pistool bestond uit twee hoofdonderdelen: het frame en de drie
lopen. Ook het ontstekingsmechanisme met zijn scharniertjes en
schroefjes was van keramiek. Theoretisch kon het wapen worden
herladen, maar in de praktijk was het een wegwerpding. Zodra er
eenmaal mee geschoten was, was het interne keramische mechaniek enigszins breekbaar. Het was dan ook veel verstandiger een
nieuw wapen te pakken dan het risico te lopen dat het oude op een
kritiek moment spontaan weigerde. Het driewaardige metalloïde
borium in de drie composietkogels bevatte minder metaal dan een
gemiddelde tandvulling. Het wapen zou een scan op metalen voorwerpen niet doorstaan, maar rechtopstaand zou een fluorscanner
het ding niet herkennen, eenvoudigweg omdat het in die positie

niet op een pistool leek. Ook een gewone metaaldetector zou geen kik geven. Legde je het ding op tafel, dan leek het alsof het uit een stuk zeep geboetseerd was.

Om haar rechterdij, vlak tegen haar kruis, zat een dolk gebonden, ook van keramiek, met een lemmet en een plastic handvat. Het lemmet was een tanto-model met de gehoekte punt en was zowel kort als zeer dik; keramiek bleef toch wat broos en de dikte was nodig om het mes niet te laten breken als het werd gebruikt als steekwapen en niet alleen diende om een keel mee door te snijden.

De standaard beveiligingsprocedure van de meeste overheidsgebouwen, die toch altijd weer beperkte financiële middelen hadden voor dergelijke zaken, maakte onder meer gebruik van toegangspasjes met een foto of een vingerafdruk, metaaldetectoren en geüniformeerde bewakers. Stel, je had er wat te zoeken maar je werkte er niet, dan konden de beambten de procedure zo nauwgezet maken als ze wilden: een computercheck van je identiteitspasje, het doorzoeken van je spullen en een fouillering, een beambte die je binnen voortdurend vergezelde. Het waren allemaal standaardopties voor gebouwen met Niveau Drie-status. Net Force was Niveau Drie in een Niveau Eén-gebouw; wat betekende dat je met L3-technieken al binnenkwam. Beslotener ruimten werden strenger bewaakt, met palm- of oogscanners, knokkellezers, spraakherkenners enzovoort. Ze was niet van plan erlangs te glippen om daarna netjes bij haar doelwit aan te kloppen. Dat zou immers flink wat extra voorbereidingstijd kosten. Maar eigenlijk was dat alles niet eens nodig.

Het was niet nodig om je in te spannen om bij een moeilijk doelwit te komen, vooral niet als het doelwit het voor jou gemakkelijk maakte en naar jóú toe kwam.

Zelfs met een minimum aan computerkennis was het al gemakkelijk zat lagere employés op te sporen – secretaresses, receptionistes, onderhoudsmensen – die ooit korte tijd voor Net Force hadden gewerkt. Een ongetrouwd, alleenstaand iemand op wie ze kon lijken, was zelfs nog gemakkelijker. Immers, de Selkie kon op bijna iedereen lijken...

En zo kon het gebeuren dat Christine Wesson, een niet al te lelijke brunette met bruine ogen, leeftijd negenentwintig, haar korte en waarschijnlijk onopvallende leventje beëindigd zag. Om plaats te maken voor de vrouw die voldoende op Wesson leek om geen argwaan te wekken bij degenen die haar niet echt goed kenden, nu ze de zuidwestingang – de drukste – van het Net Force-hoofdkwartier betrad. Het was vrijdag en deze ochtend wachtte een lange rij mensen in dagdienst op hun beurt om hun pasje door de scanner te halen. Het ging snel. Eén haal, een groen lampje, en je was binnen. De Selkie wist al dat ze over een geldig pasje beschikte. Ze was er immers het parkeerterrein mee opgekomen, en wel in de acht jaar oude Ford-rammelbak van Christine Wesson zaliger.

Christine zelf lag in plastic zakken gewikkeld in haar eigen badkuip, bedolven onder ongeveer vijftig kilo smeltend ijs dat de stank binnen de perken moest houden zodat de buren geen argwaan kregen, lang genoeg in elk geval om de Selkie haar werk te laten doen en daarna veilig de benen te nemen.

Nu ze eenmaal binnen was, moest ze diverse plekken controleren en andere plekken zien te vinden waar ze zich ongestoord kon verschuilen zonder de hele tijd verdacht in gangen te moeten rondhangen.

Twee jaar geleden waren enkele beveiligingsbeambten van het Pentagon tijdens de interimperiode betrapt op het maken van video-opnamen van dames – en ook een paar heren – op het toilet. De publieke verontwaardiging liet niet op zich wachten en was groot, maar het militaire apparaat was allang gewend aan het negeren van de nieuwste bevlieging vanuit de burgermaatschappij. Toch, de gedachte dat iemand wellicht een glimp zou kunnen opvangen van de piemel van een viersterrengeneraal, bezorgde de militaire top flink wat hoofdpijn. Wie weet waren ook de toiletten van het Congres of de Senaat van dergelijke spiedoogjes voorzien. Het was verbazingwekkend om te zien hoe snel wetten opeens werden opgesteld en door het parlement geloodst zodra dat belangrijk was. Inmiddels had men de beveiligingsapparatuur in overheidsgebouwen beperkt; camera's dienden in elk geval de toiletten onbespied te laten. De nep-Wesson kon zich met een boekje rustig enkele uurtjes terugtrekken in een wc-hokje. Of haar tijd verbeuzelen in de kantine. Of naar buiten voor een foute, maar altijd nog toegestane nicotinearme sigaret uit het pakje dat ze in Wessons handtas had aangetroffen. Met haar pasje op haar blouse gespeld, zou ze anoniem zijn. Niemand kende haar en de bureaucratie was groot.

Hoewel haar doelwit zich veilig in het extra beveiligde gedeelte zou ophouden, was het niet gezegd dat hij daarmee de minder beveiligde delen zou mijden, vooral niet als ze daarvoor een goede reden kon bedenken.

En daar moest ze de komende paar uurtjes maar eens goed over nadenken.

Vroeg of laat zou men op de afdeling waar Wesson werkte in de gaten krijgen dat ze niet was komen opdagen. Ze zouden haar thuis bellen en het antwoordapparaat krijgen. Geen probleem, tenzij ze het nodig achtten de ID-scanner bij de ingang te checken. Dan zou blijken dat Christine Wesson wel degelijk normaal op haar werk was verschenen, wat enkele gefronste wenkbrauwen zou opleveren. Als ze toch aanwezig was, waar hing ze dan uit? Om dat te voorkomen had de Selkie Christine min of meer beleefd gevraagd iets voor haar te doen, iets waartoe ze maar al te graag bereid was geweest. En dus had Christine Wesson haar chef van de magazijnafdeling gebeld met de mededeling dat ze enkele uren later op haar werk zou verschijnen omdat ze voor een onderzoek naar het ziekenhuis moest. Haar chef had er geen bezwaar tegen en die paar uurtjes konden algauw tot in de middag uitlopen. Waarna een getimed e-mailtje op het computerscherm van de chef zou verschijnen met de mededeling dat de zaak wat was uitgelopen. Heel wat langer dan niemand, behalve de Selkie, wist.

In elk geval zou de boodschap haar de rest van de dag de gelegenheid geven. Wat ruim voldoende moest zijn.

Vrijdag 8 oktober, 12:18 uur
Quantico

Toni werkte haar djuru's af en compenseerde ze telkens met de corresponderende sambut. Ze was de enige vrouw vandaag. Er waren nog wat mannen aanwezig, maar Rusty was daar niet bij. Toen ze hem vertelde liever niet meer met hem het bed te willen delen, kreeg ze de indruk dat hij het tamelijk sportief opnam. Geen woede, geen tranen, maar slechts een soort verwonderde aanvaarding. 'O?' Het was allemaal veel soepeler gegaan dan ze gehoopt of verwacht had.

Behalve dan dat hij daarna niets meer van zich had laten horen. Ze had hem gezegd dat ze haar best zou doen vandaag wat te trainen, en dat ze ervan uitging dat hij er ook zou zijn omdat hij nog geen les had overgeslagen.

Verrassing. Misschien was het dus allemaal wat harder aangekomen dan ze had gedacht.

Ze werkte zich weer op uit de hurkstand in djuru drie, haalde verticaal uit met haar rechteronderarm, bleef overeind komen en wisselde haar volgende twee vuistslagen met elkaar af.

Ze hoopte dat Rusty niet met de lessen zou stoppen. Ze genoot van het lesgeven en alles wat ze daarbij zelf leerde.

Maar ja, het was uiteraard zijn eigen keus.

Wat was dat toch met mannen, dat ze wel je vriend konden zijn en daarna je minnaar, maar dat ze geen stap terug konden doen als het laatste niet goed uitpakte?

Ze was nu klaar met haar serie oefeningen en schudde haar handen los. Haar lichaam was nog steeds gespannen.

Een kantoormedewerkster, een brunette, liep naar het waterfonteintje, glimlachte en knikte naar Toni. Ze herkende de vrouw niet, maar knikte afwezig terug. Ook al was het Rusty-probleem opgelost, het Alex-probleem bleef bestaan. Hoe kon ze zijn aandacht trekken?

De brunette verdween in de kleedruimte. Toni zette haar uit haar gedachten, maar even later stormde de vrouw over haar toeren weer naar buiten.

'Pardon, juffrouw,' zei ze, 'maar hier is een mevrouw niet goed geworden. Het lijkt wel of ze een epileptische aanval heeft! Ik heb al een dokter gebeld. Zo meteen bezeert ze zich nog! Kunt u even komen helpen?'

'Tuurlijk,' antwoordde ze.

Ze volgde de brunette de kleedkamer in.

Vrijdag 8 oktober, 12:18 uur
Quantico

Jay Gridley en John Howard hadden zich bij Michaels in de kleine vergaderkamer vervoegd. Michaels wist dat het eigenlijk tegen de regels was met twee van zijn topmensen tegelijk een onderhoud te hebben, het ken-uw-regelsgedoe zoals geheim agenten dat er voortdurend bij elkaar inhamerden. Maar hij redeneerde dat zijn directe ondergeschikten van elkaars bezigheden op de hoogte dienden te zijn. Trouwens, zo nu en dan baadde hij zich graag in de wetenschap dat een computersysteem dat hij zelf had helpen ontwerpen en installeren, voor Jay Gridley maar weinig geheimen zou opleveren.

'Jay?'

'Goed, daar gaat ie dan. Dit zijn de feiten.' Met een handgebaar activeerde hij het presentatiesysteem. 'Het is ons gelukt een deel van Plekhanovs bewegingen van de laatste paar maanden te reconstrueren. Als u wilt, kan ik de details geven en laten zien hoe briljant we zijn geweest in het leggen van enkele verbanden.'

'Dat laatste staat wat mij betreft buiten kijf,' antwoordde Michaels. 'Geef me de feiten.'

'Goed. U begrijpt, het is maar een vermoeden, maar het lijkt erop dat hij bezig is hier en daar een regering om te kopen.'

Michaels knikte. Lobbyisten deden niets anders, en zolang ze zich maar binnen de wettelijke grenzen hielden, was dat acceptabel.

'Sommigen van zijn vriendjes zijn wat minder voorzichtig dan hijzelf. Volgens ons maakt hij een goede kans voor twee à drie GOS-regeringen zelf te mogen bepalen wie de nieuwe presidents- dan wel premierkandidaten zullen zijn, inclusief die voor Tsjetsjenië, waar hij zelf woont. Uiteraard beschikken we niet over directe bewijzen. Daar hebben we dossiers voor nodig.'

'Hoe groot is onze kans, denk je, dat we Plekhanov uitgeleverd kunnen krijgen als de regeringsleider die wij daar om verzoeken flink bij hem in het krijt staat?' wilde Howard weten.

Een retorische vraag. 'Ik ben hier niet echt blij mee, Jay,' merkte Michaels op.

'Nou, dan zult u het volgende wel helemaal niks vinden. Wat dacht u van enkele lieden in zijn directe omgeving? Daar zitten dus wel enkele generaals tussen.'

Howard wierp een blik naar Jay. 'Godsamme...'

'Denk je dat hij een coup beraamt of zo?' vroeg Michaels.

Jay haalde zijn schouders op. 'Valt niet te voorspellen. Maar gezien zijn activiteiten zou ik zeggen, het zou kunnen.'

'Kolonel?'

'Op zich zou het hout snijden, sir. Zichzelf verkiesbaar stellen zou gemakkelijker zijn, maar als ik hem was, bereid tot een wereldwijde diefstal van computers, sabotage van computernetwerken en wie weet wat nog meer, dan zou ik zeker behoefte hebben aan een alternatief plan. Soms bereik je meer met de kogel dan met een stembus. En met een hoge militair aan je zijde en de media in je zak zal niemand precies weten wat er allemaal speelt, totdat het te laat is. Het zou een mooie waarborg zijn.'

Michaels staarde de twee mannen om de beurt aan. 'Ook al vinden we het bewijs dat deze meneer op het punt stond de verkiezingen met geld naar zijn eigen hand te zetten en we iemand met macht zover kunnen krijgen dat hij ons gelooft?'

'Dan boycot hij waarschijnlijk die verkiezingsuitslag en begint een burgeroorlog,' antwoordde Howard. 'Op het moment dat het buitenland zich ermee gaat bemoeien, is het feest voorbij en de zaak beklonken.'

'Shit.'

'Ja, commandant, dat kunt u wel zeggen,' reageerde Howard.

Michaels slaakte een diepe zucht. Jezus, hier werd een flinke beerput opengetrokken.

'Goed, kolonel, misschien dat u wat beter nieuws voor me hebt?'

'Relatief gesproken dan, commandant. Mijn best-case scenario voor de operatie om de heer Plekhanov, eh, op te halen, komt op een slagingspercentage van achtenzeventig procent.'

'Nou, dat is toch voldoende?'

'Van de S&T-computer zou ik een hoger percentage hebben gewild, maar alles boven de zeventig procent is in militair opzicht aanvaardbaar te noemen, hoewel niet één strijdplan na het eerste contact met de vijand overeind blijft.'

'Mag ik het zien?'

'Hier is het, commandant.'

Michaels' secretaresse verscheen. 'Commandant? Toni Fiorella op uw privé-lijn.'

Hij wuifde haar weg. 'Heren, sta me toe dit telefoontje even aan te nemen.'

Gridley en de kolonel knikten en richtten hun aandacht weer op hun presentaties.

'Hallo?'

'Commandant Michaels? Met Christine Wesson van de magazijnafdeling. Ik was net in de fitnessruimte en ondercommandant Fiorella vroeg me u te bellen. Dit is haar virgil. Ze heeft een ongelukje gehad. De bedrijfsarts is onderweg, maar volgens mij heeft ze een gebroken been.'

Toni gewond? 'Haar béén gebroken?'

Een van de fitnessapparaten viel om. Ze zegt zelf dat met haar alles goed is, maar ik moest van haar doorgeven dat ze wat later op de bespreking komt. Maar tussen ons gezegd en gezwegen, ze vergaat van de pijn.'

'Ik kom eraan,' zei hij.

De twee mannen keken op. Ook al waren ze zogenaamd druk bezig geweest, ze hadden het laatste deel van het gesprek duidelijk opgevangen.

'Met Toni alles goed?' wilde Jay weten.

'Klaarblijkelijk. Een of ander defect aan een fitnessapparaat. De bedrijfsarts is onderweg, maar ik wil toch even kijken. Steken jullie ondertussen de koppen bij elkaar en probeer of je wat wijzer kunt worden uit deze toestand. Ben over een paar minuutjes weer terug.'

'Doen we.'

'Commandant.'

Michaels liep naar de gang.

De Selkie bevond zich half in het douchehokje en hield haar pistool gericht op de vrouw die in kleermakerszit op de betegelde vloer zat. Mocht iemand binnenkomen, dan zou hij of zij noch Fiorella noch het pistool kunnen zien. De verleiding was groot haar neer te knallen, maar ze durfde het risico niet aan vanwege het geluid, en ze wilde haar kostbare munitie niet verspillen. Mocht er iets verkeerd gaan, dan had ze het wapen misschien nodig om te kunnen ontsnappen. Ook kon ze de vrouw misschien gebruiken om haar doelwit hierheen te lokken. Daarna zou Fiorella net zo morsdood zijn als Michaels. Met het korte keramische mes dat onder haar rok om haar dij gebonden zat zou ze beiden afmaken, om hen daarna op te sluiten in een douchehok en alle bloedspatten weg te spoelen. Zodra die twee lichamen ontdekt werden, zou zij al ergens midden in Maryland zitten. Een dubbele moord binnen de Net Force-burelen. Daar zou nog eeuwen over nagepraat worden.

Fiorella roerde zich.

'Hou je handen op je hoofd,' commandeerde de Selkie.

'Denk maar niet dat je hiermee wegkomt.'

'Als jij zo doorgaat, zal het voor jou niks uitmaken.'

'We weten wie je bent.'

'Hm-hm.'

'Je bent heus niet zo goed als je wel denkt... Mora Sullivan.'

Dat verraste haar. Hoe waren ze daar verdomme achter gekomen? Even leek de paniek haar te bevangen, maar ze onderdrukte het. Sullivan was nu gewoon een van haar vele namen, de zoveelste wegwerpidentiteit. Maar toch... 'Voordat ik vertrek, moeten we nog eventjes met elkaar praten.'

De vrouw was bang – en daar had ze alle reden toe – maar ze zei: 'Ik dacht het niet.'

Goh, ook al zo'n dapper type. Verdomme. Jammer dat ze haar moest vermoorden.

'Toni?' riep een stem aan de andere kant van de deur.

'Hierheen!' riep de Selkie. 'Snel!'

Ze hoorde het geluid van rennende voetstappen, en grijnsde.

37

Vrijdag 8 oktober, 20:37 uur
Grozny

Plekhanov hoefde niet VR te gaan om te zien dat op al zijn paden de struikeldraden waren vernield. Ze wisten wie hij was en probeerden zijn hele doopceel te lichten. Niet dat hij ervan uitging dat ze veel zouden vinden, maar toch was hij bezorgder dan eerst. Die verdomde whizzkid die voor Net Force werkte, kon wel eens sneller zijn dan hij slim was. Een nog slimmer iemand hoefde maar zijn oog op enkele van zijn actiepatronen te laten vallen om daaruit een conclusie te kunnen trekken die hem totaal niet aanstond. Of wie weet voerden ze alle gegevens wel aan een analoge AI om daarna de computer de verbanden te laten blootleggen die het menselijk oog te boven gingen. Dit was niet bepaald iets waar hij op zat te wachten.

En dat terwijl hij zijn doel zo dicht genaderd was; de verkiezingen zouden al over enkele dagen plaatsvinden. Hij moest ze alleen nog even zien uit te stellen en daarna zou het niet meer uitmaken wat Net Force wel of niet wist. Zelfs nu was het waarschijnlijk al te laat hem nog te dwarsbomen, maar hij was een voorzichtig man. Te voorzichtig, zo hadden anderen hem wel eens verteld – te veel geneigd nog even achterom te kijken terwijl hij eigenlijk allang de benen had moeten nemen – maar ze hadden het fout. Al die lui die met zulke onzin waren gekomen, waar waren ze nu? Nou, niet op de plek waar hij zat, klaar om het lot van miljoenen te bepalen.

Nee, hij zou nog één troef achter de hand houden. Iets om hen eens goed aan het denken te zetten. Nog een laatste hindernis waarover ze zeker zouden struikelen, niet in staat zich snel genoeg te herstellen om hem te kunnen grijpen.

Hij draaide het nummer van het Geweer.

Ere wie ere toekomt, dacht de Selkie. Zodra hij het pistool zag, wist hij hoe laat het was. Snel richtte ze de loop weer op de vrouw in het douchehok. 'Eén beweging en ze is er geweest.'

Het doelwit knikte. 'Ik begrijp het. Ik ben niet gewapend.' Hij spreidde zijn handen om te laten zien dat ze leeg waren.

De Selkie schudde haar hoofd. Wat dom van hem om juist níét gewapend te zijn.

'Goed. Ga daar staan, maar wel langzaam graag.'

Michaels voelde hoe de angst zich als glassplinters in zijn maag kerfde, maar hij wist dat hij de belaagster hoe dan ook moest zien te overmeesteren. Hij moest verhinderen dat ze op Toni zou schieten. En als hij zelf moest sterven, zou het letterlijk met beide benen op de grond zijn, oog in oog met het gevaar, ernaartoe bewegend, in plaats van andersom.

Langzaam vulde hij zijn longen, hield zijn adem in...

Toni zat doodstil en sloeg alles gade. Zo meteen moest ze toeslaan. Ze probeerde haar ademhaling in toom te houden, maar dat viel niet mee. Dit was de moordenares, de vrouw die Ray Genaloni had geëlimineerd, hetzelfde met Alex van plan was geweest en wie weet had ze ook Steve Day omgebracht. Ondernam ze niets, dan zou de vrouw haar en Alex beslist ombrengen. Haar pistool was zo'n keramisch geval, maar dat maakte het wapen niet minder dodelijk.

Ze was in staat vanuit kleermakerszit omhoog te komen, had het al duizenden keren gedaan. Een silat-beoefenaar moest in staat zijn vanaf de grond te werken. Als de vrouw vijftien centimeter dichterbij kwam, kon ze uithalen met haar voet.

Als, áls.

'Toni, alles goed?' Het was de stem van Alex.

'Ja,' antwoordde ze.

Alex kwam dichterbij. Het pistool was nog steeds op haar gericht. Eén beweging en ze was er geweest, wist ze. Maar het zou Alex tegelijkertijd een paar tellen geven om in actie te komen. Ze wist dat ze het erop moest wagen.

Toni zoog langzaam haar longen vol, hield de adem in, bereidde zich voor...

'FBI, geen beweging!' schreeuwde iemand opeens.
Toni staarde naar de reflectie in de deur van het douchehok.
Rusty?!

De Selkie reageerde instinctief, bijna als in een reflex. Op het moment dat de man bij de deur naar binnen stormde en iets op haar gericht hield wat een pistool kon zijn, zwaaide de Selkie haar eigen pistool in zijn richting en vuurde. Het kleine wapen, zo licht als het was, schokte fel in haar hand, maar ze zag zijn reactie toen het schot hem midden in de borst raakte. Hij stortte ter aarde. Geen kogelvrij vest.
Het doelwit dook op haar af, schreeuwde iets.
Te laat om haar mes te pakken. Met een ruk bracht ze opnieuw haar pistool omhoog, vuurde...
'Nee...!' schreeuwde de vrouw in het douchehokje. Daarna stortte ze zich boven op de Selkie en tuimelden ze allebei omver. De Selkie verloor haar pistool, kwam vlak naast een bankje neer en slaagde erin overeind te krabbelen terwijl ook Fiorella opstond.
De Selkie schopte haar schoenen uit, rukte haar rok van haar lijf, trok haar mes tevoorschijn en hield het wapen stevig voor zich uit om direct te kunnen steken of uit te halen. Ze wierp een blik op het doelwit, die op de grond lag, geraakt in zijn been zo te zien, en was dus niet langer een bedreiging voor haar. Die Fiorella, die vormde nu het grote gevaar. Die was alert, getraind, voorbereid.
De Selkie draaide zich om voor de confrontatie, met het mes in de aanslag. Ze moest opschieten, want de schoten hadden vast de aandacht getrokken.
Haar vader, die verschillende handgemenen had overleefd, had haar de beginselen van het straatgevecht geleerd. Sindsdien was ze bij een stuk of tien vechters in de leer geweest, onder wie enkele Filippino's die bedreven waren met een stok of een mes. Ze zou die vrouw neersteken, met het doelwit afrekenen, en ervandoor gaan. Als ze opschoot, kon ze nog net gebruikmaken van de verwarring om te kunnen ontglippen.
Ze bewoog zich naar Fiorella...

Michaels voelde hoe de kogel hem raakte; een gloeiend hete knikker die tegen de voorkant van zijn rechterdijbeen ketste. Hij viel. Het deed niet echt veel pijn, maar hij kon niet meer opstaan. Het geraakte been wilde niet meer.
Voor hem stond Toni recht tegenover de vrouw die haar rok had afgerukt en een wit mes tevoorschijn had getrokken. De belaagster

bewoog zich langzaam naar Toni. Het was nog niet voorbij. Hij moest iets doen...

Het pistool! Ze had haar pistool laten vallen. Waar lag dat ding...?

Toni voelde zich zowaar voor het eerst kalmer sinds het moment dat de belaagster voor het eerst haar pistool op haar had gericht. Een aanvaller met een mes, daar had ze praktijkervaring mee, meer dan genoeg zelfs. Hoog, laag: volg de beweging van het mes, dat was het allerbelangrijkste. Een vuistslag was te incasseren, een mes-steek niet, en dus moest je zowel de hoge als de lage aanvalshoek in de gaten houden, de arm met het steekwapen op twee punten, hoog en laag, volgen om die naar je hand te kunnen zetten...

De Selkie deed een stap naar voren, behield haar evenwicht. Fiorel-la keek ernaar, wachtte. Fiorella gaf de indruk dat ze wist waar ze mee bezig was. Maakte niet uit. Ze moest de zaak snel afwerken en ervandoor.

De Selkie haalde uit met haar been, een schijnbeweging, en dook naar voren...

Elleboog naar voren, elleboog naar voren. Daar zitten immers min-der aderen die opengehaald kunnen worden! De instructies van haar leermeester kwamen weer helemaal terug, kraakhelder en net zo scherp als het aansuizende mes: tegenover een expert zul je snij-wonden oplopen. Maak jezelf zo klein mogelijk.

De trap was een schijnbeweging, maar dat gold ook voor de mes-steek. Toen Toni haar linkerarm omhoogbracht om te blokkeren, trok haar belaagster het mes terug. De rand ervan trok een diepe snee langs de buitenkant van Toni's onderarm, precies boven de elleboog.

Maakte niet uit. Daar zou ze echt niet van doodbloeden. Haar hand kon ze nog steeds gebruiken. Ze veranderde van positie, wachtte...

Fiorella reageerde niet op de wond, keek er niet naar. Ze hield haar ogen strak op haar tegenstander gericht. De Selkie grijnsde. Die vrouw was goed, maar de tijd drong.

Er volgde een reeks van bewegingen: twee schijnbewegingen, het overhevelen van het mes naar de andere hand en vervolgens de messteek naar het hart tussen de ribben, gevolgd door een opwaart-se haal over de keel. In de praktijk werkte het altijd en ooit had ze een man tijdens een echt gevecht op die manier gedood.

Het feest was afgelopen. Hoogste tijd om haar visitekaartje af te leveren en ervandoor te gaan.
De Selkie ging over tot de aanval...

Haar belaagster sloeg opnieuw toe, met schijnbewegingen, schijn-uithalen, hevelde haar mes snel over naar haar andere hand toen Toni blokkeerde. Bij een andere gelegenheid zou ze onder de indruk zijn geweest van haar belaagster, maar daar had ze nu de tijd niet voor. Al die jaren van oefening moesten het nu van haar over-nemen. Geen tijd meer om na te denken...!
Ze veranderde van positie, ontweek de schijnbeweging en blokkeer-de en brak de aanval van de gewapende hand. Met haar rechterarm brak ze de stootkracht bij de pols: laag. Bloed spatte uit de snee op haar arm nu ze de achterkant van haar linkerpols onder de elleboog van de belaagster ramde: hoog.
De arm brak, het mes viel. Toni bewoog zich naar haar tegenstan-der toe, over de verwonde arm, ramde haar elleboog in het gezicht van haar tegenstandster, bleef dicht op haar nu ze achteruit deinsde en tegen de kluisjes kwakte, dreef een knie in haar maag, voerde een sapu luar uit en liet haar op de vloer belanden. De Selkie kwam hard terecht, haar hoofd ketste op de tegels, maar ze rolde zich om, dook naar het mes, greep het met haar goede hand, kwam overeind en hield het wapen omhoog voor een worp. Haar neus was gebro-ken en bloedde, haar wenkbrauw lag open...

De Selkie wist nu dat ze Fiorella niet de baas kon, zelfs al was haar ene arm nog intact geweest. Ze had nog één kans. Haar mes was niet echt gemaakt om mee te werpen, maar de vrouw zou achteruitdein-zen als het mes haar raakte, met de punt dan wel met het handvat. Dan zou ze verloren hebben, maar ze kon nog steeds ontsnappen...
De Selkie richtte haar elleboog op haar doelwit, het lemmet naast haar oor tussen de vingers...

Michaels vond het witte pistool, rolde zich op zijn gewonde been om – en dat voelde hij nu! – en trok het wapen naar zich toe. Hij riep wat om de vrouw af te leiden die op het punt stond het mes te werpen. 'Hé!'
Ze verroerde zich niet, maar zette zich schrap voor de worp.
Hij haalde de trekker over.
De terugslag was zo hevig dat het pistool uit zijn handen vloog en de knal was zo hard dat het leek alsof er vlak naast hem een bom ontplofte.

De stilte strekte zich uit. Er leek een eeuwigheid te verstrijken. Niemand bewoog.

Het mes vloog door de lucht, maar kletterde anderhalve meter verderop op de vloer.

Hij had haar geraakt. Precies in het midden van haar rug. De vrouw zakte ineen op haar knieën, probeerde met een hand de wond af te tasten, wat niet lukte. Ze draaide zich om en keek hem aan met een blik die bovenal verwonderd leek. Daarna viel ze op haar zij.

Toni liep snel naar Alex. 'Alex!'

'Niks aan de hand, niks aan de hand. Ze heeft me alleen maar in mijn been geraakt.'

Het geluid van naderende, opgewonden stemmen was opeens te horen.

'Je bent gewond,' zei hij.

'O, alleen maar een snee. Het lijkt erger dan het is,' antwoordde ze.

'Blijf liggen, dan haal ik wat handdoeken voor ons twee.'

'Nou, ik ga nergens heen hoor.'

Ze stond op, en herinnerde zich Rusty. Snel liep ze naar hem toe. Zijn ogen stonden wagenwijd open, knipperden niet. Midden op zijn borstkas prijkte een gapende wond en hij ademde niet. In zijn halsader viel geen hartslag waar te nemen.

Twee van de mannen die ook in de sportzaal aanwezig waren geweest, kwamen binnengestormd. 'Hij heeft hulp nodig!' riep ze, wijzend naar Rusty. Ze viel op haar knieën.

Een derde man voegde zich nu bij hen. 'Laat maar aan ons over, Toni,' sprak deze. 'Verzorg jij die snee in je arm maar.'

Alex had zichzelf ondertussen naar de belaagster gesleept. Hij rolde haar op haar rug. Ze kreunde en keek hem aan. Ook Toni kwam nu naderbij, vond een handdoek en drukte deze tegen de wond in Alex' dijbeen.

'Au!' Hij keek Toni aan. 'Dank je.' Daarna richtte hij zijn ogen weer op de vrouw.

'Kloot... zak,' klonk het gorgelend uit haar mond. Waarschijnlijk was een van haar longen geraakt.

'Wie heeft jou betaald om Steve Day te vermoorden?'

De vrouw was op sterven na dood, maar ze lachte. Het was een bellenblazerig geluid. 'Wie?'

'Day. Steve Day.'

'Ken ik niet,' was haar antwoord. 'Ik vergeet... een doelwit... nooit. Hij... is niet mijn werk.'

'Je hebt Steve Day dus niet vermoord?' vroeg Alex.

'Ben je doof of zo? Ik was ingehuurd om jou... te doden. Ik... Gena-loni... was ook mijn werk. En nog een paar anderen. Ik weet niet...'
En op dat moment was het afgelopen. Wat ze nog had willen zeg-gen, werd halverwege afgebroken. Nog een laatste pruttelende zucht en ze was niet meer.

Alex en Toni keken elkaar aan. Een verpleger kwam binnenge-stormd. Het leek een drukte van belang. Toni voelde een overwel-digend verlangen Alex in haar armen te nemen. En dat deed ze. Hij liet haar begaan. En beantwoordde haar omhelzing.

38

Vrijdag 8 oktober, 13:02 uur
Quantico

De medische afdeling was gehuisvest in het hoofdgebouw en er werkten een arts en verscheidene verpleegsters. Er was een eigen ambulance aanwezig voor noodgevallen. De bedrijfsarts hechtte de snee in Toni's arm – er waren achttien hechtingen nodig –, spoot er een beschermend laagje op, gaf haar een tetanusinjectie en liet haar weten dat de hechtingen over vijf dagen verwijderd dienden te worden.

De röntgenfoto's van Michaels' been toonden aan dat de kogel dwars door zijn been was gegaan. De kogel was zijn rechterdijbeen enigszins aan de zijkant gepenetreerd, was afgeketst op het bot zonder dit te breken en had zijn lichaam vlak onder en naast de rechterbil verlaten, en dat alles zonder echte schade aan te richten, behalve dan twee gaatjes ter grootte van het topje van zijn pink. De arts maakte de wonden schoon en legde een verband aan, maar hechtte de zaak niet. Daarna zorgde hij voor een tetanusinjectie en twee krukken, en adviseerde Michaels de komende weken even niet te voetballen. Hij gaf de verpleegster opdracht voor wat pijnstillers te zorgen en vertelde dat ze morgen meer pijn zouden voelen dan nu. Als ze liever naar de eerstehulp wilden voor een second opinion, dan was dat hun zaak.

Maar zowel Toni als Alex zag van de rit af.

In plaats daarvan zaten ze inmiddels in Michaels' kantoor. Hij zat op de bank, steunend op zijn goede heup, en Toni stond bij de deur.

'Zit je iets dwars, Alex?'

'Afgezien van die schotwond, bedoel je?'

'Ja.'

'Ik was daarnet niet bepaald heldhaftig...' sprak hij ten slotte.

'Pardon?'

'Ik had meer moeten doen.'

'Je kwam me te hulp. Je haalde uit naar een moordenaar met een pistool terwijl jij zelf ongewapend was. Je was gewond, en hebt haar toch kunnen neerschieten. Hoe heldhaftig denk je dan dat je moet zijn? Wil je soms met één sprong over flatgebouwen kunnen springen of zo?'

Hij wierp haar een bescheiden glimlach toe. 'Tja, ach. Nou, het had anders meer weg van Larry en Curly die een moordenaar achternazitten.'

Ze keek hem niet-begrijpend aan.

'Twee van de Three Stooges,' verduidelijkte hij. '"Hé, Larry! Hé, Moe. Woeoeoeoeoe!"'

'O, wacht even. Mijn broers keken altijd naar die oude video's. Zal wel iets voor jongens zijn. Ik heb ze nooit grappig gevonden. Veel te gewelddadig.' Ze glimlachte bij de ironie van haar woorden.

'Ik vind het echt rot voor je vriend, die FBI-rekruut.'

'Ja.'

Er viel een lange stilte. Daarna: 'Geloof je haar?' vroeg hij, 'over Steve Day?'

Toni haalde haar schouders op. 'Ik weet het niet. Dat van Genaloni "en nog een paar anderen" bekende ze anders wel. Dus waarom zou ze over Day liegen?'

'Misschien om ons een hak te zetten,' antwoordde hij.

'Daar moeten we inderdaad rekening mee houden. En jij, geloofde jij haar?'

Hij knikte. 'Ja, ik geloofde haar. De moord op Day leek me gewoon niet haar stijl en nu weet ik het zeker.'

'Nou, ze zal je nu in elk geval met rust laten.'

'Ja. Maar het betekent wel dat iemand anders verantwoordelijk is voor Day.'

'Iemand die kennelijk de indruk wilde wekken dat dit het werk van de maffia is,' merkte Toni op.

Hij knikte. 'Herinner je je die verdwijning nog van Genaloni's luitenant? En dat ze dachten dat de FBI erachter zat?'

'Ja.'

'Ik durf te wedden dat degene die zijn uitvoerder omlegde dat deed om Genaloni te stangen. En wie het ook was, hij of zij wist daarbij de beschuldigende vinger in onze richting te manipuleren.'

'En met succes, zo lijkt het. Stel dat Genaloni dacht dat Net Force het op hem gemunt had, dan zou hij iemand kunnen hebben ingehuurd om terug te slaan. In zijn wereld is elk probleem met geld of geweld op te lossen.'

Hij ging een beetje verzitten. Zijn been begon nu aardig te kloppen. Hij overwoog een pijnstiller in te nemen, maar zag ervan af. Een heldere geest was nu belangrijker dan onder de medicijnen te moeten zitten, maar verlost van de pijn.

'Dus wat de moord op Day betreft zijn we weer terug bij af,' was haar conclusie.

'Nee. Ik weet wie erachter zit.'

Ze keek hem aan. 'Wie dan?'

'Die Rus. Plekhanov.'

Ze liet het even bezinken. 'Hoezo?'

'Het hoorde van begin af aan bij zijn plan Net Force de handen vol te geven aan iets terwijl hij ondertussen zijn machtsspelletje in gang zette. De moord op Day, op onze luisterposten, al die netpiraten die hij overal ter wereld ons voor de voeten liet lopen. We moesten het vooral druk krijgen zodat we niet in de gaten zouden hebben waar hij mee bezig was. Op een rare manier snijdt het toch wel hout, vind ik.'

'Ik weet het niet, Alex. Het zou kunnen, maar...'

'Hij is het. Ik weet het zeker. Hij was bereid systemen te laten crashen die het verkeer en de industrie zouden lamleggen. Daarmee is de stap naar een huurmoordenaar snel genomen. We zaten met onze neus in de verkeerde hoek, precies de hoek waar Plekhanov wilde dat we zochten. Hij is slim.'

Toni keek hem aan. 'Stel dat je gelijk hebt. Hoe bewijzen we dat dan? Als hij echt zo'n computerexpert is als Jay beweert, kunnen we niet bij zijn bestanden komen. Zonder gegevens hebben we alleen enkele heel indirecte bewijzen, en niet eens zo veel.'

'Plekhanov zou voor ons zijn bestanden kunnen openen. Hij beschikt over de juiste sleutel.'

'Daar moet hij dan wel een reden voor hebben, zelfs al zouden we hem te pakken hebben, en dat is dus niet zo.'

'Dan moeten we de juiste manier vinden om het hem te vragen, nadat we hem hebben opgehaald.'

Opnieuw schudde ze haar hoofd. 'De top ziet het niet zitten, Alex. Walt Carver is te veel een politiek dier om zoiets te riskeren. Zelfs al zou hij het willen, dan nog zou hij de commissie voor geheime buitenlandse operaties of de CIA niet om krijgen. De commissie heeft al te vaak de vingers gebrand aan dergelijke akkefietjes. Ze hebben al twee jaar geen groen licht gegeven voor militaire operaties op plekken waar de bevolking dat niet ziet zitten of bereid is de andere kant op te kijken, zoals die operatie in de Oekraïne bijvoorbeeld.'

'Maar deze vent heeft Steve Day laten vermóórden en is ook verantwoordelijk voor de dood van anderen. Hij staat op het punt verkiezingen op touw te zetten die hem onschendbaar zullen maken. En jij vertelt me dat we die vent niet kunnen pakken vanwege onzinnige bureaucratie?'

'Ik weet hoe je je voelt, maar een verzoek alleen is tijdverspilling,' zei ze.
'Mooi, dan kunnen we dat overslaan.'
Ze staarde hem aan. 'Alex...?'
'De wet is iets anders dan gerechtigheid. De enige manier waarop die vent vrijuit kan gaan, is over mijn lijk. Toni, dit gesprek heeft nooit plaatsgehad. Jij weet nergens van.'
Ze schudde haar hoofd. 'O, nee. Komt niks van in. Zo gemakkelijk kom je niet van me af. Als jij zo graag iets stoms wilt doen, dan zorg ik ervoor dat het ook goed gebeurt. Ik doe mee.'
'Ik verplicht je anders tot niets...'
'Steve Day was ook míjn baas. Ik wil dat die moordenaar zal boeten.'
Ze zwegen nu allebei voor wat een eeuwigheid leek te duren. Daarna nam Michaels weer het woord. 'Ik denk dat we beter John Howard erbij kunnen roepen.'
'Denk je dat hij het ziet zitten?'
'Nou, hem vertellen we dus ook niets. Hij werkt voor me. Mocht er iets misgaan, dan is het mijn kop die rolt. Wat hij niet weet, zal hem ook niet deren.'
'Is dat wel eerlijk?'
'Het zal hem beschermen. Op hem zal het als een legitiem bevel overkomen. En daarmee is hij ingedekt.'
'Het is jouw besluit.'
'Inderdaad. Het is hoog tijd dat ik eens een paar besluiten neem die eindelijk zoden aan de dijk zetten.'

Zaterdag 9 oktober, 05:00 uur
Vliegend boven de Hudsonbaai

'Goed, sergeant Betweter, laat maar horen.'
Howard kende het plan, hij had het immers zelf bekokstoofd, maar het kon nooit kwaad om het in zijn langetermijngeheugen te branden. Het was meteen een mooie manier om mogelijke fouten aan het licht te brengen.
Julio Fernandez grijnsde. 'Maar, excuseer kolonel Howard!' sprak hij op een speels rekrutentoontje, en hij vervolgde met gewone stem: 'Tsjetsjenië ligt volledig ingesloten, in het westen door In-

gusjetië, in het noorden door Rusland, in het oosten door Dagestan en in het zuiden door Georgië. De westgrens ligt, zeg, driehonderd kilometer ten oosten van de Zwarte Zee. De hoofdstad, en tevens grootste stad, is Grozny, waarvan de kolonel in zijn flatscreenbestand een gedetailleerd CIA-stratenplan zal aantreffen, mocht hij daarvoor belangstelling hebben.

De bevolking bestaat hoofdzakelijk uit Tsjetsjenen en Russen, dat wil zeggen...'

'Laat de geopolitieke achtergronden maar voor wat ze zijn, sergeant, en geef me de strategie en de tactieken alsjeblieft.'

'Zoals de kolonel wenst,' grinnikte Fernandez en hij ontspande zich. 'Onze twee oude UH-1H Huey-heli's dienen volgens schema om negentien uur te Vladikavkaz in Noord-Ossetië uit het transportvliegtuig te worden uitgeladen. In ruil daarvoor verlangt de regering ter plaatse enkele gunsten van de VS. En omdat we graag wat vrienden in dit gebied willen maken, zal het met die gunsten zonder twijfel wel goed uitpakken.

Eenmaal op het grondgebied en operationeel zullen we het Ingusjeense luchtruim ongeveer vijftien kilometer moeten schenden om Tsjetsjenië te kunnen bereiken. Onze commandopost zal buiten Urus-Martan komen te liggen, nog eens vijfentwintig kilometer landinwaarts binnen Tsjetsjenië. Door de bank genomen moeten we over ongeveer veertig kilometer ongastvrij gebied vliegen.

Uiteraard beschikken beide landen over radar en iets van een luchtmacht, maar vliegend in het donker, op boomhoogte, zullen onze helikopters waarschijnlijk alleen door een stel geiten kunnen worden opgemerkt. Het zou een gemakkelijk overtochtje moeten worden, zij het een beetje druk.

In Grozny hebben we een vrachtwagen klaarstaan. Ons vier man sterke ophaalteam zal op twee Russische motorscooters naar Urus-Martan vertrekken die we aan boord van onze zwarte heli's zullen meenemen. Het zijn Vespa's, geloof ik, niet echt snel, maar van Urus-Martan naar Grozny is slechts zo'n tien kilometer. Daar zullen ze een vrachtwagen oppikken en weer terugkeren. Best een goeie ruil, eigenlijk: twee scooters tegen één Russische moordenaar. De regering daar maakt de beste deal.'

Howard maakte een ongeduldig gebaar met zijn hand.

'Oké. We komen, als alles goed gaat, aan om tweeëntwintig uur, richten op de zuivelboerderij van onze spionagevrienden onze tactische basis in. Alleen weten die jongens niet dat wij hun plek gebruiken, gezien ons MDB-gebod bij deze missie.'

Howard fronste zijn voorhoofd; een nieuwe afkorting. 'MDB?'

'Mondje dicht, begrepen?' legde Fernandez uit. 'En vooral tegen de CIA.' Hij grijnsde breed.

'Dat heb je zeker net zelf bedacht, hè?'

'Het kwetst mij te moeten vernemen dat de kolonel mij daartoe in staat acht.'

'Sergeant Fernandez, ik acht u zelfs in staat een ijsbeer als een poedel te knippen en hem voortaan "Fifi" te noemen.'

Fernandez lachte. 'Kolonel, op die boerderij zal geen mens je horen. Als alles volgens plan verloopt, tuft onze CT-eenheid naar de stad, haalt daar die vrachtwagen op, laadt die Rus in, rijdt weer terug en even na middernacht vliegen we terug naar onze gerieflijke 747 die op dat moment op het vliegveld van Vladikavkaz volgetankt en wel gereed staat. Als gebaar van goede wil laten we de transportheli's achter voor onze nieuwe bondgenoten, de noord-Ossetiërs. Daarna is het instappen geblazen en terug naar huis. Alles volgens het boekje.'

'Als alles goed gaat,' vulde Howard aan.

'U maakt zich te veel zorgen. Ons team spreekt vloeiend Russisch, en ook een beetje plaatselijk dialect. Ze hebben de juiste reis- en identiteitspapieren op zak, en kunnen op tien meter afstand de ballen van een mug schieten. Ze krijgen hem heus wel te pakken. En stel ze krijgen een probleem, we zitten daar met ons twintigen op die boerderij onze wapens toch niet voor niets te controleren?'

Howard knikte. Gegeven het mistige beleid van Washington was hij verrast dat de missie toch doorgang gevonden had. Een vuurgevecht met de Tsjetsjenen hoorde daar niet bij, ongeacht wiens schuld dat zou zijn. Híj had de leiding en het waren zijn handen die mogelijk besmeurd zouden raken. Nee, ditmaal wilde hij geen oorlog, maar een nette penetratie en ontvoering en daarna aftaaien, om met Fernandez te spreken. Voor een andere aanpak was deze missie veel te delicaat.

Zaterdag 9 oktober, 10:00 uur
Springfield (Virginia)

Ruzhyó en Grigory de Slang stonden bij een benzinestation langs de I-95, niet ver van het regionale winkelcentrum van Springfield. Volgens de kaart die Ruzhyó bij zich had, lag het oude Fort Belvoirtestterrein een paar kilometer verderop, in de richting van Quantico. Hoe zag een Amerikaans testterrein er eigenlijk uit? vroeg hij zich af. Waarschijnlijk hing dat af van wat voor wapens en voertuigen ze daar allemaal probeerden te testen.

Winters, de Texaan, was naar huis, naar Dallas of Forth Worth of waar hij ook zei dat hij vandaan kwam. Hij had beloofd zijn geheime nummer af te luisteren, mochten ze hem de komende dagen nog nodig hebben.

Omdat Grigory hoognodig van een toilet gebruik wenste te maken, waren ze gestopt bij de pomp. Uit het gedempte gekreun tijdens het urineren had Ruzhyó kunnen afleiden dat Zmeyá's eigen... privé-slangetje een of ander kwaaltje had opgelopen. Ongetwijfeld gonorroe, aangezien dat de meest waarschijnlijke geslachtsziekte was die zich pijnlijk manifesteerde tijdens het plassen. Als soldaat had Ruzhyó al menig man aldus horen kreunen, meestal een dag of drie na hun bezoek aan de hoeren tijdens hun verlof.

Dit was de Slangs beloning voor zijn avonturen in Las Vegas.

Met hoogrood hoofd verscheen Grigory weer uit het toilet. 'Ik moet penicilline hebben, Mikhayl.'

'Was ze dit waard?'

'Toen wel, nu niet meer.'

'Ik geloof niet dat je hier penicilline kunt krijgen zonder een doktersrecept,' zei Ruzhyó en hij behield een uitgestreken gezicht, ook al wilde hij het liefst glimlachen. Het was die dwaas zijn verdiende loon.

'Vlakbij is een dierenwinkel,' zei Grigory. 'Daar is het wel te krijgen.'

'Een dierenwinkel?'

'*Da*. Amerikanen hebben regels tegen de verkoop van antibiotica voor mensen, maar niet voor dieren. Wat je voor je goudvisjes al niet kunt kopen: penicilline, tetracycline, streptomycine, ja zelfs chloramphenicol. Je breekt de capsule open en strooit het medicijn in de viskom. Het is wat minder zuiver dan medicijnen voor mensen en ze zijn duur, maar ze werken net zo goed.'

Ruzhyó schudde zijn hoofd. Niet te geloven. Kijk, dat zoiets kon in de VS – het verraste hem allang niet meer hoe stom de Amerikanen soms konden zijn – maar dat de Slang dat wist? Hoe kwam hij aan die kennis?

Ruzhyó vroeg het hem.

'Ongelukkig in de liefde,' moest Grigory bekennen.

Ruzhyó staarde de Slang aan. Een man die niet beter wist, had slechts een bord voor zijn kop, en daar kon je wat aan doen. En iemand die wel beter wíst, maar toch zijn poot stijf hield? Kijk, dat was dom, en niet zo één, twee, drie te verhelpen. 'Goed. Dan gaan we naar die dierenwinkel van je zodat jij je vismedicijn kunt kopen om je zieke zmeyá weer beter te maken. Daarna gaan we een manier bedenken om zo dicht mogelijk bij het Net Force-hoofd-kwartier te komen. Ik dacht eraan om ons als Amerikaanse mari-niers voor te doen. Wat voor betere vermomming kun je je in een stad als Quantico nog wensen?'

'Ik vind alles best, Mikhayl, als ik eerst mijn penicilline maar krijg.'

Zaterdag 9 oktober, 22:48 uur
Urus-Martan (Tsjetsjenië)

Howard keek op zijn horloge en vervolgens door het raam van de vervallen boerderijwoning. Het was de manschappen gelukt beide heli's in de grote maar vervallen boerenschuur te verbergen. Ooit stonden hier schotten waarachter rijen koeien klaarstonden om te worden gemolken, maar de spionnen hadden de schuur voldoende leeggehaald om zaken als twee aftandse Huey-helikopters te kun-nen stallen. De toestellen zagen er niet al te best uit, maar mecha-nisch gezien verkeerden de wentelwieken in prima staat. Ze waren voorzien van een donkergroene matte kleur, dus niet matzwart. Ze dienden onopgemerkt te blijven, hadden geen bewapening aan boord, zelfs geen machinegeweren. Het waren strikt transporttoe-stellen. Niet echt snel, overigens, een volgeladen Huey haalde mis-schien net honderdtwintig knopen, maar ze waren degelijk en betrouwbaar. Bovendien was alles met een molentje boven op het dak voor een luchtlucht- of een grondlucht-raket hoe dan ook een gemakkelijke prooi. Je kon je niet verdedigen, je was niet al te snel, maar niemand kon je neerhalen als ze je niet zagen. Je verborgen houden was in dit scenario altijd nog beter dan vuren.

'De situatie, sergeant?'

Hij draaide zich om. Julio stond achter drie specialisten van de Tactische Compagnie. Ze zaten op krukken voor een rij van vijf veldcomputers, elk afzonderlijk rustend op een eigen driepoot. Het waren net grote, opengeklapte reiskoffers met het scherm in het deksel, en ze zagen er niet uit, maar met dit soort hardware draaide het niet om schoonheid, het was het innerlijk dat telde. Het waren

299

hypermoderne machines met een kloksnelheid van 900 MHz, nieuwe Fire Eye bioneuro-chips, een giga-hoeveelheid aan fiberlightgeheugen en een batterijcapaciteit van veertien uur ingeval er geen stroom voorhanden was.

'Kolonel, volgens ons *Global Positioning System* zitten ze hier.' Hij wees naar een kaart op het scherm. Ergens in het midden knipperde een rood lampje. 'Nog twee kilometer van hun bestemming verwijderd.'

'Berichten?'

'Hun gecodeerde boodschap benadrukte nog eens situatie ASG: *all systems green.*'

'Mooi.'

Een van de computerspecialisten nam het woord. 'Onze Big Bird spionagesatelliet zendt nu on line-beelden van het gebied. Kijkt u zelf maar.'

Als een spookachtige, gifgroene verschijning verscheen een vrachtwagen van bovenaf gezien op een van de beeldschermen, rijdend door de straten. Terwijl iedereen toekeek, sloeg de wagen rechtsaf en passeerde een straatlantaarn. Op het dak van het voertuig verscheen opeens een teken. De militair achter de computer lachte.

'Wat valt er te lachen?' wilde Howard weten.

De man achter de computer drukte wat toetsen in waarna het beeld opeens stilstond en werd uitvergroot. 'Een wat onscherp teken,' zei hij, 'maar nu... kijk, een boodschap van onze eenheid.'

De primitieve tekening op het dak werd opeens wat scherper, voor Howard helder genoeg om te zien wat het voorstelde. Het was een hand die het V-gebaar maakte.

Het was 'V' van *victory*. Howard glimlachte.

'Ik krijg geld van u, sergeant,' zei de computerspecialist.

Howard trok een wenkbrauw op.

'We hebben een kleine weddenschap afgesloten over wat de eenheid op het dak zou schilderen, kolonel. Ik geloof dat onze Jeter hier die jongens heeft omgekocht.'

'Wat dacht u dat het voor teken zou zijn?' vroeg Howard.

'O, eh, zoiets als dit, kolonel. Ietsjes anders, zeg maar.'

'In die zin dat hier alleen een middelvinger omhoogwijst...' vulde de man achter de computer met een onverstoorde blik aan.

Howard grijnsde opnieuw. Waar ook ter wereld, met wie ze ook te maken hadden, soldaten vonden altijd wel een manier om de monotonie te verlichten, of de spanning.

'Oké, weer aan het werk,' beval hij en hij liep terug naar het raam.

Plekhanov was net bezig zijn tanden te poetsen, bijna klaar om zijn bed in te kruipen, toen er iemand aanbelde. Zijn huis was niet groot, maar wel gezellig ingericht, en stond in een buurt van soortgelijke woningen. Het zou niet lang meer duren voordat hij een tweemaal zo grote woning in een veel nettere buurt zou betrekken. Alles op zijn tijd.

Er werd opnieuw aangebeld. Het klonk aanhoudend.

Op dit late uur verwachtte je doorgaans geen bezoek. Dit kon geen goed nieuws zijn.

Hij spoelde zijn mond, droogde zijn gezicht af en trok een kamerjas over zijn pyjama aan. Bij het kleine schrijftafeltje bij de voordeur bleef hij staan, opende het laatje en haalde de Luger tevoorschijn die zijn grootvader in 1943 van het Duitse front had meegebracht.

Met zijn pistool in de hand tuurde hij door het kleine kijkgaatje naar buiten.

Er stond een zeer aantrekkelijke jonge vrouw op de stoep. Haar haar zat door de war en haar lippenstift was uitgesmeerd. Haar donkere, losgeknoopte blouse hing wijdopen uit haar broek waardoor haar borsten volledig te zien waren. Haar broek was los, met de rits omlaag. Met haar ene hand hield ze de broek omhoog, in de andere hield ze stevig een in elkaar gepropte bh. Het leek alsof ze huilde. Terwijl hij keek belde de vrouw opnieuw aan. Hij zag nu dat ze snikte.

Hemel. Een slachtoffer van een verkrachting?

Plekhanov liet zijn pistool zakken en opende de deur. 'Ja? Kan ik u misschien helpen?'

Opeens stapte er uit de duisternis een man tevoorschijn. Ook hij droeg een spijkerbroek, en verder een donker T-shirt en een blauw windjack. Hij hield een wapen recht op Plekhanovs gezicht gericht. 'Ja, meneer, nou en of u ons kunt helpen.' Hij sprak Russisch, maar het was geen plaatselijk dialect.

De gewapende man boog zich naar voren en trok langzaam de Luger uit Plekhanovs hand. 'Mooi ding,' zei hij. 'Is waarschijnlijk aardig wat waard.'

Even later voegden zich nog twee mannen bij de vrouw en de schutter. Ze leken zomaar uit de duisternis en de bosjes te verschijnen. Ook deze twee leken uit hetzelfde hout gesneden: jong, fit, comfortabel gekleed.

Wat had dit allemaal te betekenen? De laatste tijd was er een hoop criminaliteit in de buurt. Wat wilden ze eigenlijk?

De vrouw ritste haar broek dicht, liet haar blouse omlaag zakken, deed haar bh aan – een of ander stretchding zonder sluiting –, trok haar blouse weer omhoog, knoopte deze dicht en stopte hem in haar broek. Een van de mannen overhandigde haar een donkerblauw windjack.

'Wat ons betreft hoef je dit echt niet te doen, Becky,' grapte de jongeman met het pistool.

'Blijf maar lekker dromen, Marcus,' reageerde de vrouw.

'Als u nu naar binnen wilt gaan, meneer Plekhanov?' verzocht de man met het pistool.

Zijn uitspraak was correct. Maar Plekhanov kon het accent nog steeds niet thuisbrengen. 'U bent geen Rus en ook geen Tsjetsjeen,' zei hij.

'*No, sir*,' klonk het in het Engels uit de mond van de man met het pistool.

Plekhanovs maag keerde zich om. Het waren Amerikanen!

De man gebaarde met zijn pistool. 'Naar binnen, professortje. Kleedt u zich maar goed aan, want we gaan een lange reis maken.'

Zaterdag 9 oktober, 23:28 uur
Urus-Martan

'Ze hebben hem!' riep Fernandez. 'Ze zijn onderweg, geschatte aankomst: over twintig minuten.'

De mannen juichten. Howard liet hen even begaan en nam vervolgens het woord. 'Goed. Maar laten we niet te veel vooruitlopen. Maak de heli's gereed. Vieren doen we thuis wel.'

Tien minuten later, toen Howard vanuit het donker naar de mannen staarde die de heli's voor de terugtocht gereedmaakten, kwam opeens Fernandez uit de boerderij gerend.

'Kolonel, we hebben een klein probleem.'

Howard voelde hoe zijn maag zich omdraaide en opeens gevuld leek met duizend vlinders die allemaal wilden wegfladderen, en wel meteen. 'Wat?!'

'De vrachtwagen staat met pech. Volgens teamleider kapitein Marcus heeft een koppakking het begeven.'

Howard staarde hem aan. De vráchtwagen heeft pech? Jezus christus, daar had zelfs het hele operatieplan niet eens in voorzien!

39

'Waar zitten ze?' vroeg Howard.

Computerexpert Jeter was nu een en al zakelijkheid en in zijn toon viel nu niets grappigs meer te bespeuren. 'Kolonel, ons GPS pikt hen op in de stad, ten zuiden van de oude Tets Komintern, in het nieuwe Visoki Stal olieopslaggebied vlak bij de rivier de Sunzha.'

'Hoe ver is dat hiervandaan?'

'Met een onwillige gevangene een hele wandeling, kolonel. Ik denk zo'n achttien kilometer.'

'Geweldig...'

'O, jee. Er komt een gesproken boodschap binnen. Ik ga decoderen.'

Als de teamleider bereid was radiostilte te verbreken, zelfs met een gecodeerd bericht, dan was er duidelijk stront aan de knikker.

'Wolf Pack, Cub Omega One hier. Ontvangt u mij, over?'

'Alpha Wolf hier. Spreekt u maar.'

'Kolonel, we staan met pech midden op een enorm olieopslagterrein en honderd meter verderop komen twee veiligheidsofficieren ons tegemoet, op de fiéts.'

Fietsdienders. Geweldig. 'Ga door met geplande procedure, Omega One. Glimlach beleefd en zwaai met uw documenten. Daarmee kunnen ze u niets maken.'

'Begrepen, over... shit!'

'Excuseer, Omega One?'

De stem van de kapitein keerde terug maar zijn woorden waren niet langer tot Howard gericht: 'Laat iemand hem z'n bek snoeren!'

'Omega One, rapporteer!'

Er viel een doodse stilte die lang aanhield.

'Cub Omega One, geef antwoord.'

'Eh, Alpha, we zitten hier met een probleempje. Onze passagier begon opeens moord en brand te schreeuwen waarna die kutsmerissen zomaar begonnen te vúren!'

'Jezus, wat voor schietrage cowboys zijn dat?' zei Fernandez, die naast Howard zat. 'Ze kunnen met geen mogelijkheid met zekerheid weten met wie ze te maken hebben.'

'Alpha, we hebben het vuur beantwoord. Ik herhaal, we hebben het vuur beantwoord. Omega Cubs zijn niet gewond. Ik herhaal, geen gewonden in ons team, maar een van die lui ligt nu op straat en de ander,' hier schoot het juiste rapportagejargon even tekort, 'die is 'm als een speer gesmeerd en verbergt zich nu achter zo'n klotetank, kolonel. Blijf hangen. Barnes en Powell, over de rechterflank. Jessel, over de linker. Nu! Snel, snel!'

Howard wachtte. Opnieuw leek er een eeuwigheid voorbij te gaan. Hij wisselde een blik uit met Fernandez.

Kapitein Marcus kwam weer on line. 'Kolonel, die ene die op straat lag is nu, eh, volledig ter ziele. Hij had een mobilofoon aan zijn riem en we moeten aannemen dat dat ook voor de andere agent geldt, maar die hebben we uit het oog verloren. Ik heb het vermoeden dat we snel onvriendelijk gezelschap zullen krijgen, Alpha. Verzoek om instructies.'

Howard keek Fernandez aan. Ze hadden geen keus. Er zou niemand in de steek worden gelaten. 'Inpakken maar, jongens! Over drie minuten stijgen we op!'

Tegen de teamleider die aan de andere kant op instructies wachtte, zei hij: 'Hou stand, Omega. De kudde komt eraan.

'Begrepen, Alpha. Dank u, kolonel.'

'We gaan, Julio.'

'Ja, kolonel!'

Howard en Fernandez haastten zich naar de helikopters.

Zaterdag 9 oktober, 17:20 uur
Quantico

In de kleine vergaderkamer zaten Michaels en Toni inmiddels aan hun tweede pot koffie. Zoals de arts had voorspeld, had Michaels nu veel meer pijn dan vlak nadat de kogel hem had getroffen. Bewegen deed zeer, stilstaan deed zeer, zitten deed zeer. Thuis had hij wat slaappillen ingenomen, maar nu Howard met zijn geheime operatie bezig was, wilde hij zijn hoofd erbij houden. Een uur of zo geleden had hij ten slotte toch maar een paar pijnstillers uit hun folieomhulsel gedrukt om die met een slok van zijn vijfde of zesde beker koffie weg te spoelen. De scherpe, stekende pijn was nu vervaagd tot een draaglijker doffe, stekende pijn. En ondanks de koffie voelde hij zich relatief ontspannen.

'Hoe is het met je arm?' vroeg hij aan Toni.

'Ach, het was een nette snee. Het doet niet zoveel pijn,' antwoordde ze, 'het jeukt alleen.'

Hij had haar na afloop bedankt, maar sinds dat moment had hij voldoende tijd voor bezinning gehad. 'Je hebt mijn leven gered daar. Als jij die vrouw niet had besprongen, had ze me vermoord.'

'Rusty heeft ons beiden gered. Ik had haar nooit kunnen bereiken als hij niet schreeuwend was binnengestormd met een inktpen alsof het een pistool was.' Ze schudde haar hoofd.

'Het spijt me echt van agent Russell,' sprak Michaels. 'Ik weet dat jij hem wat zelfverdedigingstechnieken leerde. Hadden jullie, eh, iets samen?'

Even aarzelde ze. 'Niet echt, nee.' Ze staarde in haar bekertje. 'Zijn ouders laten het lichaam voor de begrafenis naar Jackson in Mississippi repatriëren. Daar kwam hij vandaan. Ze lijken me aardige mensen. Ik wil er graag heen, als dat mag. Het is over een paar dagen.'

'Tuurlijk. En zodra deze toestand achter de rug is, áls dat ooit gebeurt, misschien dat ik je dan zover kan krijgen mij ook eens wat te leren. Over silat, bedoel ik.'

Ze keek op.

'Ik weet niet waarom, maar de laatste tijd voel ik een beetje de behoefte wat meer over zelfverdediging te leren.'

Hij glimlachte en zij glimlachte ook.

'Ik doe het je graag voor.'

'Het zal misschien wat weken duren voordat ik weer gewoon rondhobbel.' Hij tikte op zijn in het verband gewikkelde been.

'Ik wacht wel.'

Hij nam nog een slokje van zijn koffie, waarna de gedachte hem bekroop dat als hij nog meer zou drinken een blaastransplantatie geen overbodige luxe zou worden. Hij zette zijn bekertje neer. 'Ik vraag me af hoe het hen vergaat, daarginds. Ze moeten nu toch wel zo'n beetje klaar zijn...'

'Ik weet zeker dat ze zo snel mogelijk zullen bellen.'

'Ik ook. En ik ben vol vertrouwen dat kolonel Howard zijn missie zal klaren.'

Ze glimlachte opnieuw.

'Wat is er?'

'Niets. Ik moest alleen even terugdenken aan iets van heel lang geleden.'

'O?'

'Toen ik op John Jay zat, trok ik halverwege mijn studie in bij twee medestudenten. Mijn broer Tony zat namelijk zonder werk en dus liet hij zijn vrouw en twee kinderen bij mijn ouders achter om in Maine naar een baan te gaan zoeken. Thuis werd het dus een beetje druk. Gelukkig liep ik tegen een huurpand aan waar de verwarming het zowaar deed én waar de ramen open konden. Het zal nu wel een parkeerterrein zijn, maar voor drie meiden, ver weg van thuis, was het perfect.

Enfin, een van mijn huisgenoten was Mary Louise Bergamo uit Philadelphia, een spaghettivreetster, net als ik. De andere heette Dirisha Mae Jones, een lange, slanke, zwarte meid uit Texas. Ze deed aan volleybal en was de grappigste figuur die ik ooit heb ontmoet. Ze zat vol met van die traditionele zedenpreekjes die ze ergens had opgepikt. Zo zaten we op een avond gezellig aan de goedkope slobberwijn toen ze ons even ging uitleggen wat "vol vertrouwen" precies betekende.

"Meiden, luister goed. Ik ken een zwarte man, genaamd Ernest, en die is getrouwd met een waanzínnig mooie vrouw, genaamd Loretta. Alleen, Loretta wil het voor gezien houden, want Ernest is ontslagen, alhoewel hij daar zelf niks aan kon doen".'

Michaels grinnikte. Haar imitatie van het Texaanse accent van haar vriendin klonk behoorlijk goed.

Toni vervolgde haar verhaal. '"Op een ochtend trekt Ernest zijn enige witte overhemd aan, doet zijn mooiste das om, hijst zich in zijn zondagse flaneerbroek en gaat op weg voor zijn sollicitatiegesprek. Hij weet dat als hij deze baan niet krijgt, zijn vrouw bij hem weggaat. Hij weet ook dat de man die hem moet aannemen nou niet echt gestéld is op mannen met een kleurtje. Dus moet hij een goeie indruk maken.

Maar inmiddels is het dus lunchtijd. Onderweg naar zijn gesprek stopt hij bij Rick's Pit Barbecue, waar hij een dubbele portie spareribs bestelt en een biertje om de zaak weg te spoelen. Dus terwijl hij zit te wachten totdat Ricks zoon James met de spareribs komt – bedolven onder een laag hete vette barbecuesaus van ongeveer twee centimeter dik, en de beste ribs van heel Oost-Texas, wat zeg ik, zelfs van heel Midden- en West-Texas, en dat wil toch wel even iets zéggen –, dus terwijl hij zit te wachten, loopt hij naar de telefoon en belt Loretta met de woorden: 'Schat, strijk je blauwe jurk alvast maar op, want vanavond gaan we dansen om te vieren dat ik een nieuwe baan heb.'

De moraal van dit verhaal: een vent die met een wit overhemd spareribs gaat eten, wéét dat hij niet mag morsen. Kijk, dat noemen we nu 'vol vertrouwen', meisjes.'''

Michaels moest lachen.

'Dat zie ik je graag doen, Alex. Lachen. Dat doe je veel te weinig.'

Hij voelde een steekje dwars door de laag van medicamenten heen priemen. Het was iets in haar stem. Ze vond hem leuk. Het maakte hem wat onwennig, maar ook weer niet té. 'Wat dat betreft heb ik betere tijden gekend. Maar wat is er van hen terechtgekomen, van die huisgenoten van je?'

'Mary Louise ging rechten studeren, aan Harvard, en is daarna bij het advocatenbureau van haar vader gaan werken. Ze zat bij dat team dat afgelopen jaar die zaak tegen die woningbouwvereniging won.'

'En die uit Texas?'

'Dirisha werd meteen na haar diploma opgenomen in het nationale vrouwenvolleybalteam. Daar speelde ze drie jaar, en ze zat ook in het Nike-team dat een paar maal de Four Woman Outdoor Championships won. Daarna stapte ze uit het circuit, schreef een boek over haar avonturen en werd sportcolumniste voor *The New York Times*. Een paar jaar geleden trouwde ze en kreeg een kind, een zoontje. Driemaal raden hoe ze hem noemde.'

'Nee, hè?'

'Ja. Ernest.'

'Volgens mij verzin je het allemaal.'

Ze stak haar hand omhoog en maakte het padvindersgebaar. 'Geen woord, ik zweer het.'

Hij grinnikte opnieuw. Ze had gelijk. Hij moest wat meer lachen.

Maar op dit moment voelde hij zich een beetje nerveus. Waar bleef Howard toch? Die had zich allang moeten melden. Hij keek op zijn horloge.

Ook al ging alles van een leien dakje, dan nog moest Michaels zich in heel wat bochten wringen wilde Carver hem niet wurgen als die erachter kwam. Stel dat ze na al die moeite Plekhanov níet bij zich hadden, dan zat hij tot aan zijn kruintje in de stront.

Als deze operatie mislukte, dan zou hij een hoop vrije tijd krijgen, lang genoeg om wat aan zijn lachspieren te kunnen werken, en ver verwijderd van alles wat met Net Force te maken had. Maar voorlopig leek het hem niet waarschijnlijk dat hij daar veel zin in zou hebben.

'We vliegen nu op topsnelheid, kolonel!' riep de piloot. Hij moest hard schreeuwen om boven de wind en het rotorgeluid uit te komen. Al die actievideo's met mensen die in een grote heli met geopende deuren een normaal gesprek voerden, alsof twee aristocraten in een Rolls Royce met airco aan de thee zaten, nou dat was dus pure fantasie. Die video's waren waarschijnlijk gemaakt door iemand die een helikopter zelfs nooit van dichtbij had gezien. Zelfs het radioverkeer dat in de koptelefoons knetterde, was bijna niet te ontcijferen.

'Hoe lang nog?' schreeuwde Howard.

'Twee, drie minuutjes,' schreeuwde de piloot terug. 'Daarginds rechts is de rand van het olieterrein. En daar ligt de rivier. Ik ga zo meteen dwars over de hoofdweg.'

De tien mannen die aan deze heli waren toegewezen, droegen ieder een lichte H&K-mitrailleur plus een pistool in een holster, 9 mm Brownings en Cold Steel-bajonetten. Ze waren gekleed in onopvallende overalls met daaronder kogelvrije vesten en dito helmen en laarzen. De complete uitrusting was gewoon in de winkel verkrijgbaar. De mitrailleurs kwamen uit Duitsland, de pistolen uit België, de messen uit Japan. Ze waren immers niet uit op een confrontatie, en stel dat er spullen achterbleven, dan zou niets daarvan in de richting van de Verenigde Staten wijzen.

De manschappen droegen wel hondenpenningen, maar dat maakte niet uit, niemand zou immers achterblijven. Het was samen uit, samen thuis.

'Daar heb je de truck!' schreeuwde Fernandez.

'En daar heb je het gedonder al!' reageerde Howard.

Een konvooi van militair aandoende voertuigen, drie stuks, naderde snel vanuit de andere richting. Het voorste voertuig was een jeep-kloon waarop een machinegeweer was gemonteerd dat werd bediend door een man in camouflagepak. Het tweede voertuig was een politiewagen met blauw zwaailicht. Het derde voertuig was een grote SWAT-achtige bestelwagen, eveneens met zwaailicht. Zelfs boven het geluid van de heli's uit waren de sirenes te horen.

'Kut,' zei Fernandez.

'Kan ik met dit apparaat C2 bereiken?' schreeuwde Howard naar de piloot.

'Ja, kolonel. Moet kunnen.'

Hij zocht verbinding en sprak tot de gezagvoerder van de andere heli: 'C2, hier Alpha Wolf. Ontvangt u mij, over?'

'Alpha Wolf, we ontvangen u.'

'C2, maak pas op de plaats. Ik herhaal, maak pas op de plaats. Draai om. Ik meld me zodra ik u nodig heb. Het heeft geen zin hun twee doelwitten te geven.'

'Begrepen, kolonel.'

Daarna richtte hij zich tot zijn eigen piloot. 'Zet maar aan de grond, Loot. Tussen onze truck en het konvooi.'

'Ja, kolonel.'

Howards maag schoot bijna in zijn keel nu de metalen vogel snel omlaag zakte. Hij voelde de spanning. 'Niemand vuurt tenzij zelf onder vuur! Verspreiden in echelonopstelling.'

Hij keek naar de weg die snel dichterbij kwam. Nergens dekking, maar zelf zou hij wel uitkijken om midden op een olieopslagterrein te gaan vuren. Hij zette al zijn hoop op het verrassingseffect die hun actie op de Tsjetsjeense commandant zou hebben, alsmede diens verantwoordelijkheidsbesef. Stel dat híj er midden in de nacht op uit werd gestuurd vanwege een schietpartij op een of andere afgelegen post, met een ongemarkeerde helikopter aan de grond die een stel gewapende en anonieme manschappen uitbraakte, dan zou hij zich wel twee keer bedenken voordat hij de trekker overhaalde, niet als eerste in elk geval. Er zouden enkele belangrijke vragen te beantwoorden zijn: wie waren dit? Wat deden ze hier? Was dit soms een geheime operatie van het eigen leger? Een béétje informatie was toch wel nodig voordat je kon gaan schieten. Het vuur openen op een stel criminelen in een vrachtwagen waarin je misschien tevens een gijzelaar vermoedde, allicht. Maar stel dat je je eigen legerjongens neermaaide, dan was dat niet best voor je carrière. Ook een paar kogelprikjes in een stel oliereservoirs waarna je tot aan je knieën in de olie stond, was niet aan te raden. Stond hij in de schoenen van die Tsjetsjeen, dan zou hij genoodzaakt zijn er snel achter zien te komen wat er nu allemaal aan de hand was.

De Huey raakte de grond. 'Wapens gereed!' schreeuwde hij.

Hij controleerde zijn eigen wapen om er zeker van te zijn dat ook dat schietklaar was en stapte uit om zijn team en hun buit op te pikken.

40

Gierend kwamen de drie Tsjetsjeense voertuigen tot stilstand toen Howard en zijn manschappen uit de Huey klommen en zich verspreidden, de wapens in de aanslag maar niet gericht. Ook de Tsjetsjenen verlieten hun voertuigen. Zij hadden het voordeel dat ze hun wagens als dekking konden gebruiken. Het waren vijftien, misschien achttien man in militaire uitrusting die van achter de jeep-kloon, het busje en de politiewagen hun wapens in gereedheid brachten.

Howards mannen stonden in de open lucht. Hier gold de factor doodsangst: een carrosserie kon immers nog flink wat kogels tegenhouden, ijle lucht niet.

'Marcus...' sprak Howard zacht, in de hoop dat de Tsjetsjenen zijn woorden niet zouden opvangen, 'laad ons vrachtje in de heli. Daarna wegwezen.'

Achter hem werd Plekhanov door het team naar de Huey geduwd. Marcus was de taalexpert. Meteen nadat hij de Rus aan boord had gebracht, kwam hij het toestel uit en stelde zich op naast Howard.

Zestig meter verderop klonk er vanuit het Tsjetsjeense kamp opeens wat Russisch geroep. Howard kende net genoeg woorden en zinnen om het te kunnen ontcijferen: wie zijn jullie, verdomme!

'Hoe heet hun geheime politie?' vroeg hij binnensmonds aan Marcus.

'*Zhálit Kulák*, kolonel.'

'Vertel hun maar dat wij dat zijn. Vertel hun dat we bezig zijn met een geheime operatie. Zeg hun dat als ze niet als de sodemieter opdonderen we hun ballen als ontbijt zullen nuttigen.' Hij had weinig hoop dat ze erin zouden trappen, maar ze zouden in elk geval moeten overleggen: stel nu dat het waar was, konden ze dan het risico wel nemen?

'Begrepen.' Marcus draaide zich om en ratelde in hoog tempo een salvo van Russische woorden af.

Howard hield zijn toon gedempt maar luid genoeg om boven het aanzwellende motorgeluid van de Huey uit te komen. 'Oké, snel aan boord. Twee aan twee. De laatsten eerst.'

Op het moment dat de eerste twee soldaten instapten, riep de Tsjetsjeense commandant iets waarna zijn mannen hun wapens nog scherper op hun doelwitten richtten.

'Ik geloof dat ze ons liever niet zien vertrekken,' merkte Fernandez op.

Howards maag leek opeens gevuld met droog ijs en vloeibare stikstof. Hij knikte. Alleen, hoe langer ze hier bleven, hoe gevaarlijker het werd. Iemand hoefde maar nerveus te worden en één verkeerde vingerbeweging was al genoeg om een schot te lossen dat op zijn beurt aan beide kampen een complete fusillade zou ontlokken.

Voorzichtig activeerde Howard zijn verbindingsunit om contact te zoeken met de tweede Huey. Hij hoopte maar dat deze zich voldoende binnen bereik van zijn zender bevond. 'C2, Alpha Wolf hier.'

De ether leek volkomen dood.

'C2, meld u alstublieft.'

'Ontvangen, Alpha. C2 hier.'

Howard onderdrukte een zucht van verlichting. 'We hebben wat afleiding nodig. Op ongeveer zestig meter ten noorden van onze positie naast de C1 staat een grote bestelbus. Ik zou het waarderen als u vanuit het noorden zou aanvliegen en iemand naar buiten laat leunen om een magazijntje pretknikkers op het dak van dat ding los te laten.'

'Kunt u op rekenen, Alpha. We komen eraan.'

'Geef me uw tijd van aankomst.'

'Over vijfenveertig seconden, kolonel.'

Ze bleken dus niet al te ver weg te zitten, iets waarvoor hij op dit moment uiterst dankbaar was.

'Tijd om te vertrékken, mannen,' beval hij, luid genoeg voor zijn manschappen. Nu kon het hem weinig schelen of de vijand hem wel of niet kon horen. 'Op mijn commando twee aan twee naar binnen. Looppas.'

Hij zag hoe een paar van de Tsjetsjenen hun blik van hun vizier afwendden, het hoofd omdraaiden en omhoogstaarden. Ze vingen de geluiden van de aanvliegende Huey al op. De grote Pratt and Whitney's leverden in een oogwenk bijna twaalfhonderd pk's en draaiend op vol vermogen waren ze niet bepaald stil.

'Attentie...' sprak Howard.

In het licht dat tegen de Tsjetsjeense voertuigen weerkaatste en van de gele natriumlampen die de oliereservoirs omlijnden, zag Howard hoe de Huey laag kwam aandreunen en op zo'n vijfentwintig meter hoogte een flauwe bocht maakte. Een tel later zag hij de rappe geelrode flitsen uit de vuurmonden van twee of drie mitrailleurs die nu vanuit de geopende zijdeur omlaag schoten. Dat laatste kon hij rustig aan zijn mannen overlaten. De metalen hagelbui kletterde op het dak van de bus.

De Tsjetsjenen draaiden zich om om de nieuwe en acutere dreiging het hoofd te bieden.

'Nu, nu, nú...!'

Howards mannen schoten snel naar binnen...

De Tsjetsjenen openden het vuur op de helikopter boven hen...

De laatste soldaat sprong aan boord van de wentelwiek. Alleen Howard en Fernandez stonden nu nog buiten.

'Instappen, Julio!'

'Waar volwassenen staan, moeten kinderen gaan, kolonel.'

Howard grijnsde en rende weg. Eenmaal binnen botste Fernandez tegen hem aan toen hij snel om de hoek van de deur wegdook.

'Opstijgen, opstijgen!' riep Howard.

De piloot gaf vol gas en de heli verhief zich met een sprong in de lucht.

De Tsjetsjenen beseften dat de aanval vanuit de lucht een afleidingsmanoeuvre was geweest en vuurden nu twee kanten op. Kogels ketsten af tegen de metalen romp.

'Hou hen bezig!' schreeuwde Howard.

Fernandez, die het dichtst bij de deur zat, schoof deze open en maaide met zijn H&K alsof hij de tuin aan het sproeien was. De Tsjetsjenen zochten vliegensvlug dekking achter hun voertuigen die nu door kogels werden bewerkt.

De commando-Huey legde zich schuin in een bocht en maakte een scherpe achterwaartse hoek. Langzaam draaide het toestel in een spiraal omhoog. Nog een paar kogels ketsten af tegen de romp, maar even later werd alles rustig.

'C2?' riep Howard in zijn microfoon.

'Vlak achter u, Alpha.'

'Nog gewonden?'

'Nee, kolonel.'

'Sergeant..?'

'Nog iemand gewond hier?' riep Fernandez nu.

Klaarblijkelijk was niemand gewond.

Howard slaakte een diepe zucht en grijnsde. Ze hadden de klus geklaard! Godsamme...!

'Maar dit is kidnapping! Dit is verboden!'

Howard liet zijn ogen op de verontwaardigde Rus vallen en voelde een kille haat in zich opwellen.

'Jullie stommelingen veroorzaken een internationaal schandaal! Ik heb invloedrijke vrienden! Denk maar niet dat u ermee wegkomt!'

Howard staarde de man aan. 'We zíjn er al mee weggekomen.' De Rus begon te vloeken, het was in het Russisch. Ook nu herkende Howard een paar woorden. Hij voelde zich niet genegen ernaar te luisteren en gebaarde de man tot stilte. De Rus hield zijn mond en fronste zijn wenkbrauwen.

'U vermoordde een man op wie ik zeer gesteld was en die ik respecteerde, *mister*. Als u niet snel uw waffel houdt, loopt u het risico per ongeluk uit dit toestel te vallen. En reken maar dat u vanaf deze hoogte en met deze snelheid dan flink zult stuiteren.'

Waarna de Rus kennelijk tot de slotsom kwam dat hij verder weinig meer te melden had.

Zaterdag 9 oktober, 18:54 uur
Quantico

In de vergaderkamer rinkelde de telefoon. Michaels, even alleen, griste de hoorn van de haak. 'Ja?'

'Ik verbind u door met kolonel Howard,' sprak de stem.

'Commandant?'

'Ik ben het, kolonel.'

'Missie volbracht, commandant. We zijn in de lucht en onderweg naar huis.'

Michaels voelde hoe een enorme opluchting zich van hem meester maakte. 'Prachtig! Mijn felicitaties, kolonel! Nog problemen gehad?'

'Niets noemenswaardigs, commandant. Een makkie.'

Toni verscheen weer in de kamer. Michaels keek op, wees naar de hoorn en stak zijn duim op.

'Als het meezit, zijn we over ongeveer zestien uur bij u, commandant.'

'Ik zie ernaar uit. Nogmaals mijn felicitaties, kolonel. Prima werk.'

Michaels verbrak de verbinding en grijnsde naar Toni. 'Ze hebben hem. Ze komen eraan. Morgen zijn ze hier.'

'Ik zal Jay Gridley zo even bellen,' zei ze. 'Hij wilde graag weten hoe het zou aflopen.'

'Doe dat.'

'Dus wat nu, Alex? Als je gelijk hebt, hebben we de moordenaar van Steve Day te pakken, ook al kunnen we het niet bewijzen. De vrouw die roet in het eten gooide, is dood.'

'Gewoon de draad weer oppakken, denk ik,' antwoordde hij. 'Als ik de rapportage bij Carter tenminste overleef.'

'Dat zal wel lukken. Voor de baas geldt alleen het eindresultaat. Dit hier is hetzelfde als die Noriega-deal onder Bush of die Irakees die tijdens het laatste jaar van Clinton werd ontvoerd. Onze huidige president wilde dat we deze moordenaar zouden pakken, en we hebben hem gepakt. Nu is hij het probleem van het ministerie van Justitie.'

'Maar eerst hebben wij nog een gesprekje met Carver.'

'Uiteraard. Maar in feite is alles nu voorbij.'

'Ja,' antwoordde hij. 'Alles is voorbij. En door de bank genomen hebben we het lang niet slecht gedaan, toch?'

'Nee, we hebben het lang niet slecht gedaan.'

Grinnikend keken ze elkaar aan.

Epiloog

Ruzhyó, gekleed in het uniform van een Amerikaanse marinesergeant, stond voor het hekwerk dat het Net Force-hoofdkwartier omheinde. De hoofdingang bevond zich weliswaar driehonderd meter verderop, maar het jachtgeweer in zijn plunjezak op de grond naast zijn voeten was accuraat genoeg om van hieraf een man te kunnen raken. Het geweer was een Remington, dus geen Winchester, maar wel een van kaliber 30-06 en voorzien van een munitielade. Eigenlijk net zo'n wapen als waarmee hij in Oregon die computerzakenman had uitgeschakeld. Het grootste verschil was dat het vizier niet holografisch maar optisch was, met vergrotingsfactor tien en ingesteld op driehonderd meter. Hij had eerst deze plek uitgezocht en daarna zijn vizier ingesteld.

De bushalte hier was nog zo nieuw dat er zelfs nog geen spoor van graffiti te bekennen viel. Hier kon hij een paar minuten rondhangen voordat iemand hem in de gaten kreeg. Zelfs op zondag was het er druk genoeg om als marinier die op de bus wachtte niet in de gaten te lopen.

Als de Net Force-commandant zich niet op weg naar de lunch begaf, zou Ruzhyó weer vertrekken, om later terug te fietsen in de hoop de commandant te pakken te krijgen zodra die het gebouw verliet om naar huis te gaan. Als dat niet lukte, kon hij zich misschien ergens verschansen langs de route die de commandant naar huis aflegde. Er was altijd wel een plek te vinden.

Een witte Dodge bestelbus zonder opschriften, maar voorzien van regeringskentekenplaten, stopte voor de hoofdingang. Ruzhyó had een klein Bushnell monokijkertje bij zich met vergrotingsfactor acht en klein genoeg om geheel en al in de palm van zijn hand verborgen te houden. Hij leunde met zijn heup tegen het hek en bracht de hand met daarin de kijker naar zijn oog.

De deur van het gebouw ging open waarna een aantrekkelijke brunette verscheen die naar de bus liep. Alexander Michaels stond vlak achter haar en werd geflankeerd door twee mannen die van de bewaking konden zijn.

Ruzhyó had geluk. Het moest snel gebeuren. Immers, een man die van achter een omheining een jachtgeweer richtte, zou zeker de aandacht trekken, marinier of niet. Hij bukte zich en ritste de plunjezak open. Het geweer lag al schietklaar. Hij hoefde het ding alleen nog maar uit de zak te nemen, de loop door het gaas te steken, wat voor een prima ondersteuning zou zorgen, het dradenkruis van het vizier over het doelwit te plaatsen en de trekker over te halen. Op zijn snelst zou het vijf seconden duren, en misschien tien als hij de tijd nam.

Eén vloeiende beweging, dat was het geheim. Niet rukken en trekken, gewoon het wapen uitnemen, door het gaas steken, het zo houden, en zoeken naar het doelwit. Hij deed het.

Het vizier, een Leupold, had een uitstekende optiek. Het zicht was helder en haarscherp.

Daar stond hij.

Ruzhyó liet het dradenkruis bevend op de borst van de man rusten. Vanaf deze afstand vulde het ronde vizierveld zich niet alleen met Michaels. Ruzhyó zag ook de vrouw, een van de bewakers en een geüniformeerde militair die nu uit het busje stapte.

Voorzichtig liet hij wat van zijn ingehouden adem ontsnappen. Daarna legde hij zijn vinger om de trekker...

Shit! Snel haalde hij zijn vinger weer weg. De militair, een zwarte, hield een man bij de arm.

Het was Vladimir Plekhanov!

Ruzhyó wist dat hij nu moest besluiten wel of niet te schieten. En snel. Zo kon hij niet blijven staan.

Ondanks al Plekhanovs vernuft waren ze er dus toch achter gekomen dat hij hun vijand was. En dat niet alleen, ze hadden hem zelfs te pákken.

Plekhanov gepakt. En dan te bedenken dat hij twee dagen geleden nog met de man gesproken had. Ongelooflijk.

Het moment strekte zich uit.

Moest hij Michaels neerschieten? Of Plekhanov? Wie weet zou die hem verlinken zodra hij ondervraagd werd. Ruzhyó wist donders goed dat er drugs, middelen, werden gebruikt die zelfs de meest verzegelde lippen hun geheimen konden ontfutselen. De Amerikanen gebruikten deze middelen niet vaak, maar ze konden het wel als ze wilden.

Dus, schieten?

Nee. Hij zou Vladimir niet doden. Als de Rus hem aan de Amerikanen wilde uitleveren, het zij zo.

En de Net Force-commandant? Ook dat had nu geen zin. Daarmee zou Plekhanov niet geholpen zijn. Het zou geen enkel doel dienen. Zelfs hij, Ruzhyó, doodde niet zonder reden.

Hij trok de loop terug uit het gaas en borg het geweer op in de plunjezak. Daarna keek hij om zich heen. Vanaf het moment dat hij het wapen uit de zak tevoorschijn had gehaald, waren er misschien vijftien seconden verstreken. Het leek erop dat niemand hem in de gaten had gekregen. Hij ritste de zak dicht, en kwam weer overeind. Er kwam een bus aan. Die zou hij nemen. In de volgende stad zou hij een auto huren, gaan rijden en een plek zoeken om eens rustig te kunnen nadenken. Hij had de andere huurwagen natuurlijk ook nog, maar die wilde hij niet langer gebruiken. Het was een warme dag voor oktober en die kofferbak zou nu waarschijnlijk al aardig stinken.

Sissend kwam de bus tot stilstand. Harmonicadeuren zwaaiden open, de chauffeur keek hem glimlachend aan. Ruzhyó glimlachte terug, zij het wat bescheidener, en bovenal ingegeven door de gedachte die hem nu bekroop: van nu af aan was hij tenminste verlost van het gebral van Grigory de Slang over diens medaille van verdienste in Tsjetsjenië. En zodra iemand de kofferbak opende en de inhoud ontdekte, zou hij, Ruzhyó, allang vertrokken zijn.

Misschien wel naar de woestijn, wie weet.